Bruckmann ,H.

Dekorative Kunst - illustrierte Zeitschrift fuer angewandte Kunst

1. Band

Bruckmann ,H.

Dekorative Kunst - illustrierte Zeitschrift fuer angewandte Kunst

1. Band

Inktank publishing, 2018

www.inktank-publishing.com

ISBN/EAN: 9783750134461

All rights reserved

This is a reprint of a historical out of copyright text that has been
re-manufactured for better reading and printing by our unique
software. Inktank publishing retains all rights of this specific copy
which is marked with an invisible watermark.

DEKORATIVE KUNST

ILLUSTRIERTE ZEITSCHRIFT FÜR ANGEWANDTE KUNST ● ● ● HERAUSGEBER: H. BRUCKMANN MÜNCHEN UND J. MEIER-GRAEFE PARIS ● ● ● ● BAND I ● ● ● ● ● ● ●

VERLAGSANSTALT
F. BRUCKMANN A.-G.
MÜNCHEN ● 1898 ●

VERZEICHNIS DER ARTIKEL

VERZEICHNIS DER ILLUSTRATIONEN

BÜCHERBESPRECHUNGEN

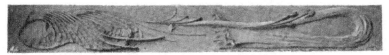

WOHIN TREIBEN WIR?
VON
S. BING

Um unseren mit so glänzender Vergangenheit gesegneten gewerblichen Künsten neue Lebensquellen zu erschliessen, die dem endgültigen Verfall vorbeugen konnten, war Eines nötig. Zuerst mussten die Augen wieder sehen lernen und die riesige Gefahr offenbar werden, die in der beschaulichen Trägheit lag, mit der man auf dem Erbe der Vergangenheit schlummerte, die ruhig zusah, wie eine Generation der anderen folgte, ohne eine Spur ihrer Eigenart zu hinterlassen.

Soweit sind wir heute bereits. Ein neuer Wind weht über jene Kunst, die den Schmuck des Heims zum Zweck hat, ein Frühlingswind pfeift selbst in die verschlafensten Winkel und rüttelt die lieben, alten Traditionen, dass sie bedenklich zu wackeln anfangen. Aber wenn sich überall neue Keime regen, niemand weiss bisher, was sie bringen werden. Wird es eine Renaissance sein, die mit neuen Säften die alten Wurzeln zur Blüte treibt oder spriesst etwas ganz Neues direkt aus der Erde heraus, das allem Vorhergegangenen widerspricht und in seiner tollen Überhast vielleicht weit über das Ziel schiesst?

Da liegt die Gefahr des Problems. Der Moment ist entscheidend. Selten hat es einen kritischeren in der Kunstgeschichte gegeben. Die Lage erfordert also ruhiges Wägen. Die Bewegung, deren Entstehen wir beiwohnen, wird fruchtbringend oder verhängnisvoll für die Sache, der sie dienen will, je nachdem sie der Laune des Zufalls, der Caprice der mehr und weniger guten Einfälle — oder dem konsequenten Ernst logischer, gesunder Gesetze überlassen wird.

Welcher Codex enthält diese Gesetze? Wo stecken die Elemente jener Logik?

Unsere Vorfahren im Gewerbe waren glückliche Leute. Sie kamen in einer Zeit ruhiger, stetiger Entwicklungen zur Welt. Fast nie gab es in der Geschichte, die sie

W. MORRIS, Webteppich · The Woodpecker ·.

WOHIN TREIBEN WIR?

machten, einen plötzlichen Stillstand, nie daher einen plötzlichen Aufbruch in vollkommen neue Gefilde. Jeder Künstler trug in unbewusstem Communismus mit seinem Werk zum Heil der Gesamtkunst seiner Epoche bei; das Ergebnis eines Tages kam zu dem des folgenden, verband und differenzierte sich durch tausend Verschiedenheiten, deren Gesamtheit im Laufe der Zeit die entscheidenden Veränderungen vollbrachte.

Eines Tages wird diese gerade Linie plötzlich abgebrochen oder vielmehr sie läuft aus, versiegt an Entkräftung. Und merkwürdig, genau im selben Moment öffnet sich eine neue Ära voll riesiger, nie geahnter Fortschritte für alle übrigen Gebiete menschlicher Thatkraft. Während sich alles verändert, während auf allen Gebieten des praktischen Lebens Entwicklungen gleich Revolutionen ausbrechen, während Erfindungen aller Art die Wissenschaft, die Industrie, den Handel völlig umgestalten und überall neue ungeahnte Arbeitsgebiete entstehen, während Malerei, Musik, Litteratur die höchsten Gipfel ersteigen, bleibt die Wohnung, der Raum, in dem all das Neue erdacht wird, vollständig unverändert, und die tausend Dinge, die uns räumlich am nächsten sind, werden allein von dieser mächtigen Zeitströmung ausgeschlossen.

Nun stehen wir am Ende dieses ungeheuerlichen Jahrhunderts, und endlich tritt uns die ängstliche Frage auf die Lippen, wie man das abgerissene Ende der Tradition wieder festbinden, mit welchen Mitteln man aus diesem gewohnten Einerlei der intimsten Dinge, das uns plötzlich als krasser Anachronismus in die Augen springt, herauszukommen vermag.

Man muss zugestehen, dass diese Entdeckung schon eine Weile hinter uns liegt; schon seit geraumer Zeit spielen diese Ideen und haben thatkräftige, arbeitsame Jünger gefunden, die bereits die Theorie in die Praxis übersetzt und tausend Dinge geschaffen haben, um die alten Irrtümer zu ersetzen.

Die skeptische Frage stellt sich ein, warum diese Spanne von Jahren seit dem bewussten Erwachen noch nicht genügt hat, um eine reiche Ernte von greifbaren Resultaten zu reifen, warum die neue so offenbar unwiderstehliche Richtung noch nicht auf der ganzen Linie gesiegt hat, warum wir noch nicht einmal absolute, bestimmte Fingerzeige besitzen, die uns den Weg, den die Entwicklung nehmen wird, mit Sicherheit vorzeichnen.

Unzweifelhaft müssen versteckt liegende Gründe die Anstrengungen niederhalten. Diese gilt es zu finden. Das einzige Mittel, die Zukunft zu ergründen, ist, sich über die Vergangenheit klar zu werden. Suchen wir die schädlichen Elemente und sehen wir, ob sie unschädlich zu machen sind. Man wird dem richtigen Wege nahe kommen, wenn man weiss, welche Wege falsch sind.

Der erste Protest gegen die gänzliche Vernachlässigung der dekorativen Künste ging, vor nunmehr bald einem halben Jahrhundert, von England aus, und RUSKIN war sein Prophet. RUSKIN's empfindsame Dichterseele litt unter der Hässlichkeit, die ihm auf Schritt und Tritt den Blick vergiftete, und der Vergleich seiner Zeit mit den glänzenden Stilepochen demütigte ihn. Grosses Vermögen, ein lebhafter Bethätigungstrieb und eine ganz unabhängige soziale Stellung, die ihm erlaubte, seine Zeit nach seinem Willen zu verbringen, bestimmten ihn zum Vorarbeiter an dem neuen Werke des Heils. Er besass die rechte Kampfeslust, in seiner Feder eine glänzende Waffe, in der Gewalt seiner Rede unwiderstehliche Überzeugungskunst. Damit zog er von Stadt zu Stadt, von Land zu Land, überall predigend; die Nächte schrieb er. Er liess sich zum Kunstprofessor an der Universität von Oxford ernennen, gründete Zeichenschulen, hielt selber Unterricht, gab grosse Summen für neue Museen, errichtete mitten im Lande Fabriken, wo mit der Hand Stoffe gewebt und die für den »Hausspun« bestimmte Wolle gemacht wurde, die dem Stoff die Güte alter Zeiten wiedergab. Sein Erfolg war sofort beispiellos. Man riss sich um seine Bücher, und jede neue Broschüre, und mancher, der nur zur Hälfte seine Prinzipien begriff, wurde darum nicht weniger sein warmer Anhänger.

Eines half ihm vor allem. Er fand Menschen, begeistert wie er, die Künstler waren und sofort seine Ideen praktisch in die Künste und Gewerbe übertrugen, so DANTE G. ROSSETTI, MADOX BROWN, BURNE JONES, WALTER CRANE, so WILLIAM MORRIS.

Alle diese Künstler waren mit RUSKIN überzeugt, dass nur in der Vergangenheit eine reine Schönheitsharmonie, ein tief ideales Kunstschaffen zu finden sei. Und darin hatten sie recht.

Aber sie alle erblickten infolgedessen das Heil ihrer Zeit nur in der Rückkehr zu den Wegen der Alten, in einer individuellen Nachahmung ihrer grossen Vorgänger, ohne sich um den Unterschied der Zeiten zu bekümmern. Und darin hatten sie unrecht.

Denn gerade was die grossen Kunstepochen immer besitzen, das ist die vollkommene Harmonie zwischen dem Geist einer Zeit und ihren Werken, die fein reagierende Schöpfungskraft, die die Kunstform ändert, sobald sich das in-

2

*tellektuelle Leben der Völker ändert. Wenn einer
der grossen Alten heute zurückkäme, er würde
der Jüngsten einer sein und das Ideal, dem
er früher gedient, das damals der Zeit, heute
nicht mehr der unsrigen entspricht, weit von
sich werfen. Das Typische an den Grossen
ist ihre Eroberungskraft. Sie sind immer
Umstürzler.*

*RUSKIN flüchtete aus Hass gegen die Gegen-
wart in die Vergangenheit und er wollte seine
ganze Mitwelt mitnehmen. Er predigte, dass
jeder Mensch, selbst der Ärmste, in seinem
Haus einen Hauch von Kunst haben müsse,
und dabei verschloss er durch seine Theorie,
durch die Absperrung aller modernen Hilfsmittel die einzige materielle Möglichkeit, seinen
Wunsch zu verwirklichen. Er hätte am liebsten
die Eisenbahnen abgeschafft, weil sie die
Schönheit der Landschaft gefährden.*

*Die Träumereien seiner Malerfreunde illu-
strierten diese Tendenz in glänzender Form und
führten immer weiter fernab von der Gegenwart zurück in die heroischen Zeiten. Aber
das Heldentum dieser Zeiten vermag nicht
der Gegenwart Jugendfrische zu geben, und
die Stärke der Zeit, in deren Erinnerung man
schwelgte, hat nichts von der Gedankenblässe,
die in den Bildern ROSSETTI's und der anderen
schlummert.*

*WILLIAM MORRIS wurde die gewerbliche
Essenz dieser Kunst. Er setzte seine uner-
schöpfliche Gestaltungskraft, seine ganze, schier
unbegreifliche Energie ein zur Popularisierung
der Gedanken seines Freundes RUSKIN. Er
wurde der grosse Reformator des englischen
Hauses und alles dessen, was den dekorativen
Künsten gehört. Fenstermalereien, Stoffe,
Tapeten, Mobilien, Keramik, Buchgewerbe,
alles umfasste er mit gleicher künstlerischer
Liebe, alles wurde von ihm zu einer harmoni-
schen Gesamtheit geeint, einfach und gediegen, künstlerisch und in allen Teilen stets
streng der Art der verarbeiteten Materialien
entsprechend.*

*MORRIS ist der Erwecker. Ihm, dem jüngst
verstorbenen, verdankt die moderne gewerbliche Bewegung den Anstoss, und es bedurfte
eines Mannes seiner Art, um dem Stoss fort-
wirkende Kraft zu geben.*

*Aber seine grosse Schöpfung trägt den
Stempel der Kunst, der sie entsprang: stets ist
es die Vergangenheit, die durch MORRIS
schöpferisch wirkte. Und der Archaismus
seiner Werke hält unsere Zeit ab, sie als ihre
wahren Kinder zu grüssen.*

*Durch ganz Europa ging ein Schrei des
Entzückens, als England mit seiner Schöpfung
hervortrat. Noch ist sein Echo in allen Ländern*

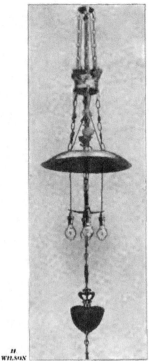

11
WILSON   (Seite 19)

*zu vernehmen. Aber in England selbst scheint es
stiller geworden zu sein; dem schönen Ansturm
ist nicht der breite starke Fortschritt gefolgt.
Ein Moment des Stillstandes ist eingetreten,
England seufzt unter der Macht seiner Erinnerungen. Das Mobiliar scheint in einer toten,
engen Formel, die nichts anderes als ein er-
weiterter Queen-Anne-Stil und, wenn man
weiter zieht, ein Abkömmling der flämischen
Renaissance ist, zu versinken. Wohl drängt ein
kräftiger künstlerischer Wille in bedeutenden
Schülern von MORRIS, in erster Linie VOYSEY
u. a. zum Fortschritt. Ob er aber genügt?*

*Wenn England für die Zukunft die Führung
der Bewegung erobern will, muss ein neuer Wind
sich hinter seine erschlafften Segel setzen.
(Ein zweiter Aufsatz folgt.)*

3   1*

MODERNE BELEUCHTUNGSKÖRPER

Bei der Lampe ergiebt sich die Neuerung in gewerblicher Hinsicht von selbst. Schwieriger ist, den Stuhl, den Tisch durch neue Formen zu ersetzen; wir haben von den Alten vorzügliches, von dem Empire und der Queen-Anne-Epoche einfaches, brauchbares Mobiliar geerbt, und die physischen Bedürfnisse, die hier mitsprechen, haben sich zwar modifiziert, aber nicht so entscheidend verändert, dass dem Laien die Notwendigkeit neuer Formen aus anderen als ästhetischen Gründen ohne weiteres in die Augen springt. Anders in der Beleuchtungsfrage. Die Entwicklung, die sich in unserm Jahrhundert von der Öllampe zum Gas, vom Gas zur Elektrizität vollzogen hat, hat eine Welt zwischen früher und jetzt gelegt: zwischen der Öllampe unserer Grossväter und einer Glühlampe ist kein geringerer Unterschied als zwischen der Postkutsche und dem Eisenbahnwagen. Die in der Entstehung wie in der Äusserung vollkommen veränderte Lichtmaterie musste notwendig neue Formen für die Träger des Lichts mit sich bringen. Das Bassin der Öllampe musste sich bei der Petroleumlampe wesentlich vergrössern, was wiederum eine solidere Konstruktion der Lampe nötig machte. Eine vollständige Umgestaltung des Beleuchtungswesens trat aber erst ein, als man die Verwertung des Gases gelernt hatte. Erst das Gas, das eine Leitung der Materie von einem im Hause gelegenen Zentrum aus mit sich brachte, machte die Lampe zu einem vollberechtigten Stück der Innendekoration, indem es die Anlage fester Beleuchtungspunkte durch Kronleuchter, Wandarme etc. nicht nur erleichterte, sondern rationellerweise auch notwendig machte. Die Erfindung der Elektrizität erweiterte dieselbe Tendenz bis ins Unbegrenzte. Während die offene Gasflamme sich in respektvoller Entfernung von

der Wand zu halten hatte, dringt das geschlossene elektrische Licht überall hin und macht Beleuchtungswirkungen möglich, an die früher nicht zu denken war.

Trotz des ungeheuren Aufschwungs der Gas- und elektrischen Beleuchtung ist die Petroleumlampe noch nicht verdrängt und zwar mit Recht. Während Gas und Elektrizität immer den besten Stoff für die stabile Beleuchtung liefern werden, bleibt das Petroleum ein praktischer Körper für die mobile Lampe, so sehr auch Gas und Elektri-

zität auch diesen Gebiet umstreiten. So kommt es, dass wir den drei verschiedenen Materien entsprechend drei verschiedene mobile Lampenarten besitzen: bei der Petroleumlampe ist das Bassin die natürliche Hauptsache, die die Form der Lampe bestimmt, bei dem Gas das Rohr, bei der elektrischen Lampe der Draht.

So einfach diese Bestimmung erscheint, die Industrie entschliesst sich nur langsam, ihr zu folgen, und es gehört heute noch zu den Seltenheiten, Lampen zu finden, die nach diesem selbstverständlichen Prinzip konstruiert sind. Zum Teil trägt hieran der allgemeine Verfall des Gewerbes Schuld, der Brauch, alte Stilformen für neue Bedürfnisse zu verwenden; zum Teil auch ökonomische Gründe, der Wunsch, einmal vorhandene Modelle auszunutzen und sich der notwendigen Neuerung nur durch eine praktische äusserliche Anpassung zu entziehen. Es giebt Träger für elektrische Lampen, die früher mit Gas und noch früher mit Petroleum bedient wurden. Auch sträubt sich ein unklares Luxusbedürfnis immer noch gegen die sachliche Darstellung

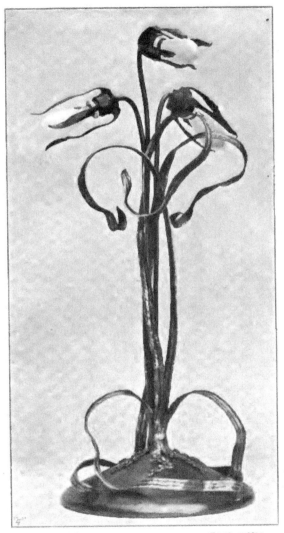

OTTO ECKMANN   Gesetzl. geschützt.

13

S. BENSON · THE BIRMINGHAM GUILD · S. BENSON

des Nützlichen, man zieht noch immer im grossen Publikum eine möglichst unsinnige Renaissancefigur, deren Mund sich zu einer Gasflamme erweitert, einem einfachen Gasarme vor, der nicht mehr sein will, als er ist.

Natürlicherweise waren England und Amerika, die Länder, in denen die neue gewerbliche Bewegung geboren wurde, auch auf dem Gebiete des Beleuchtungswesens die ersten künstlerischen Neuerer. Es half ihnen ihre Priorität in der rein praktischen Frage. Das elektrische Licht fand zuerst in Amerika, wo es entdeckt wurde, Verbreitung, und mit amerikanischer Geschwindigkeit die spezifische praktische Ausnutzung, die ihm zukam. Man hatte schon vorher in amerikanischen Bureaus die besten, weil praktischsten, brauchbarsten Gaslampen. Der Wunsch des Amerikaners und Engländers, in seinem Geschäft jeden unsachlichen Zierat zu vermeiden, wohl aber, den einfachen Nützlichkeitsformen möglichst gediegenes Aussehen zu geben, verbesserte die rein materielle Seite; man bevorzugte so viel wie möglich das blanke Messing, das bei uns als »cuivre poli« fast ein Luxusmetall geworden war; der Londoner BENSON machte auf dieser Basis den ersten Schritt in die neue Ästhetik der Lampe.

BENSON's Einfluss auf die ganze neue Bewegung ist unschätzbar. Er wagte in einer Zeit, als man in der gedankenlosen Nachbildung alter Stile schwelgte, dem Publikum Metallgegenstände zu bieten, die letztere als die gangbare Ware und trotzdem frei von jedem Prunk, ja in älterem Sinne jedes Schmuckes bar waren. Er mutete seinen Kunden zu, sich Lampen in ihre Salons zu hängen, die sich anscheinend nur wenig von den Lichtträgern unterschieden, die die Bureaus des reichen Kaufmanns erleuchteten, der gewohnt war, in seinem Hause ganz das Gegenteil von dem, was ihn in seinem Kabinett umgab, zu finden. BENSON setzte zuerst die Thorheit ins Licht, die zwischen dem Mann der Arbeit und dem der Ruhe prinzipiell unterscheidet und verlangt, dass man in Renaissanceräumen vergisst, was man in vier nackten Wänden gearbeitet hat. Er deckte als einer der ersten die Notwendigkeit auf, dass der Luxus, der das Leben verschönt, das Notwendige zu ergänzen, aber nicht zu verunstalten habe; er fand, dass der Mann der Praxis, der Kaufmann, der Techniker, kurz, der moderne Erwerbsmensch, der mit sachlichen Argumenten zu rechnen gewohnt ist, in seinem Hause nicht durch die grelle Unsachlichkeit, wie sie in arrangierten Renaissance- oder Rokoko-Gaslampen steckt, zu einer unbewussten Verleugnung seiner Persönlichkeit gezwungen werden dürfe.

6

MODERNE BELEUCHTUNGSKÖRPER

S. BENSON

BENSON hat den Ausgangspunkt für die moderne Lampe gegeben, den Anfang. Man hat längst Besseres, aber man wird nie etwas Gutes finden, das sich prinzipiell von dem praktischen Standpunkt entfernt, den er angegeben hat. Darum zählt sein Wirken in der Geschichte der modernen Lampe, ja es ist unentbehrlich und wichtiger als manche sehr viel ästhetischere Folgeerscheinungen. Er wollte in erster Linie gute Lampen machen, Dinge, die unverhüllt ihrem richtigen Zweck dienen, und er zog es vor, lieber auf den Schmuck zu verzichten als die Zweckdienlichkeit im mindesten zu schädigen. Er zeigt im Gasarm die einfachste Form: das Rohr, das zur Lampe auswächst. Er befestigt das Rohr mit einer einfachen, hübsch gedrehten Scheibe an der Wand und nimmt als Lampenschirm oder Glocke die Form und das Material, die dem Zweck am besten entsprechen. Der ästhetische Wert schlüpft fast wider Willen hinein. Er liegt in einer ganz feinen, scheinbar willkürlichen, in Wirklichkeit höchst berechneten Biegung des Rohrs, die eine graziöse, elegante Linie ergiebt, in der Zusammenstimmung des blank polierten Messings mit der Farbe des Stoffs, der in den Schirm gespannt ist, oder der Glasfarbe der hübschen Glocke, zu der ihm J. POWELL & SONS und ähnliche tüchtige moderne Glasfabriken das Material liefern - kurz in Nuancen. In der Petroleumlampe BENSON's ist scheinbar alles der Konstruktion geopfert, und doch steckt Eleganz darin, die Grazie, die in einem guten amerikanischen Bicycle steckt, die sich von selbst zu ergeben scheint, wenn der Zweck in idealer Weise erreicht ist, und die durch eine Kleinigkeit gefördert, durch eine Kleinigkeit zerstört werden kann. In den Trägern der elektrischen Lampen wird das schmückende Beiwerk am leichtesten motiviert. Die Schnur, die den Stromdraht enthält, muss irgendwie geteilt werden, sei es wie bei Wandlampen über ganz einfache, aus der Wandbefestigung entwickelte Stützpunkte, die sich aus sich schneidenden Linien ergeben, oder über ein einfaches Blattmotiv oder endlich durch geringelte Metallstäbe, eine höchst glückliche Erfindung.

Wir haben die ganz einfachen Formen BENSON's nicht wiedergegeben, weil sie durch l'Art Nouveau in Paris, den Hohenzollern Bazar u. a. genügend bekannt geworden sind und sich schwer so reproduzieren lassen, dass ihr ganz verschwiegener Reiz im Bilde erscheint; wir beschränken uns auf ein paar der neuesten Modelle, unter denen die Abbildung auf S. 6 rechts die einen gleichzeitig nach oben und nach unten Licht gebenden Kronleuchter zeigt, dieses Arrangements wegen Interesse verdient. Die besten BENSON's sind immer die ganz einfachen, ohne jeden Zierat und ohne jede Komplikation, und zwar sowohl in Messing wie in

S. BENSON

Eisen - die eisernen sind vielleicht noch vorzuziehen. Sobald BENSON daran zu schmücken versucht, verliert er die überraschende Sicherheit. Manche seiner grossen dünnen Metallblätter, die er über oder unter die Lampen ausbreitet, verletzen das Auge mit ihren scharfen, zackigen Umrissen, an denen man hängen zu bleiben meint. Dieser Fehler ist in dem erwähnten Kronleuchter, der eine massive, am Rande sanft umgebogene Metallüberdachung trägt, vermieden. Eine interessante, schwerfällige, nur zuweilen glückliche Variation des BENSON'schen Genres vertritt die in erster Linie durch ihre köstlichen Gläser berühmte, oben erwähnte Londoner Firma J. POWELL & SONS, bei der zu oft der spielerische Glascharakter die Lampe bestimmt.

Ganz bewusst lehnen sich die Belgier VAN DE VELDE, HORTA und RYSSELBERGHE an das BENSON'sche Prinzip an. Gerade sie, denen die Einfachheit Evangelium ist, musste BENSON beeinflussen. Aber es ist eben nur das Prinzip, das sie herübergenommen haben und das sie herübernehmen mussten,

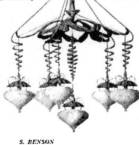

S. BENSON

7

H. VAN DE VELDE

da man sich nicht gegen eine Sache zu verschliessen vermag, die man als vollkommen erkannt hat. Im Gewerbe hat die Originalität ein anderes Gesetz als in der reinen Kunst; hier hat der Eigendünkel, der durchaus etwas Neues schaffen will und der aus der modernen Materei diese Speisekarte von Sensationshaschereien gemacht hat, sich unter Umständen wichtigeren Faktoren zu fügen. Die Belgier streben nach Ensembles, in denen der Beleuchtungskörper nur ein Faktor unter vielen anderen ist.

Man kann ihn daher kann für sich allein betrachten; immerhin wird man auch hier die reine, gediegene und wohl überlegte Eleganz, die jedes Werk VAN DE VELDE's auszeichnet, die mehr bizarre Note HORTA's, des bedeutendsten Architekten Belgiens, die einfache Vornehmheit RYSSELBERGHE'scher Gegenstände erkennen. Das wirkliche Verständnis für diese Sachen wird aus unseren Spezialaufsätzen über die erwähnten Künstler mit Reproduktionen ihrer Zimmereinrichtungen hervorgehen.

Alle die bisher betrachteten Lampen sind Gusswerk. An Qualität des Gusses ist BENSON unerreicht; VAN DE VELDE gelingt es erst jetzt, ihm auch in dieser rein technischen Frage beizukommen. Zweifellos liegt in der Reinheit des Stoffes ein unentbehrlicher Reiz dieser einfachen Sachen. — Was sonst in England und anderen Ländern an bemerkenswerten Lampen gemacht wird, ist fast ausschliesslich Handarbeit und zwar entweder getriebene oder Schmiedearbeit. Das beeinträchtigt die rein gewerbliche Bedeutung der folgenden Arbeiten. Der wohlthätige Einfluss BENSON's ist nur durch die Massenfabrikation, die er betreibt, möglich geworden; wir leben im Zeitalter der

Maschinen, und es ist kein geringes Verdienst BENSON's, bewiesen zu haben, dass man auch mit den ganz modernen Mitteln der Massenherstellung künstlerische Werte geben kann. Zweifellos kann das Streben des modernen Gewerbes nicht dahin gehen, Dinge herzustellen, die nur mit der Hand gefertigt werden können. Die Amerikaner haben die Maschine auch für andere Gebiete in dieser ausgezeichneten Weise ausgenutzt, in Europa ist in dieser Hinsicht BENSON meines Wissens noch immer der einzige.

Gleich einfach aber natürlich durch das getriebene Material überlegen scheinen mir die Lampen der Birmingham Guild, die trotz des Vorhergangs BENSON's erreicht haben, selbst im Einfachsten durchaus unabhängige Modelle zu schaffen. Bei ihnen liegt der ganze Reiz in der scheinbar unwesentlichsten Einzelheit. Wie die kleinen Schmiedestücke gezeichnet und aufeinandergeneietet sind, die einfache und doch immer elegante Komposition der tragenden Linien, das vorzügliche Material — alles das giebt zusammen ausgezeichnete Gesamtwirkungen, die dem Liebhaber einfacher Art wertvoll sind.

RATHBONE in Liverpool folgt denselben gesunden Prinzipien. Seine getriebenen Leuchter und Lampen sind wahre Muster einer glücklichen Vereinigung von Geschmack und Solidität.

Einen sehr wesentlichen Fortschritt in ästhetischer Hinsicht verdankt das Beleuchtungswesen der ersten modernen englischen Gilde, The Guild of Handicraft in London, deren höchst verdienstvoller Gründer und Leiter

RATHBONE

16

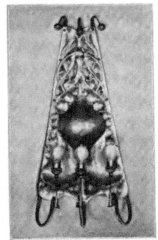

THE GUILD AND SCHOOL OF HANDICRAFT, LONDON

MODERNE BELEUCHTUNGSKÖRPER

J. POWELL & SONS

ASHBEE eine Reihe vorzüglicher Beleuchtungskörper entworfen hat, die in dieser Guild unter seiner Aufsicht ausgeführt worden sind. ASHBEE ist die Verschönerung des einfach Nützlichen gelungen; er benützt die grosse Geschicklichkeit seiner Leute für getriebene Sachen. Aber er missbraucht sie nicht für überflüssige Zwecke. Sein bestes Werk ist der einfache Stern (nebenstehende Figur), der fünf elektrische Lampen trägt, und hinter jeder von ihnen ein getriebenes, schön geformtes Kupfer-Oval, das das Licht zurückwirft. In Figur S. 9 oben rechts stattet er die an der Wand befestigte Fläche vorteilhaft aus, lässt sie aber überall da ganz glatt, wo das Metall zu reflektieren vermag. Sehr geschickt verbindet er Eisen mit Kupfer und bevorzugt das erstere zu den beanspruchteren Teilen, während das Kupfer immer für die Flächen benutzt wird. In der Stilisierung sucht er sich immer mehr von der landläufigen modernisierten Gotik zu entfernen und trachtet nach einfacheren, immer mehr rein ornamentalen Entwürfen. In Figur S. 9 unten links hat er die altromanische Form der Gürtelkrone erneuert, die sich gerade ihrer Ketten wegen für die Leitungsart der elektrischen Lampen eignet.

H. WILSON in London hat diesen Typus

für seine Kirchenlampen noch erweitert und benützt die Form auch für Flurlampen, für die sie besonders deswegen geeignet erscheint, weil sie die zuweilen unschön grosse Entfernung zwischen Plafond und Lichtquelle durch die Unterbrechungen der getriebenen Schmuckstücke verkürzt.

In allen diesen gelungenen Arbeiten kann man mehr oder weniger eine Erweiterung des BENSON'schen Prinzips erblicken. Auf ganz anderem Boden steht LOUIS C. TIFFANY in New York. Bekanntlich ist die amerikanische dekorative Bewegung und in erster Linie die Glaskunst LA FARGE's und TIFFANY's stark von älteren orientalischen Arbeiten beeinflusst. TIFFANY hat verstanden, auf dieser für Europa fast neuen, weil unbekannten Basis eine vollkommen originell angewandte Kunst zu entwickeln. Das grosse Haus, das er in New York gegründet hat und das heute fast alle gewerblichen Zweige umfasst, fing mit dem Glase an, und das Glas ist seine beste künstlerische Äusserungsart geblieben. Eine Unzahl von Nachahmungen hat das Genre über die ganze Welt verbreitet; das amerikanische Glas ist zum festen Betriebsmaterial für alle besseren modernen Glasereien des Kontinents geworden. Nur die Vase, das in einem Stück geschaffene Glasobjekt ist TIFFANY allein geblieben, wenigstens hat die Nachahmung nicht annähernd die Güte des Originals erreicht. Kein Wunder, dass die Lampen TIFFANY's diese Entwicklung verraten. Sie sind in erster Linie Glasapplikationen und ihr gewerblicher Wert bestimmt sich nach der Art dieser Verwendung. Die ersten Beleucht-

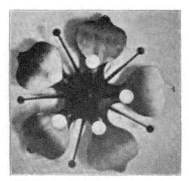

THE GUILD & SCHOOL OF HANDICRAFT, LONDON

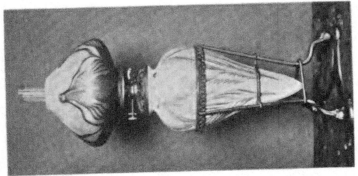

L. C. TIFFANY, NEW YORK

lungskörper waren ganz vom Orient beein-flusste Glaskombinationen, sehr häufig Spiele-reien einer glücklichen Phantasie, im ganzen mehr Luxusgegenstände als Lampen. Das Berliner Gewerbemuseum besitzt die besten Modelle dieser ersten Zeit und LESSING hat sie in einem Aufsatz der WESTERMANN'schen Monatshefte vom Oktober 1894, auf den hier nachdrücklich verwiesen sei, wiedergegeben.

Seit ihrer Herstellung ist eine Reihe von Jahren verflossen, die TIFFANY nicht unbenutzt gelassen hat. Wir bringen eine Anzahl Pe-troleumlampen, ausgestellt in dem Salon I'ART NOUVEAU in Paris, die den grossen Fortschritt deutlich verraten. Es ist nicht schwer, in ihnen die Vase zu erkennen, ihren wesentlichsten Bestandteil, dem die Lampe augenscheinlich ihre Entstehung verdankt. Aber wenn diese Entstehungsweise, die Vor-herrschaft des Mittels über den Zweck des Werkes, gewerblich nicht gerechtfertigt ist, so kann man doch nicht leugnen, dass das Resultat in vielen Fällen gelungen ist, und es ist ein gesunder Zug, der TIFFANY trieb, seinen kostbaren Vasen eine nützliche Verwendung zu geben. Das Material ist so solid, dass es das Metall zu ersetzen vermag, dazu ist die Montierung in Bronce oder Silber zweckent-sprechend entworfen. Nur fällt die Bevor-zugung rein indischer oder Empire-Motive auf. Wozu orientalische Perlenkettchen und Zierate, wozu die Kranzgewinde des Em-pires? Eine ganz einfache Montierung in einem der Farbe nach entsprechenden Metall würde zuweilen den Mangel eines primären gewerblichen Standpunktes verdecken und nach unseren Begriffen die Schönheit des Glases mehr zur Geltung bringen. Manchmal tritt auch der Charakter der Vase über das ge-hörige Mass in den Vordergrund. Sobald der Petroleumbehälter eine Höhe von fast einem

Meter erreicht, ist es schwer möglich, die rechte Proportion für den eigentlichen Be-leuchtungskörper zu geben. Ausserdem wird die Lampe fast untransportabel und macht den Eindruck eines Kolosses, der nur selten richtig im Zimmer plaziert werden kann. Die glänzende künstlerische Wirkung des Glases, die so packend eben nur bei einer gewissen Grösse der Vase möglich ist, vermag nicht über die monströse Vorstellung eines mit dem entsprechenden Quantum Petroleum gefüllten Behälters hinweg zu helfen. Denn dass thatsächlich nicht der ganze Hohlraum mit Petroleum gefüllt wird, sondern nur ein verhältnismässig äusserst geringer Teil, der durch das be-kannte ver-steckte Becken, das man bei un-seren meisten Hänge-lampen für Petroleum findet, abge-grenzt wird, ist ein Aus-kunftsmittel, das als Vor-spiegelung falscher Thatsachen der Ästhetik des Gewerbes widerspricht.

Diese klei-nen Einwen-dungen ver-mögen die grosse Be-deutung der

L. C. TIFFANY, NEW YORK

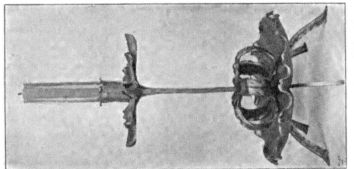

19

MODERNE BELEUCHTUNGSKÖRPER

Lampen TIFFANY's nicht zu schmälern. Sie liegt vor allem in der Möglichkeit einer schönen Prachtwirkung ohne Verletzung des gewerblichen Gebrauchswertes, die in den bisher vorliegenden Modellen zum Teil bereits erreicht und sicher in den zukünftigen noch weiter ausgenutzt werden wird.

Deutschland ist an der Schöpfung moderner Beleuchtungskörper bisher nur gering beteiligt. Die grossen Geschäfte Berlins beschränken sich auf rastloses Nachahmen amerikanischer und englischer Modelle. Die Arbeit ist zuweilen gut, zugleich billiger als die ausländische Ware, manchmal wagt man auch eine kleine Modifikation, indem man nicht einem, sondern mehreren Modellen zugleich entlehnt, aber irgend ein neuschöpferischer Zug ist bisher noch nicht zu entdecken und das fällt bei der grossen Bedeutung, die in Berlin und anderen deutschen Grossstädten der Beleuchtungsfrage zugewiesen wird, doppelt auf. Neuerdings haben sich in München einige moderne Künstler mit Handarbeiten der Frage zugewendet, an ihrer Spitze OTTO ECKMANN, der bereits mit seinen ersten Versuchen auch auf diesem Gebiete Erfolg gehabt hat. Wir bilden eine Anzahl seiner Leuchter ab, die alle den Vorzug gefälliger Formen und vor allem der unbedingten Unabhängigkeit von anderen Modellen besitzen. Die Grundkomposition ist immer verständig und einfach; in dem Schmuck wird man leicht einen Niederschlag der Vorliebe ECKMANN's für einfache Natur, namentlich Blattmotive entdecken, die in allen seinen übrigen Arbeiten zu finden ist. Er hat nicht umsonst seit Jahren an der zeichnerischen Ausbildung seiner zweifellos hohen dekorativen Begabung gearbeitet. Jedenfalls scheint ECKMANN am meisten für die Frage befähigt, und zwar glaube ich nicht nur an seine Bedeutung vor dem deutschen Urteil, das Arbeiten wie die vorhandenen mit grösster Freude begrüssen sollte, sondern auch vor der internationalen Kritik; ich bin überzeugt, dass ECKMANN auch den Engländern

z. B. Anregung geben könnte. Die technisch vorzügliche Ausführung und den Verkauf dieser Lampen hat die Münchner Firma JOS. ZIMMERMANN & Co. übernommen.

Nicht so gelungen sind VON BERLEPSCH's Leuchter; wir geben nur ein ganz einfaches Modell wieder, das uns am besten gefällt, weil es von der gefährlichen Tendenz, die deutsche Renaissance zu naturalisieren, frei ist, die man bei den übrigen findet. Der nationale Gesichtswinkel, der dabei mitspricht, ist sicher warm zu verteidigen, nur vergisst V. BERLEPSCH, dass in erster Linie das sieht, was unsere Zeit von einem Beleuchtungskörper verlangt; dass es sich vor allem darum handelt, moderne Ansprüche an den Gebrauchswert zu befriedigen, und dass die Form nicht irgend einem Stil, sondern in erster Linie der solchen Bedürfnissen Rechnung tragenden Konstruktion zu folgen hat.

Wir verzichten auf ein wichtiges Gebiet der modernen Beleuchtungsfrage, auf Ensemble-Lichtwirkungen, wie sie in den Strassen-, Theater- und anderen Beleuchtungen angestrebt werden, einzugehen. In dem Aufsatz über die Ausstellungen wird bei der Besprechung der Centralhalle in der Hamburger Gartenbau-Ausstellung und an anderen Stellen diese höchst wichtige Frage gestreift, in der bis zu gewissem Grade die Zukunft liegt, die den Beleuchtungskörper immer mehr als einen Teil der Innen- und Aussendekoration behandeln wird, der, allein betrachtet, seine Bedeutung verliert.

Wir hoffen, dass unsere Darlegungen den Erfolg unseres unten folgenden Preisausschreibens erleichtern werden, und nicht nur die Künstler, sondern auch die modernem Geschmack zugänglichen Architekten und Handwerker zur Beteiligung anregen. Denn die Lampe ist wie jeder Gebrauchsgegenstand in erster Linie eine Konstruktion, die nur von sachlich nachdenkenden Köpfen gelöst werden kann. Die Jury wird daher die praktische Bedeutung zum massgebendsten Faktor ihrer Entscheidung machen.

— Y—

WETTBEWERB für den Entwurf einer modernen transportablen, elektrischen Tischlampe.

I. PREIS 100 MARK.
II. PREIS 50 MARK.
III. PREIS 20 MARK.

Die näheren Bedingungen sind auf der zweiten Umschlagseite dieses Heftes abgedruckt.

14

KÜNSTLERISCHER UNTERRICHT
FÜR HANDWERKER IN ENGLAND
VON
H. MUTHESIUS

H. WILSON

Es sind in diesem Jahre gerade 60 Jahre verflossen, seitdem in England die erste Kunstgewerbeschule gegründet wurde; man hätte also mit dem Jubiläum der Königin zugleich das 60jährige Bestehen des englischen Kunstgewerbeunterrichts feiern können. Von der Mitte der fünfziger Jahre ab steht dieser Unterricht in fast ausschliesslicher Abhängigkeit von dem South Kensington-Museum. Die Gründung dieses Instituts ist bekanntlich ein Ergebnis der auf der ersten englischen Gewerbe-Ausstellung gesammelten ungünstigen Erfahrungen. Man war sich darüber einig, dass zur Hebung des darniederliegenden Handwerks irgend etwas geschehen müsse und schuf 1853 das Department of Science und Art zur

Unterstützung des technischen und kunstgewerblichen Unterrichtes. Im Jahre 1857 bezog dieses seinen Stammsitz in South Kensington.

Alle Welt weiss jetzt, was man dieser Gründung zu verdanken hat. Sie hat den Samen eines bessern Geschmacks über ganz England ausgestreut, sie hat einen geordneten Zeichenunterricht ins Leben gerufen und in der Metropole eine kunstgewerbliche Sammlung allerersten Ranges geschaffen. Aber noch mehr, sie ist vorbildlich für das Festland geworden, und das ist gewiss ein Triumph für ein Land, das so arm an Kunstüberlieferungen ist wie England. Wer heute eine Geschichte der modernen Renaissance des Kunstgewerbes schreiben wollte, hätte mit der Gründung des South Kensington-Museums zu beginnen.

Seine Verdienste sind denn auch genugsam hervorgehoben worden, und man ist sich der grossen Kulturaufgabe, die es erfüllt hat, vollständig bewusst. Trotzdem sind in neurer Zeit Zweifel aufgetaucht, ob es nicht seine Mission, den Untergrund für ein allgemeines Kunstverständnis zu schaffen, nunmehr erfüllt habe, und ob man nicht zu einem Kunstunterricht übergehen sollte, der auf einer intimeren, vertiefteren Auffassung des Wesens der Kunst beruht. Als man um die Mitte dieses Jahrhunderts anfing, die traurige Niederlage unseres Gewerbes zu begreifen, sah man den Weg zu einer Besserung in einer Art Übertragung der Kunst auf das Handwerk. Unter beiden Begriffen stellte man sich getrennte Gebiete vor, aus ihrer gedanklichen Vereinigung entstand das Wort ›Kunstgewerbe‹. Fangen wir nicht heute bereits an, uns leise gegen den Gebrauch dieses Wortes zu sträuben?

Sehen wir nicht, wie in diesem Worte, auch ein Doppelwesen in den Erzeugnissen dieser Kunstgewerbezeit, wo ein Zusammenwirken von Künstler und Handwerker nötig war, um sie hervorzubringen?

In den besten Zeiten hatte der Handwerker die Schöpfung seiner Arbeiten allein in der

15

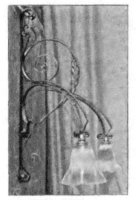

J. POWELL & SONS

Hand. Er erhob keineswegs den Anspruch, ein Künstler zu sein, aber seine schaffende Hand wurde von einem Geschmacke geleitet, der des besten Künstlers würdig gewesen wäre. Allerdings dienten ihm häufig die Blätter grosser Meister als Anhalt.

Indessen erschöpften diese nie die Einzelheiten werkmässiger Ausführung, und es blieb dem Handwerker überlassen, die dort gegebenen Gedanken seinem Material und seinem besonderen Zwecke anzupassen, wenn er es nicht vorzog, ganz nach eigenem Entwurfe zu arbeiten.

Den Handwerker wieder zu dieser Art von selbständiger, man möchte sagen, schöpferischer Thätigkeit zu erziehen, das ist das Ziel einer Reihe von Handwerkerschulen, die in England in neuester Zeit entstanden sind. Diese stehen meist nicht im Zusammenhange mit dem South Kensington-Museum, sondern bedeuten einen neuen Ausgang auf neuer Grundlage. Bevor ich auf diese Schulen näher eingehe, ist es nötig, die eigentümlichen, für den Uneingeweihten schwer verständlichen Verhältnisse in dem technischen Schulwesen Englands etwas näher ins Auge zu fassen.

Bekanntlich giebt es hier ausser den Volksschulen keinerlei staatliche Lehranstalten. So liegt auch der technische und kunstgewerbliche Unterricht ganz und gar in Privathänden. Die Einwirkung des South Kensington-Museums auf diese konnte daher nur indirekt sein. Im allgemeinen verwendet dieses Institut die etwa 15 Millionen Mark, die ihm staatlich zur Förderung des Kunst- und Gewerbeunterrichts zur Verfügung gestellt sind, auf folgende Weise: 1. es bildet Zeichenlehrer aus in der unter seiner unmittelbaren Leitung stehenden Schule des South Kensington-Museums (diese Schule hiess bis zum

Herbst vorigen Jahres NATIONAL ART TRAINING SCHOOL, hat aber jetzt den mehr versprechenden Titel ROYAL COLLEGE OF ART erhalten); 2. es unterhält und vergrössert sein eigenes, das Bethnal Green-Museum, sowie die Museen in Dublin und in Edinburgh; 3. es veranstaltet Wanderausstellungen aus dem Bestande des ersteren in kleineren Museen und Kunstschulen im Lande; 4. es unterstützt technische und Kunstschulen, die sich die höhere Erziehung von Handwerkern zur Aufgabe machen, hebt den Zeichenunterricht in Volks- und Fortbildungsschulen und unterstützt und leitet Schulen für Zeichenlehrer; 5. es hält jährliche Prüfungen ab und verteilt nach ihrem Ausfall Medaillen, Preise, Freistellen und Reiseprämien. Die Unterstützung der Schulen geschah früher ausschliesslich und geschieht auch jetzt noch hauptsächlich nach dem in England auch bei anderen Schulen beliebten Payment by result-System, d. h. nach dem Erfolg des Unterrichts. Um diesen festzustellen, haben die Schulen alljährlich im Sommer Zeichnungen ihrer Schüler nach London zu senden, welche daselbst von einer besonderen Prüfungskommission zensiert werden. Die mechanische

THE BIRMINGHAM GUILD

16

KÜNSTLERISCHER UNTERRICHT FÜR HANDWERKER IN ENGLAND

Auffassung, die in England in Bezug auf Prüfungen und den Unterricht herrscht, der oft lediglich das Ziel zu haben scheint, zu diesen Prüfungen vorzubereiten, ist bekannt und von deutschen Schulmännern oft belächelt worden. Ein Lächeln nötigen uns auch Bestimmungen wie die folgenden ab: »An Unterstützung wird gewährt: 3 £ für jede Zensur Vorzüglich, 2 £ für jede erster Klasse und 1 £ für jede zweiter Klasse.« Ein lediglich auf Prüfungsergebnisse gerichtetes Lehrziel, das ja an sich schon, auch in der verhältnismässig harmlosesten Form, so gefährlich für den Unterricht ist, wird absurd, wenn man Zensuren mit barem Gelde bezahlt. Und hierin

RATHBONE

liegt denn auch schon eine bedenkliche Seite des Wirkens des South Kensington-Museums. Wie in allen Wettbewerben, die von Kommissionen beurteilt werden, feiert die Durchschnittsware Triumphe. Technische Glätte siegt über Originalität, das allgemein Einwandfreie über die individuelle Leistung. Auch noch ein anderer Vorwurf wird häufig gegen das System erhoben: man findet in ihm ein Übermass dessen, was man in England allgemein red tape, den Geist des grünen Tisches nennt. Selbstverständlich giebt es für den Lehrgang der Anstalten, die Unterstützung vom South Kensington-Museum geniessen, gewisse Beschränkungen. Man macht diesen Vorschriften den Vorwurf, mehr auf Nachahmungen als auf Entwicklung selbständiger Gedanken abzuzielen und dass der glatten Zeichnung grössere Beachtung geschenkt würde, als dem Inhalte des Entwurfes. Neuerdings werden übrigens bessernde Einflüsse deutlich bemerkbar. Schon die vorjährige grosse Ausstellung von Schülerarbeiten zeigte, und die diesjährige wird es vielleicht noch deutlicher beweisen, dass man von jetzt an die ihm gemachten Vorwürfe einzuschränken

hat. Übrigens haben sich auch früher schon unter den vom South Kensington beeinflussten Schulen solche mit ausgezeichneten Leistungen befunden, wie beispielsweise die Kunstschule von Birmingham. Die grosse Bedeutung der Einrichtung des South Kensington-Museums geht aus der amtlichen Angabe hervor, dass im letzten Jahre 2400000 Schüler unter ihrem mehr oder weniger direkten Einfluss künstlerischen Unterricht genossen haben.

Seit einer Reihe von Jahren hat nun in England eine lebhafte Strömung aus einer andern Richtung eingesetzt, die einen neuen und sehr wirkungsvollen Anstoss zur Erweiterung des technischen Unterrichts gegeben hat. Die Ursache dazu ist eine rein äusserliche, sie ist hauptsächlich auf den deutschen Wettbewerb im Welthandel zurückzuführen. Mit Besorgnis hatte man das Aufblühen des deutschen Handels und Gewerbes beobachtet und die Überzeugung gewonnen, dass man etwas thun müsse, um diesem gefährlichen Wettbewerb entgegenzutreten. Dieser Einsicht entsprang, wie bekannt, zunächst das Waren-Ursprungsgesetz, wonach alle in England eingeführten Waren den Ort ihrer Herkunft tragen müssen. Bekanntlich sucht man sich jetzt des Gesetzes auf irgend eine anständige Weise wieder zu entledigen, da man eingesehen hat, dass es für die deutschen Waren mehr eine Anpreisung als eine Brandmarkung, die es sein sollte, bedeutet. Eine weitere Folge war die Einrichtung eines neuen Systems von Gewerbeschulen. Denn man war sich darüber einig, dass unsere Erfolge auf dem Weltmarkte von unserer bessern Schulbildung herrührten. Mit dem Schlagwort »Made in Germany« verband sich bald das Schlagwort »Technical Education«. Man kann jetzt keine englische Zeitung in die Hand nehmen, ohne auf beide zu stossen. Unter dem letzteren Begriff ver-

THE BIRMINGHAM GUILD

steht man übrigens in England jede Art Handfertigkeits-, gewerblichen und kaufmännischen Unterrichts.

Durch Parlamentsbeschluss sind vor einigen Jahren die Grafschaftsverwaltungen ermächtigt worden, einen beliebigen Teil ihrer Einkünfte aus der Wein- und Biersteuer auf die Unterstützung des technischen Unterrichts zu verwenden. Hiervon wird ausgiebig Gebrauch gemacht. Nicht nur ist eine ungemein grosse Anzahl bestehender Gewerbeschulen durch diesen Zufluss vergrössert und erweitert worden, sondern es sind auch eine ganze Reihe neuer Schulen entstanden. Einzelne Grafschaftsverwaltungen, unter diesen die Londoner (dem Londoner Grafschaftsrat untersteht die Verwaltung des gesamten Stadtgebietes mit alleiniger Ausnahme der nur 31000 Einwohner zählenden City; das Grafschaftsgebiet London zählt 4 1/2 Millionen Einwohner), haben diesem Gebiete ihr ganz besonderes Interesse zugewandt und die auf technische Erziehung zu verwendenden Gelder von Jahr zu Jahr erhöht. Für das laufende Haushaltsjahr sind vom Londoner Grafschaftsrat allein drei Millionen Mark hierfür ausgeworfen.

Diese Beiträge sind es jedoch nicht allein, die dem technischen Unterrichte neuerdings zugeführt worden sind. In diesem Lande, das in einer jahrhundertelangen ungetrübten politischen Entwicklung Reichtümer auf Reichtümer gehäuft hat, fehlt das Geld stets am wenigsten. Kein Land der Welt ist so reich an von Alters her bestehenden wohlhabenden Korporationen, reichbedachten Gesellschaften und mit Pfründen wohlausgerüsteten Stiftungen. In London bestehen noch vom Mittelalter her die alten Handwerkergilden, die zwar nur noch in vereinzelten Fällen mit der Ausübung gesetzlicher Rechte betraut sind, dagegen fast durchweg sich im Besitz ausserordentlich hoher Einkünfte aus ererbtem Grundbesitz und allen Vermächtnissen befinden. Die wohlhabendste Gilde, die der Krämer, hat 1 1/2 Millionen Mark Jahreseinkommen, 15 der bestehenden 89 Gilden haben über 200000 Mark jährlich zu verbrauchen. Ein Teil dieser ungeheuren Summen ist nun zwar stets zu gemeinnützigen Zwecken verwendet worden, jedoch spielten in dem Verbrauch des Hauptteiles derselben Diners und Feste eine recht grosse Rolle, und die öffentliche Aufmerksamkeit war schon lange auf die sonderbare Art des Verbrauches gerichtet. Man benutzte daher gern das öffentliche Verlangen nach Verbesserung des technischen Unterrichts, um sich durch Spendungen für die neuen Zwecke vor dem Vorwurfe der Vergeudung zu schützen. Auf diese Weise ist ein

Unterrichtsapparat ähnlich dem des South Kensington-Museums entstanden, an dessen Unterhaltung die vereinigten Gilden einen sehr wesentlichen Anteil haben, nämlich das CITY AND GUILDS OF LONDON INSTITUTE. Es unterhält in London drei eigene technische Schulen, veranstaltet technische Prüfungen im ganzen Lande, erteilt Ausweise über die Ergebnisse, gewährt Freistellen, Reiseprämien u. s. w. Hiermit ist die Verwendung der Handwerkergilden für technischen Unterricht noch nicht erschöpft. Die Goldschmiede unterhalten eine

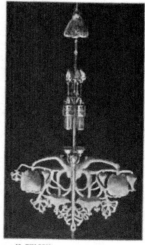

H. WILSON

eigene handwerkliche Kunstschule, die Tischlergilde besitzt die TRADES TRAINING SCHOOL und unterstützt in sehr wesentlichem Umfange die Zeichenklassen am UNIVERSITY COLLEGE und KING'S COLLEGE. Die Tuchhändler gewähren die Mittel für die Führung der technischen Unterrichtsklassen in PEOPLE'S PALACE. Eine ganze Reihe anderer mehr indirekter Unterstützungen technischer Unterrichtsbestrebungen bestehen ausserdem noch.

Eine Haupteigentümlichkeit aller technischen Schulen Englands ist die bevorzugte Pflege des Abendunterrichts. Sonntagsunterricht findet in England nirgends statt. Die Stunden von 6 bis 9 Uhr abends sind die eigentlichen Schulstunden. Ein grosser Teil der Schulen

18

26

The Guild and School of Handicraft

hat überhaupt keinen Tagesunterricht und wer z. B. Architekturklassen in England besuchen will, ist fast ausschliesslich auf den Abend angewiesen. Unsre Auffassung, dass wir für unsre fachliche Ausbildung eine Reihe von Jahren ganz und gar der Schule widmen müssen, ist eben für den Engländer ganz unverständlich. Er lernt praktisch und betrachtet Schulbesuch höchstens als eine Ergänzung des in der praktischen Lehrzeit Erworbenen. Eine Schule muss ausserdem mit Stipendien, Prämien, Studienpreisen u. dergl. reich ausgestattet sein, so dass für erfolgreiches Studium sogleich greifbare Lorbeeren winken. Eine Schule ohne solche Anziehungsmittel ist in England nicht denkbar. In den Prospekten spielt ihre Aufzählung eine erste Rolle.

In den meisten technischen Schulen nun hat die künstlerische Erziehung des Handwerkers naturgemäss nur eine mehr oder weniger untergeordnete, übrigens sehr verschiedenartige Bedeutung. Einige legen grosses, andere geringeres Gewicht auf den Kunstunterricht. Viel hängt natürlich auch von der Zufälligkeit der gerade vorhandenen Lehrer ab. Die Kunstabteilung der SOUTH WEST LONDON POLITECHNIC steht unter der Oberleitung des Professors HERKOMER und wird daher in dessen Kunstauffassung geleitet. Als sehr gute Schulen gelten das GOLDSMITH's INSTITUTE und die Schulen des CITY AND GUILDS OF LONDON INSTITUTE.

Auf ganz neuer Grundlage ist nun der Londoner Grafschaftsrat mit · den von ihm abhängenden Schulen vorgegangen, und zwar ganz besonders für dieses Gebiet. Die Fürsorge für diesel Gebiet ist zwei Künstlern anvertraut, deren Ruf allein schon einen Erfolg in Aussicht stellen musste, übrigens auch über die Richtung, in welcher die Schulen geleitet werden, nicht im Zweifel lässt. Es ist der Bildhauer FRAMPTON und der Architekt LETHABY, beide Künstler, die mitten in der neuen englischen Kunstbewegung stehen. Nach ihren Ideen ist der Lehrplan aller

der Handwerkerschulen festgesetzt, die sich durch Bezüge von Unterstützungsgeldern unter den Einfluss der Grafschaftsverwaltung begeben haben. Ihrer sind augenblicklich nicht weniger als 98. Um aber für die Ausführung ihrer Ideen ein ganz freies Feld zu haben, hat sich die Stadt entschlossen, eine eigene Kunstschule für Handwerker einzurichten. Auf diese Weise ist im Herbst vorigen Jahres die CENTRALSCHOOL OF ARTS AND CRAFTS in Regentstreet entstanden. Sie hat jetzt das erste Schuljahr hinter sich und bereits in diesem lebhaften Zuspruch zu verzeichnen. Die Schule verdient einer gelegentlichen besonderen Betrachtung, hier seien nur einige der Grundsätze aufgeführt, die ihrer Leitung zu Grunde liegen. Die Schüler sind durchweg Lehrlinge, die den Tag über ihrem Gewerbe obliegen, Amateure und Dilettanten sind vom Besuch ausgeschlossen. Der Unterricht erfolgt derart, dass auf strenger Grundlage jedes besonderen Handwerks die künstlerische Handhabung desselben, und zwar unmittelbar an praktischen Beispielen, gelehrt wird. Man legt nicht soviel Gewicht auf abstraktes Zeichnen, als auf das Eindringen des Schülers in den Geist und die Technik seines besonderen Handwerks. Der Silberschmied hat beispielsweise einen Pokal nicht nur zu entwerfen, sondern auch zu treiben und bis zur letzten Verfeinerung durchzubilden, ebenso wird der Glasmaler, der Buchbinder u. s. w. unterrichtet. Jeder Schüler wird nach seiner Eigenart behandelt, wobei besonderes Gewicht auf die Verwertung seiner eigenen künstlerischen Gedanken gelegt wird, so primitiv diese auch im Anfange sein mögen. Man betont das Naturstudium an Stelle der Nachahmung alter Vorbilder. Alle Lehrlinge werden auf die Wichtigkeit des Zeichnens nach dem lebenden Modell hingewiesen, und man sucht zu erreichen, dass diese Klassen von allen Schülern besucht werden. Man verzichtet auf technisch glatte und vollendet ausgearbeitete Zeichnungen, wenn nur das Wesentliche der Sache, sei es auch in skizzenhafter Form, klar wiedergegeben ist. Das Endziel der Erziehung ist jedenfalls, dem Schüler den Weg zu einer künstlerisch selbständigen Behandlung seines Handwerks zu eröffnen, ihm die Grenzen seines Materials zu Bewusstsein zu führen und ihn in Stand zu setzen, eigene Gedanken in seinen Arbeiten zu verkörpern.

Der Unterricht findet abends statt und das Schulgeld ist

J. POWELL & SONS

v. RYSSELBERGHE

*auf ein Mindest-
mass beschränkt.
Lehrlinge unter
21 Jahren wer-
den, falls sie nicht
mehr als 15 Schil-
linge wöchentlich
verdienen, frei zu-
gelassen, im übri-
gen beträgt das
Schulgeld
wöchentlich nur
2,50 Mk., hierfür
wird alles Arbeits-
material von
seiten der Schule
geliefert.
Wer die Schul-
räume in Regent
Street betritt, wird
sogleich von dem
künstlerischen
Geiste, der in
ihnen entfaltet ist,*
für sie eingenommen. Die Wände zieren
graphische Blätter aus den besten Zeiten
dieser Kunstübung. DÜRERS Holzschnitte
und Kupferstiche, japanische Farbendrucke,
alle Miniaturen wechseln mit MORRIS' Buch-
drucken, Wiedergaben von Handzeichnungen
und alten Buchillustrationen. Die Zimmer
für die einzelnen Fachklassen sind mit Aus-
stellungsschränken ausgestattet, in denen
kleine Mustersammlungen von Erzeugnissen
des betreffenden Handwerkes ausgestellt sind.
Es sind Fachklassen vorhanden für alle mit
der Baukunst zusammenhängenden Gewerbe,
für Tapeten- und Stoffzeichner, Möbeltischler,
Glasmaler, Bronzegiesser, die verschiedenen
Metallbearbeitungsgewerbe, Emaille- Arbeiter,
Juweliere, Goldschmiede, Buchbinder, Holzschneider und andere graphische Gewerbe.
Besondere Beachtung verdient eine Klasse für
farbige Holzschnitte (auf Grundlage der japanischen Arbeiten) und eine im Entstehen be-
griffene Klasse für Stickerei.
Auf ähnlicher, wenn auch nicht so breiter
Grundlage beruhen eine ganze Reihe von
kleineren, meist Privatschulen, in denen aber
meistens nur einzelne Gebiete gelehrt werden,
und die daher naturgemäss diesen Gebieten
ein intensiveres Interesse widmen können. Sie
unterscheiden sich jedoch wesentlich von den
oben betrachteten Schulen dadurch, dass sie
meist von Amateuren besucht werden.
Auf rein handwerklicher Grundlage beruht
dagegen ein Institut, dessen Erzeugnisse auf
der letzten ARTS and CRAFTS-AUSSTELLUNG···

Bewunderung erregten : die GUILD AND SCHOOL
OF HANDICRAFT, eine unter der Leitung des
Architekten C. R. ASHBEE stehenden Vereinigung
von ausübenden Handwerksmeistern. Mit den
Werkstätten war früher eine Abendschule ver-
bunden, jetzt findet jedoch nur ein direkter
Lehrlingsunterricht statt. Die Thätigkeit der
Gilde erstreckt sich auf Möbel, allerhand getriebene Metallarbeiten und Gold- und Silber-
schmuck. Man verfolgt das Ziel, neue, zum
mindesten nicht mit den alten identische, einfache Formen zu entwickeln bei strengster
Beobachtung der Bedingungen des Materials.
Ebenso gesunde, vielleicht noch strengere
Grundsätze verfolgt die Birmingham Guild
of Handicraft in Birmingham, die dieselben
Handwerke umfasst. Diese Gilden sind nichts
weiter als geschäftliche Privatvereinigungen,
aber es steckt in ihnen eine Quelle wichtigster
und gesündester Beeinflussungen.
Auch C. R. ASHBEE gehört zu den Männern
der neuen dekorativen Bewegung in England.
Das Herz der letzteren ist eine Vereinigung,
die sich ART WORKERS' GUILD nennt. Künstler
mit wohlbekannten Namen sitzen dort auf derselben Bank mit dem Kupfertreiber oder Weber,
aber man nimmt in den engen Zirkel niemand auf, dessen Werke nicht strengen Anforderungen genügen. Eine im höchsten Sinne
künstlerische Auffassung des gesamten Handwerks ist das Ziel dieser Leute. Sie wollen das
Leben von unten auf wieder künstlerisch
durchdringen und das Handwerk beleben,
indem sie den Handwerker stark genug machen,
selbst wieder schaffen zu können.

OTTO ECKMANN

20

ALTVENEZIANISCHE DRUCKSTÖCKE

VON

O. J. BIERBAUM

Die schöne Stadt Venedig birgt eine grosse Gefahr in sich: man wird dort leicht zum Sammler. Und das kommt daher, weil es in diesem kostbaren Neste so vergnüglich ist, zu suchen. In den grossen Magazinen der Venice Art Company, die ganze Paläste einnehmen, fängt man an, und schliesslich steigt man bei feierlich häßlichen alten Küstern in Küchen und Kellern herum.

Dass man immer Tiziane fände, kann nicht behauptet werden, aber man muss ja auch nicht immer gleich Tiziane suchen. Es ist sogar viel amüsanter, wenn man bescheidener ist. Nur muss man dann mehr wühlen und dickere Handschuhe anziehen. Denn was nicht ›grosse Kunst‹ ist, das missachten auch die Antiquitätenhändler und Küster in Venedig, und man muss gewöhnlich eine hohe Schicht bemalter Leinwand aufheben, bis man zu den schönen Dingen der ›kleinen Kunst‹ gelangt, die gerade Venedig in seiner grossen Zeit zahlreich hervorgebracht hat. Dann aber findet man auch, wenn das Glück mit von der Partie ist, zuweilen Suchen, die man unter den offiziellen Sehenswürdigkeiten Venedigs, selbst in

den Schränken des Museo Civico, vergeblich sucht.

So ist es Herrn FRANZ NAAGER, dem begabten Münchner Künstler, der zugleich einer der unermüdlichsten Sucher in Venedig ist, geglückt, eine ganze Sammlung (gegen 500 Stück) von altvenezianischen Holzdruckplatten zusammenzubringen, von dessen Mustern hier (Seite

21—27) einige in starker Verkleinerung wiedergegeben werden. Da ich das Vergnügen hatte, an einigen seiner Beutezüge teilzunehmen, so mag es mir verstattet sein, den Abdruck der ausgewählten Muster mit ein paar Worten zu begleiten.

Der Grundstock der Sammlung, etwa 400 Stück, fand sich in einem Filialmagazin der Venice Art Company auf dem Speicher, der Rest musste stückweise bei kleinen Antiquaren in Venedig zusammengesucht werden; ein paar Stücke wurden in Padua gefunden. Trotzdem scheint es mir zweifellos, dass das gesamte Material eines Ursprunges ist. Dies geht vornehmlich aus dem Umstand hervor, dass zusammengehörige Stücke an verschiedener Orten gefunden worden sind. Wahrscheinlich handelt es sich in der Hauptsache um den Lagerbestand einer ehemaligen Holzschneideanstalt zur Zeit ihrer Auflösung, denn sehr viele der Platten scheinen überhaupt nicht benutzt worden zu sein. Andere, dem Stil der Zeichnung nach die älteren, zeigen deutliche Gebrauchsspuren. Ein Teil der ursprünglichen Masse ist übrigens verloren gegangen, weil man sich für die schönen grossen Holz-

21

klötze keine andere Verwendung wusste, als sie in den Kamin zu schieben.

Es sind durchweg Platten aus sehr schwerem Holze von enger Faserstruktur, 4—6 cm dick. Bei den schmäleren befinden sich an den Seiten, bei den breiteren auf dem Rücken tiefe Einkerbungen zum Zwecke der Handhabung. Offenbar wurde mit ihnen in der primitiven Weise gedruckt, wie wir es mit unseren Kautschukstempeln thun. Da sich keine Teilplatten vorfanden, sondern jeder Stock immer ein ganzes Muster enthält, so ist es klar, dass nur einfarbige Drucke mit ihnen beabsichtigt und gemacht wurden. Dieser Umstand ist auffallend, da die Zeichnung häufig geradezu zum Buntdruck herauszufordern scheint. Herr NAAGER hat auch in der That mit den Platten Buntdrucke ge-

fast aus, als könnten sie nur für Vorsatzpapiere berechnet sein, aber ich habe an Büchern aus ihrer Zeit (es handelt sich wohl durchweg um Arbeiten des vorigen Jahrhunderts) noch keine Vorsatzpapiere dieser Art gefunden. Nur bei Broschüren fand ich ähnliche einfarbige Muster auf dem Umschlage. Übrigens findet sich unter den Platten eine, die mir den Anschein macht, als könne sie nur zum Drucke für das Vorsatzpapier eines bestimmten Werkes hergestellt worden sein. Sie hat den Umfang eines Grossfolioblattes und zeigt zwischen sehr grossem renaissanceartigem Ornament ein verschlungenes Monogramm in der Mitte. Da sie keine auslaufende Zeichnung hat, die auf Aneinandersetzung der Drucke berechnet wäre, sondern allseitig durch einen Rand abgeschlossen ist, so kann

macht, die überaus schön wirken und den Wunsch wachrufen, man möchte auf photographischem Wege Einzelfarbplatten herstellen lassen und mit den ursprünglich einfarbig gedachten Schnitten bunte Muster herstellen. Sie würden in mannigfachster Weise Verwendung finden können, mannigfacher, als sie, wie ich glaube, zur Zeit ihrer Entstehung verwandt worden sind.

Es erscheint mir zweifellos, dass sie hauptsächlich zum Stoffdruck benutzt worden sind. Dies geht aus der Form der Stöcke hervor und erhält durch den Umstand Unterstützung, dass man, wenn auch nur sehr selten, in Venedig noch einfarbig bedruckte billige Stoffe (zumal an Frauenröcken aus der Mitte und dem Ende des vorigen Jahrhunderts) findet, die ganz ähnliche Muster zeigen. Ob auch Papiere mit ihnen bedruckt worden sind, erscheint mir zweifelhaft. Einzelne Muster sehen

sie nicht zu einem weitflächigen Druck bestimmt gewesen sein, wie es bei Stoffbedruckung der Fall ist, und es liegt der Gedanke nahe, dass sie zum Buchschmucke dienen sollte, vielleicht als Vorsatzpapier, vielleicht aber auch für den Deckel. In diesem Falle könnte man auch an Lederpressung denken, da diese Platte, wie übrigens die meisten andern, sehr tief ausgeschnitten ist.

In den Mustern wiegt der Geschmack des vorigen Jahrhunderts, etwa von seiner Mitte an genommen, vor, doch finden sich auch Zeichnungen, die auf eine frühere und solche, die auf eine spätere Zeit (Biedermeier) hinweisen. Mit sehr wenigen Ausnahmen verraten die Muster besten künstlerischen Geschmack, so dass wir an eine rein künstlerische Leitung der betreffenden Anstalt glauben müssen, wenn wir nicht annehmen wollen, dass in jener Zeit ein vollkommen künstleri-

22

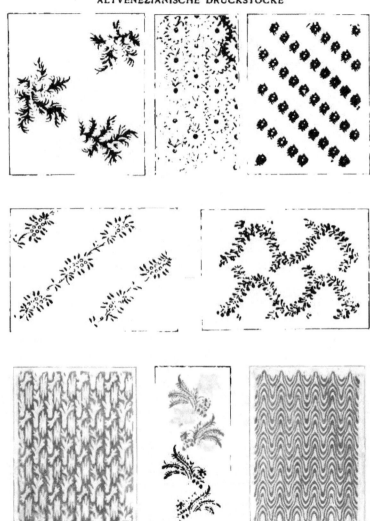

23

DER PRAKTISCHE ZWECK
VON
ALFRED LICHTWARK

*Zufällig habe ich in diesem Sommer Ge-
legenheit gehabt, kurz nacheinander die Thätigkeit der meisten in- und ausländischen Künstler
zu beobachten, die sich der dekorativen Kunst
zugewandt haben. Die Erscheinungen ähneln
sich überall ganz ungemein. Dieselbe Kategorie
von Männern an der Arbeit, dieselben Treffer,
dieselben Schüsse ins Blaue. Bei der Neuinsze-
nierung der historischen Stile, die ein Menschen-
alter unsere Produktion beherrschten, haben
die Architekten geführt, sehr selten Maler und
Bildhauer, noch seltener eigentliche Kunsthandwerker. Seit sich auf dem Gebiete der
dekorativen Kunst die neuen Ideen regen, ist
der Architekt fast überall zurückgetreten. Er
konnte nicht mehr mitmachen, weil er durch
seine Erziehung der lebendigen Kunst fern stand.
Der Kunsthandwerker, der durch die Architekten,
die ihn erzogen und durch die Architekten,
für die er gearbeitet hatte, um die Selbst-
ständigkeit gebracht war, kam ebensowenig
in Frage.*

*Maler und — viel seltener freilich — Bild-
hauer haben sich in die Bresche gestürzt.
Ausnahmsweise war auch einmal ein Architekt
im stande, nicht nur zu folgen, sondern zu
führen. Dann war es aber jedesmal eine im
Joch des Historischen noch nicht gebrochene
künstlerische Kraft. Dass die Maler voran-
gehen, verdanken sie ihrem losern Verhältnis
zur Tradition der Stile. Sie haben nicht so
viel auswendig gelernt, arbeiten nicht nur
mit den Händen, sondern schaffen noch mit
dem Herzen. Und vor allem: sie haben eine
selbständige Empfindung für Form und Farbe.
Was sie — und die selteuern Bildhauer und
Architekten, die zu ihnen stehen — geleistet
haben, lässt die gediegensten Arbeiten der
antiquarischen Epoche, die alte Gedanken von
der Gotik bis zum Empire noch einmal gedacht hatte, hinter sich zurück. Denn sie
brachten neue Gedanken, und für die dekorative.
Kunst gilt, was wir von der grossen begriffen haben, dass nur das ganz gut sein
kann, was ganz neu ist.*

*Aber wir dürfen uns in dem freudigen
Gefühl der Befreiung nicht zufrieden geben
mit dem blossen Miterleben. Was der vergangenen Epoche zum Unheil ausgeschlagen
ist, könnte auch der anhebenden das Lebens-
mark verzehren: der Mangel an Mitarbeit
des Konsumenten. Diese Mitarbeit ist doppelt
nötig, weil die Maler die Führung haben.*

*scher Geschmack auch im handwerksmässigen
Betriebe des dekorativen Gewerbes vorhanden
gewesen ist.*

*Einige der Muster scheinen auf eine Ver-
wendung für Tapetendruck hinzudeuten, doch
habe ich zu wenig Tapeten aus jener Zeit
gesehen, um eine bestimmte Meinung darüber
haben zu können, ob eine solche Verwendung
wirklich anzunehmen ist. Alle Tapeten, die
ich gesehen habe, waren mehrfarbig und in
der Zeichnung weniger streng.*

*Ausser an Stoffdruck könnte man bei diesen
interessanten und schönen Druckstöcken noch
an eine Art gemusterter Papiere denken, mit
denen früher das Innere von Glasschränken
austapeziert, Schachteln und Kästen inwendig
beklebt wurden. Sicherlich waren und sind
sie dazu sehr wohl zu benutzen, aber bei dem
Umstande, dass von solchen Dingen fast nichts
auf uns gekommen ist, habe ich keinerlei
Beweis einer solchen Verwendung mit Augen
gesehen.*

*Es wäre schön, wenn Herr NAAGER seinen
Besitz dazu ausnutzte, uns alles das sehen zu
lassen, was man, unterstützt von modern-
farbigem Geschmacke, mit diesen wertvollen
altvenezianischen Mustern machen kann: bedruckte Stoffe, Papiere, Tapeten jeder Art und
Pressungen in Leder etc.*

Der junge Maler, den wir als typischen Vertreter der neuen Gattung schaffender Kräfte ansehen dürfen, ist gewohnt, Staffeleibilder, d. h. gewissermassen Kunst an sich zu machen, und es kann nicht überraschen, wenn er auch die Vase, das Möbel, den Wandteppich, die Stickerei als ein Ding an sich anzusehen geneigt ist, das weiter keine Aufgabe hat als schön zu sein. Dass ernster Arbeit und grossen Leistungen der Erfolg so oft versagt bleibt, hat in der Regel in diesen Unzukömmlichkeiten seine Ursache.

Vom Bedürfnis muss ausgegangen werden, das kann nicht oft genug betont werden. Aber welche Bedürfnisse liegen im deutschen Bürgerhause vor? Herzlich wenige, Gott sei's geklagt, denn wären wirklich Bedürfnisse da, so würden sie sich durchsetzen. Das Gebiet der Bedürfnisse, die im Keim oder schon im Trieb vorhanden sind, zu untersuchen, wird eine unserer nächsten Aufgaben sein.

Sie sind nicht für das ganze Reich dieselben. Der Münchener, der viele Stunden ausserhalb des Hauses zubringt, der Berliner, der auf der Etage lebt, hat andere als der Norddeutsche, der Haus und Garten nur ungern verlässt. Was ein englisches Haus, was eine französische Wohnung ist, steht für alle Schichten der Gesellschaft fest. In Deutschland kann nur von einzelnen lokalen Ansätzen zu festen Typen gesprochen werden, am sichersten ist vielleicht in Bremen und Hamburg das Wohnhaus als Organismus gegliedert.

Vorläufig bleibt uns deshalb nichts anderes übrig, als diese lokalen Typen praktisch und ästhetisch durchzubilden. Schliesslich wird es kaum möglich sein, ein Haus zu schaffen, das zugleich dem Oberbayern, dem Niedersachsen und dem Berliner bequem ist.

Wir werden deshalb wünschen müssen, dass die Versuche der Künstler auf dem Gebiet der dekorativen Kunst sich den lokalen Zuständen anpassen und nicht nur für die Ausstellung gedacht sind.

Ein Bedürfnis geht aber schon jetzt durchs ganze Reich, das ist das der Hausfrau. Und wer von einem festen Standpunkt aus die neuen Erzeugnisse auf ihre Brauchbarkeit prüfen will, der sollte sie mit den Augen der Hausfrau ansehen.

Die junge Frau in Deutschland ist unter der Herrschaft des Atelierstils aufgewachsen. Da ist es natürlich, dass ihr Geschmack sich leicht einem Gegensatz zuneigt. Die Überfülle und Überladung, Bombast, leerer Prunk und billiger Putz üben keinen Reiz auf ihre Empfindung. Sie mag nichts besitzen, das keinem praktischen Zweck dient, sie hasst die blosse Dekoration, sie freut sich an Ruhe und vornehmer Schlichtheit. Teller an der Wand, Gefässe auf hohem Bord, überflüssige Vorhänge und Draperien, billige Schnitzereien sind ihr zuwider.

Dann ist sie ein praktischer Geist. Selbst in glänzenden Verhältnissen will sie die Zahl der Dienstboten nicht über das absolut notwendige anwachsen lassen, denn sie hat die Zügel selbst in der Hand. Sie wird alle Erzeugnisse der dekorativen Kunst auf die praktische Brauchbarkeit ansehen und auf die

Befähigung, sich einem ohne übermässigen Kraftaufwand verwaltbaren Hausstand einzufügen.

Diese schon vorhandenen Tendenzen werden in der nächsten Zeit weiter um sich greifen und zugleich festere Wurzeln fassen. Mit ihnen hat die dekorative Kunst unter allen Umständen zu rechnen.

Ein Teil der von modernen Künstlern geschaffenen dekorativen Arbeiten will keinem praktischem Zwecke dienen, der fällt unter eine eigene Rubrik. Wir wollen uns nur um die Gegenstände kümmern, die eine Verwendbarkeit vorgeben.

gefahr schnell auf den Wagen packen musste. Wir können sie höchstens auf den Boden stellen, um Vorräte aufzubewahren. Dafür genügt aber eine Kiste. Auch der Nachfolger der Truhe, die Kommode, ist schon ein historischer Begriff. Im Wohnzimmer bewahren wir nichts mehr auf, im Schlafzimmer ist der Schrank mit vielen Fächern, in denen man nicht zu kramen braucht, bequemer. Also eine Truhe — unter keinen Umständen.

Sie steht vor einer künstlerisch ganz ausserordentlich schönen neuen Esszimmereinrichtung. Die Farben sind so schön, wie auf einem Bilde, oder bei einer kostbaren Toilette,

Wer sich heute die Ausstellungen der von Künstlern entworfenen Möbel und Geräte vom Standpunkte der deutschen Hausfrau betrachtet, dem wird es wie Schuppen von den Augen fallen.

Da steht eine herrliche Truhe, mit schönen Figuren geschnitzt oder ganz mit Schmiedeeisen beschlagen, in Farbe und Form neu und ein grosses Kunstwerk, von dessen dekorativem Inhalt eine ganze Schule leben kann. Die Hausfrau wird sich sagen: Ein Museumsstück. Ich kann es nirgend aufstellen. Meine Korridore sind zu eng, in den Zimmern kann ich Aufbewahrungsmöbel nicht brauchen. Ausserdem ist die Truhe ein ausgestorbenes Tier wie das Dinotherium oder der Ichthyosaurus. Sie war praktisch für das Mittelalter, wo man seine Habe bei Wasser-, Feuer- und Kriegs-

die Formen neu, das Ensemble gefällt ihr ausnehmend. Nun mustert sie den köstlichen Tisch, der das Entzücken aller Künstler bildet, und da schüttelt sie den Kopf: Der Gedanke, ihre Gäste sich setzen zu sehen, ist ihr eine Pein, denn nach gotischem Muster stehen die Beine schräg und sind unten durch kantige Querstangen rund herum verbunden. Wer eine unbedachte Bewegung macht, hat eine Wunde am Schienbein weg, und wenn er im Schmerz aufzuckt, auch am Knie, denn die Zarge ist zu tief. Auch den Esszimmerstühlen sieht sie auf den ersten Blick die Gefahren an, die sie für die Benutzung mit sich bringen. Die Lehne ist so hoch, dass der Sitzende den Nacken darauf legen kann, bei solchen Stühlen lässt sich nicht servieren, eine ungeschickte

26

Bewegung, und die Sauce ist verschüttet, und
wenn die Stühle einmal etwas enge gerückt
werden müssen, kann die Bratenschüssel nicht
mehr durch. Auch ist an der Stelle, wo das
Kreuz des Sitzenden gestützt werden muss,
statt einer konvexen Bewegung in der Lehne
eine konkave, der Gast wird also, wenn er
sich anlehnen will, eine Brustbeklemmung bekommen. Nein, nein, nicht diese Stühle. Ess-
zimmerstühle müssen eine nie-
drige Lehne haben und im
Kreuz stützen.

In einem anderen Ensemble
sieht sie vor einem entzückenden
Kamin mit hohem Mantel aus
Holz. Die Profile sind wie
von einem grossen Bildhauer
empfunden. Sie kann sich
nicht satt sehen. Aber wie
soll man diese glatten Flächen,
die jeden Tag gereinigt werden
müssen, vom Staub frei halten?
Wie die Winkel und Nischen?
Ein Federwisch reicht nicht
aus. Es muss eine hohe Sicher-
heitsleiter aushelfen. Und nun
sieht sie die lange Reihe von
Komplikationen vor sich: wo
soll die Leiter aufbewahrt werden, dass sie gleich morgens
zur Hand ist? Wer von den
Dienern soll sie hintragen und
zurückbringen — wo wird er
unterwegs überall anstossen —
welche Vorrichtung giebt es,
den Teppich zu schützen, auf
dem die Leiter steht — wie viel Zeit kostet
das alles? — Und der Kamin ist gerichtet.

In einem Zimmer, aus dem man gar nicht
scheiden möchte, ist die Vertäfelung in
breiten Flächen mit Messing ausgelegt. Die
Wirkung ist neu und sehr artistisch. Aber
dies Messing muss geputzt werden, und je
länger desto öfter. Die Hausfrau weiss, dass
man nicht Messing und Holz zugleich reinigen
kann. Es geht nicht anders, das Holz wird
verschmiert. Vielleicht hätte sie das Zimmer
erworben, jetzt geht sie seufzend weiter.

Im nächsten Raum steht ein sehr schöner
Rauchtischleuchter aus Schmiedeeisen. Ein
hübsches Weihnachtsgeschenk, schiesst es ihr
durch den Kopf. Aber sie sieht viele Füsse
mit scharfen Ecken, die jede Decke zerreissen,
jede Platte, einerlei ob Holz, Marmor, Metall
verschrammen würden; sie entdeckt in der
Tülle eine armdicke Wachskerze, von der
sie weiss, dass sie qualmt wie eine blakende
Lampe. Für ein Atelier, sagt sie sich, wo

es nicht darauf ankommt, und sieht sich
weiter um.

Von neuen Webereien hat sie gehört und
gelesen. Künstler haben die Zeichnungen entworfen, Museen kaufen sie als Vorbilder an. Sie
mustert die Ausstellung, ob sie für den Schmuck
ihres Hauses eine Erwerbung machen kann.
Vielleicht ist eine schöne Tischdecke da, denkt
sie, denn nichts ist so schwer zu finden wie
eine geschmackvolle Tischdecke; vielleicht
ein paar Thürvorhänge. Aber nein, es sind
lauter Sachen, für die sie keine Verwertung
hat, da sie absolut nicht dekorieren will.
Sie will es einmal nicht. Es ist ihr ein Gräuel.
Und sie müsste alle diese köstlichen Sachen
wie Bilder aufhängen. Warum fragen die
Künstler uns nie, was wir gern haben möchten,
denkt sie.

Blumenvasen · das ist's, was sie braucht.
Es giebt so wenig Erträgliches. Die auf der
Ausstellung sind so schön und so originell
wie Bilder. Ein Künstler hat sie gemacht.
Aber wie sie sie darauf ansieht, für welche
Blumen sie wohl gedacht sein mögen, kann
sie nicht ins klare kommen. Als leidenschaftliche Blumenfreundin weiss sie aus ihrer
Praxis, dass jede Art ihre Vase haben muss.
Auf eine Erkundigung wird ihr bedeutet, dass
man wohl Blumen hineinstellen kann, aber
nur in einem besondern Glase, denn die Vasen
halten nicht dicht. Sie seien in erster Linie
als Dekoration gedacht.

Es ist einerlei, ob die Hausfrau die Ausstellungen in Paris, Brüssel, Dresden, München,
Berlin, Kopenhagen oder Stockholm besucht,
es werden ihr vor einem erheblichen Teil der
ausgestellten Arbeiten überall dieselben Zweifel
aufsteigen.

Muss das so sein?

BONNIER, Arch.   L'ART NOUVEAU, Paris

MODERNE KUNSTGEWERBLICHE AUSSTELLUNGEN

*Das Ausstellungswesen gehört zu uns wie
die Börse, man kann darüber schimpfen, aber
man wird es nicht abschaffen können. Es
ist nötig. Selbst die grossen Bilderausstellungen
sind noch da und sind doch gar nicht mehr
nötig. Wo es sich aber um ernsthafte wichtige
Dinge wie Handel und Gewerbe handelt, bedarf
es des Marktes, der das relativ Beste aus allen
Gebieten aufstapelt und den Konsumenten wie
Produzenten über die Entwicklung der ihn
interessierenden Dinge belehrt. Die Ausstellung
verliert ihren Zweck, sobald sie dieser Qualitäts-
bedingung nicht mehr genügt. Beispiel, eben
die grossen internationalen Kunstausstellungen,
die kein gut beratener Liebhaber mehr besucht, weil so viele gerade der Besten kaum
noch ausstellen und weil, wenn wirklich gute
Dinge da sind, diese unter der Masse des
Schundes verschwinden. Diese internationalen
Bildermärkte sind das Grab einer zu Ende
gehenden Bilderkunst. Es ist unmöglich, sich
vor dem Wahnsinn der Entwicklung unserer
sogenannten Kunst zu verschliessen, wenn
man durch diese Totenhallen schreitet, in denen
nur noch die merkwürdigen Männchen der
Kunst ihr possierliches Wesen treiben und
dann und wann von der Menge beachtet*

*werden, während von den Bildern selbst kaum
noch irgend ernsthafere Notiz genommen
wird. Diese Art Ausstellungen sterben aus. Man
wird merken, dass es keinen Zweck hat,
so viel Geld und Mühe auszugeben, um dem
Publikum Gelegenheit zu verschaffen, seine
Kleider zu zeigen, Militärkonzerte zu hören,
Bier zu trinken und hübschen Mädchen den
Hof zu machen. Zu alledem braucht man
keine Bilder. — Die intelligenteren Beteiligten
haben das denn auch eingesehen, und in allen
Ländern ist das deutliche Bestreben bemerkbar,
das Ausstellungswesen seinem Zweck entsprechend zu verbessern. Zwei Dinge sind
dabei im Auge zu behalten, die Qualitätsfrage
und das Arrangement, beide von fast gleicher
Wichtigkeit, beide von rechtswegen untrennbar.*

*Die Verbesserung des Ausstellungswesens
geht mit der Geschichte der jungen dekorativen Bewegung Hand in Hand. England
und Belgien machten dementsprechend den
Anfang; in London, wo die Ausstellungen der
Royal Academy ungefähr den niedrigsten Grad
des Ausstellungswesens erreichen, bildete sich
die ARTS AND CRAFTS EXHIBITION SOCIETY
die alle zwei bis drei Jahre ihre Ausstellungen in der New Gallery veranstaltet*

28

MODERNE KUNSTGEWERBLICHE AUSSTELLUNGEN

und gleichmässig Kunst und Kunstgewerbe vertritt. Die letzte (fünfte) tagte von Oktober bis Dezember vorigen Jahres; am Tag ihrer Eröffnung starb ihr Gründer und Präsident WILLIAM MORRIS. Ausser dieser giebt es jedes Jahr in England an verschiedenen Orten, wie Glasgow, Liverpool, kleine Ausstellungen vornehmen Genres; eine der letzten in diesem Sommer war die in Wolverhampton, wo ausschliesslich moderne kunstgewerbliche Gegenstände, unter anderen eine grössere Anzahl Werke der ASHBEE'schen Guild of Handicraft in London, zu sehen waren. —

König eine Anzahl Räume im neuen Museum angewiesen, wo sie auch jetzt noch, immer Ende Februar bis Anfang April tagt. Die letzte (vierte) Ausstellung im Frühjahr dieses Jahres enthielt unter anderem ein Esszimmer des ausgezeichneten Brüsseler Architekten HORTA. — Den Holländern fehlen noch moderne kunstgewerbliche Ausstellungen. Einiges war in der Utrechter Ausstellung in diesem Sommer zu sehen. Es liegt nicht in der Art dieser eminent tüchtigen Künstler, an die Öffentlichkeit zu drängen. Ein Uneingeweihter könnte zehn Jahre in Amsterdam wohnen, ohne eine

BONNIER, Arch.   L'ART NOUVEAU, Paris

Gleich künstlerisch wie die ART AND CRAFTS, wenn auch nicht so reichhaltig, sind die Ausstellungen der von O. MAUS gegründeten LIBRE ESTHÉTIQUE in Brüssel. Die LIBRE ESTHÉTIQUE ging aus der Vereinigung der «Zehn» hervor, die im Jahre 1884 gegründet wurde und während der zehn Jahre ihres Bestehens die vornehmsten Kunstausstellungen veranstaltete, die es wohl je gegeben hat. Die «Zehn» und ihre immer in sehr beschränkter Anzahl Eingeladenen setzten sich im wesentlichen aus Künstlern zusammen, die ursprünglich Maler und Bildhauer waren, allmählich aber zu dem rein Dekorativen übergingen. Die LIBRE ESTHÉTIQUE erhielt vom

Ahnung von der kräftigen Bewegung zu haben, die sich unter den Jungen Hollands vollzieht.

Die grossen Pariser Frühlingsausstellungen der Champs Elysées und des Champ de Mars stehen im Prinzip wenig höher als die grossen Berliner. Beide bringen eine Menge Kunstgewerbe, die Champs Elysées konsequent die schlechteren, das Champ de Mars die besseren Sachen. Das Ausland findet äusserst geringe Beteiligung; sie beschränkt sich fast auf die regelmässige Wiederkehr von TIFFANY und KOEPPING in ihren besten Werken. Die Marsfeldausstellung dieses Jahres war in

29

37

gewerblicher Hinsicht die bisher gelungenste. Man fand das Beste, was Frankreich hervorbringt, freilich neben vielem dilettantischen Kram; sehr wenig praktisch Gewerbliches; wenn man das Mobiliar PLUMET's und seiner Kollegen ausnimmt, war im wesentlichen nur das Objet d'art vertreten, dessen zweifelhafte Bedeutung für das Gewerbe einleuchtet. Sehr interessant war die keramische Ausstellung neben dem Marsfeldsalon, eine trotz allen Überflusses an minderwertigen Epigonenarbeiten glänzende Äusserung des Gebietes, auf dem Frankreich die unbestrittene Führung

BONNIER. Arch.   Seitenthür in L'ART NOUVEAU

behauptet. DELAHERCHE, DALPAYRAT und LESBROS, MASSIER, DAMMOUSE, MÜLLER, die Manufaktur von SÈVRES, vor allem den brillanten BIGOT und die zahlreichen anderen Künstler und Techniker vom Fach konnte man dort einmal eingehend würdigen. In einer historischen Abteilung fand man gute ältere

französische Majoliken und japanische Poterien aus Privatbesitz, wie man sie eben nur in Pariser Sammlungen sieht.

Wirklich gediegene Kunst- und kunstgewerbliche Ausstellungen mit sicherem Niveau findet man in Paris nur in dem im Jahre 95 eröffneten Salon L'ART NOUVEAU im Besitze des Gründers S. BING, der nach grossen Schwierigkeiten jetzt endlich beginnt, ein Publikum zu finden. Wir bringen Abbildungen der Aussenansicht und eines Interieurdetails des Hauses. Das Gebäude war ursprünglich ein Mietshaus, und, da es sich nicht in dem festen Besitz BING's befindet, musste man sich mit Modifikationen behelfen. Diese hat BONNIER, einer der tüchtigsten modernen Architekten von Paris, ausgeführt. Von ihm stammen die ausgezeichnete Seitenthür in Schmiedeeisen und das Geländer der Galerie in einer Rotunde des ersten Stockes. Für die gleiche Rotunde im Parterre malte BESNARD die berühmte Dekoration, die bis auf den Plafond — allerdings das glänzendste Stück — jetzt in Dresden ausgestellt ist. Die malerische Aussendekoration des Hauses hat der bekannte Londoner Maler BRANGWYN entworfen und ausgeführt. Es sind im wesentlichen zwei Friese; der eine bedeckt die oberste Friesfläche und ist eine fortlaufende freie figürliche Komposition, der zweite, untere, läuft die Seitenfassade entlang und ist strenger gehalten. Zu den, im wesentlichen, braungelben Tönen BRANGWYN's ist der Anstrich des Hauses höchst geschmackvoll und eigenartig gestimmt. Hier wurden zum erstenmal die Belgier mit ihrer Innendekoration, KOEPPING mit seinen Gläsern, TIFFANY mit seinen Fenstern und Vasen gezeigt. Wir erinnern an die glänzende moderne Bücherausstellung im Frühjahre vorigen Jahres, die die vornehmsten modernen Werke des englischen, dänischen, amerikanischen, deutschen, holländischen und französischen Buchgewerbes vereinte. Die letzten Veranstaltungen in diesem Sommer waren die Ausstellungen des dekorativ thätigen Künstlers RIPPL RÓNAI, der Petroleumlampen TIFFANY's, die wir abbilden, und der neuesten Werke BIGOT's.

Skandinavien hat sich dieses Jahr zu einer grossen Ausstellung in Stockholm aufge-

BONNIER, Arch.   Galerie in L'ART NOUVEAU

schwungen`, die im Durchschnitt nicht viel
besser ist als jede andere, aber durch das dem
einheimischen Charakter möglichst treu ge-
bliebene Gewerbe immerhin ein lokales Kolorit
erhält und dem Suchenden manches Gute, ja
Beste der künstlerischen Anstrengungen der
Jungen in Dänemark, Norwegen und Schweden
enthüllt. In die Augen springt der moderne
Charakter des Arrangements. Ein grosser
Teil der Ausstellungsbauten ist dem Architekten FERDINAND BOBERG anvertraut worden,
der mit seiner begabten Gattin zu den tüchtigsten schwedischen Vorkämpfern für die
moderne Bewegung gehört. Wir geben verschiedene Ansichten der Aussen- und Innenarchitektur BOBERG's wieder. Das Portal und
der Säulengang, beides Details in dem Palais
der schönen Künste, zeigen deutlich die dekorativen Absichten des begabten Architekten.
Man wird in den Ornamenten kaum noch
die Gotik erkennen, von der er ausgeht; sie
ist so frei behandelt, dass jede Spur von Archaismus vermieden ist. Es ist etwas anderes, als
das, was die Engländer auf demselben Wege
erreichen, es ist freier, natürlicher, und zugleich steckt grösserer Reichtum, grössere
Fülle darin. Der Schmuck der Bogen z. B.
ergibt sich aus gekreuzten, ganz einfach stilisierten Blattzweigen. Ähnliche Motive vermitteln den Übergang des Bogens zur Säule,
an der vielleicht zum erstenmal das Kapitäl
glücklich ersetzt ist und anderseits zur Wand,
in die sich der Bogen mit höchst elegantem
Ansatze verliert. Sehr geschickt ist in dem

Portal die Klippe der vorgeschriebenen Heraldik
umschifft. Man erinnere sich der Geschmack-

BOBERG, Arch.   Ausstellung, Stockholm

31

HOBERG, Arch.   *Ausstellung, Stockholm*

teile der Äxte und Hämmer sind in Masse so verteilt, dass sie fortlaufende Ornamente geben. Die Eisenprofile für Schienen, Schwellen u. s. w. ordnet er zu einem Rundfries, der unter der originellen Hauptdekoration die Wand umläuft. Das Prinzip ist nicht neu; in jeder Ausstellung begegnet man Gebäuden von Seife, Chokolade, Flaschen etc., die alles andere nur keinen künstlerischen Eindruck hervorrufen. Es darf eben keine Architektur auf diese Weise erstrebt werden, und es kommt ganz darauf an, wie es gemacht wird. Die Grenze des Erlaubten ist oft schwer bestimmbar, in der BOBERG'schen Lampe, z. B. die den Pavillon erleuchtet, ist sie überschritten; eine mit Eisenhämmern gespickte Bogenlampe ist unmöglich. — Mit Geschmack liesse sich aus diesem Prinzip vieles machen, das dem immer und ewig gleichbleibenden Innern der grossen Ausstellungen zu gute kommen könnte.

Einige deutsche Ausstellungen dieses Jahres haben sehr energische Fortschritte in ähnlicher Richtung gemacht. Von der Münchner ist an anderer Stelle die Rede, von der Berliner kann überhaupt nicht die Rede sein. Ein Detail: mit bewunderungswürdigem Lebenmut haben sich in Berlin einige dekorativ thätige Künstler niedergelassen. Es sind ihrer nicht viel, umsomehr sollte man glauben, dass sich die Ausstellung ihrer bedient, um einen Hauch von Leben zu bekommen. Herr v. WERNER denkt nicht daran, ja diese tüchtige Ausstellungskommission hat die nicht näher zu bezeichnende Selbstgenügsamkeit, einen tüchtigen Künstler — HIRZL — der naiv genug war, ihr seine hübschen Goldsachen anzubieten, mit dem Bedauern zurückzuweisen, dass das doch wohl keinen künstlerischen Wert habe. — Aber die venezianischen Imitationen der Società artistica Italiana haben genügend künstlerischen Wert, um dem Besucher der Ausstellung im Wege zu stehen, und auch die deutschen Verunstaltungen der lieben Renaissance, die man diesmal zugelassen hat, sind genügend!

Dresden hat den guten Einfall gehabt, sich von L'ART NOUVEAU eine Reihe sehr schöner moderner Zimmer einrichten zu lassen, und

losigkeiten, die bei uns und überall fast unvermeidlich scheinen, sobald die Symbole der Staatsgewalt angebracht werden müssen. BOBERG wagt die Verwendung der Insignien zu dekorativen Zwecken und erreicht, dass die toten Zeichen zu frischen Ornamenten werden. Dieses sichere Gefühl für die Notwendigkeit neuer und zugleich zweckentsprechender dekorativer Wirkungen findet man noch schärfer ausgedrückt in dem Pavillon für die Eisen- und Stahlausstellung der Gesellschaft St. Kopparbergs Bergslags, den wir ebenfalls wiedergeben. Die landläufige Architektur hätte es fertig gebracht, selbst einem so durchaus modernen Inhalt eine den Vorbildern der Alten entlehnte Form zu geben; BOBERG entwickelt die Dekoration des Raums aus den darin ausgestellten Gegenständen. Die Eisen-

32

MODERNE KUNSTGEWERBLICHE AUSSTELLUNGEN

L'Art Nouveau hat mit Hilfe Van de Velde's seine Aufgabe sehr glänzend gelöst. Wir haben uns alle Mühe gegeben, der Direktion die Erlaubnis zu entlocken, für unser Geld photographische Aufnahmen machen zu lassen. Bisher sind die Unterhandlungen an der enormen ›Entschädigung‹, die man von uns verlangt, gescheitert. Liegt es wirklich im Interesse einer solchen Veranstaltung, die doch schliesslich zur ›Verbreitung‹ künst-

mit Erfolg unternommen. Unter den ausgestellten Gegenständen selbst findet man manches interessante gewerbliche Stück. Nur lässt die Aufstellung recht viel zu wünschen übrig. So gestellt können die Dinge nicht gefallen. Die Tische mit den Zinnsachen u. s. w. kleben an den Wänden zwischen den Bildern, als ob sie nur für einen Augenblick dastünden, kein Mensch kommt auf die Idee, diese Dinge könnten in ihrer Art ebenso

BOBERG. Arch.   Ausstellung. Stockholm

lerischen Geistes da ist, sich mit allen Mitteln gegen die Publikation ihrer Darbietungen zu wehren, zumal wenn, wie in diesem Fall, die beteiligten Künstler die Erlaubnis ihrerseits nicht nur gewähren, sondern um die Vervielfältigung in unserem Organ bitten? Wir hoffen, dass sich der Vorstand zur besseren Einsicht bekehrt und wir dann in der Lage sind, eingehend auf ihre in der That vorzügliche Leistung zurückzukommen. Was sich an den vorhandenen Dekorationen des Dresdener Lokals verbessern liess, hat WALLOT

wichtig sein, als die allein seligmachenden Bilder. Auch hier fällt die Nichtbeteiligung des Inlandes auf, doppelt, wo das Ausland so stark vertreten ist. Wir sind die letzten, die sich gegen tüchtige ausländische Sachen wehren, aber in erster Reihe sollte doch immer das Gute im Inland kommen. Und ECKMANN nebst vielen anderen deutschen, von den Dresdenern nicht eingeladenen Künstlern machen heute bereits sehr viel bessere Sachen, als ein guter Teil derer, die sich Dresden in der Fremde gesucht hat.

41

MODERNE KUNSTGEWERBLICHE AUSSTELLUNGEN

Eine höchst bemerkenswerte Veranstaltung hat Hamburg mit seiner Gartenbau-Ausstellung fertig gebracht. Schon die Idee, die kaum einen Vorläufer haben dürfte, eine Ausstellung von Pflanzen und Blumen zu machen, die nicht wie gewöhnlich ein paar Wochen, sondern ein halbes Jahr dauert, also die Aussteller zwingt, ihre Ware häufig zu wechseln, hat ihre grossen Reize. In Hamburg schliessen solche Versuche nicht nur ohne Defizit ab, sondern bringen sogar noch wesentliche Einnahmen; schon jetzt ist der Erfolg der Ausstellung auch in dieser Hinsicht gesichert. Das Publikum hat sich weit über Erwarten interessiert, und diese rege Teilnahme hat weit über die Bedeutung des Materiellen hinausgehende Folgen. Denn zweifellos: solche Dinge dem armen Städter zu zeigen, das ist ein viel gründlicheres Mittel zur Hebung des Geschmackes, als eine Kunstausstellung, selbst wenn sie aus eitel Kunstwerken bestünde. Das ist die wahre Ästhetik fürs Volk, die kann es verstehen, die kann es — bezahlen. Man hätte

im Arrangement der Blumen und Pflanzen vielleicht noch mehr diese Seite, die mir wichtiger erscheint als die rein botanische, betonen können. Ich vermisste zum Beispiel Anleitungen zur Kunst des Bouquetbindens, zur Kunst des Tischschmuckes u. s. w.; der Verfasser des »Makartbouquets« hätte sicher dafür guten Rat gewusst. Nicht wenig hat an dem glänzenden Gelingen die schöne bauliche Gestaltung des Mittelpunktes der Ausstellung, der Zentralhalle, beigetragen, von der wir einige Innen- und Aussen-Ansichten geben. THIELEN hat sie gemacht, der bereits mit anderen Bauten ähnlicher Art, wenn auch nicht so gelungen, hervorgetreten ist. Die nach meiner Ansicht dankenswerteste That THIELEN's ist die Aussenarchitektur des Baues, mit der er entschieden der Überlieferung Trotz geboten hat. Fast allgemein glaubte man bisher, ein Ausstellungsgebäude müsste unbedingt prunkhaft sein. Man kennt die gewissen Viktorien über den Portalen; in Brüssel hat man sich eine aus richtiger Pappe oder dergl. geleistet. Stuck und Pappe schienen bei einem Ausstellungsbau unvermeidlich, wenn man sich nicht wie die Pariser bei ihren Weltausstellungen echtes Material leisten konnte, und selbst die Londoner mit ihrer Indian Exhibition, die dieses Jahr zu einer QUEEN ERA EXHIBITION umfrisiert worden ist, glauben nicht auf das trügerische Weiss verzichten zu können. Bestärkt wird der Unfug durch die internationale Mode, bei allen grossen Ausstellungen die alte Stadt in Pappe vorzuführen; immer mehr bildete sich die Ansicht heraus, so eine Ausstellung sei ein Theater und müsse mit den Mitteln der Bühne gemacht werden. Meines Wissens brach man zuerst in Amerika mit dieser Anschauung. Auch THIELEN hat sich gesagt, dass es besser sei, auf falschen Prunk zu verzichten, wenn man mit gediegeneren Mitteln etwas erreichen kann. Deshalb wählte er eine einfache Holzkonstruktion, die nur durch gefällige Verhältnisse, durch geschmackvolle Ausgestaltung der Fensterlinien u. s. w. bescheidenen aber sicheren Reiz erhielt. Leider ist er demselben Prinzip nicht auch im Innern des Baues treu geblieben, sondern zur Stuckdekoration zurückgekehrt. Doch lässt sich auch hier der frische Zug nicht verkennen,

THIELEN, Arch.   Gartenbau-Ausstellung, Hamburg

THIELEN, Arch.   Gartenbau-Ausstellung, Hamburg

und im übrigen kann sich THIELEN damit trösten, dass selbst Baumeister wie der Stockholmer BOBERG, dessen grosse Anlage oben hervorgehoben wurde, ihre Wirkungen in Stuck erreichen. THIELEN's imposantes Interieur zeigt die Vorzüge und Fehler der Technik. Die Raumverteilung ist glänzend, man muss schon nach Amerika gehen, um annähernde Erweiterungen romanischer Gewölbe zu finden. Wieder zeigt sich, welch glänzende moderne Wirkungen die vernünftige Verwendung gerade dieses primitiven Stils ergeben kann. Das Aber bleibt nicht aus. Um diese Wirkung in Stuck zu erreichen, sind Hilfsmittel wie die doppelten Eisenverbindungen nötig, deren geradlinige Nüchternheit hässlich gegen die schön gerundeten Bogen absticht. Auch wie der riesige Kronleuchter — übrigens keine glückliche Erfindung — angebracht werden musste, widerspricht dem Stilgefühl. In den Kapitälen der Säulen verrät sich der Wunsch, zu modernisieren, nur stört die allzu naturalistische Verwendung von Pflanzenmotiven, hier nicht so gut geglückt wie bei BOBERG, woran wohl die Eile, mit der THIELEN arbeiten musste, schuld ist. Die Motive sind viel zu kompliziert, wirken überladen. Hier wie überall kommt der Unterschied zwischen dem Stil, der gutes Material und sorgfältige Arbeit verlangt, und der Billigkeit und Schnelligkeit, mit der solche Bauten ausgeführt werden müssen, zum Vorschein. Auch in der Flächendekoration

ist er zu merken. Ausgezeichnet ist die Apsis geschmückt; hier ist die erstrebte Prachtwirkung völlig erreicht; dazu hat THIELEN durch geschickte Verteilung elektrischer Lampen in das Ornament den Reiz der Dekoration auch für den Abend erhalten, ja der Reiz ist vielleicht bei Beleuchtung noch grösser. Schon diese Ausnützung des elektrischen Lichtes für dekorative Gesamtwirkungen beweist THIELEN's Stärke. Aber der Rest tritt gegen diese glänzende Apsis allzusehr zurück, die übrigen Teile der sehr grossen Fläche konnten nicht mit gleicher Sorgfalt bearbeitet werden; in manchen tritt auch veränderte Stilistik zu Tage; alles erklärliche, aber nichtsdestoweniger störende Folgen der Verhältnisse.

Diese Umstände hat man in Leipzig beim Bau der Ausstellung im Auge behalten, und wir können ohne jeden Rückhalt hinzufügen — glänzend überwunden: Die ganze Ausstellung ist in vieler Beziehung ein Muster für das Arrangement und verdiente eingehende Betrachtung. Wir begnügen uns mit dem besten, das sie besitzt: dem Bau für das Hauptcafé und vor allem dem Hauptrestaurant, von dem wir eine Abbildung bringen. In ihnen ist die Übereinstimmung von Zweck und Ausführung so treffend, dass man von einem Ausstellungsstil reden kann; das Verdienst, ihn in dieser Vollendung entwickelt zu haben, gebührt dem Architekten TSCHARMANN in Leipzig, dem Schöpfer dieser und anderer

35   5*

Gebäude. Tscharmann's Prinzip ist die letzte Konsequenz des Gedankengangs: kein Stuck, keine Phrase; Gediegenheit, unverhüllte Wahrheit und doch künstlerische Wirkung. Tscharmann hat den ganzen Bau nur in Holz ausgeführt; er begnügt sich mit gut komponierten Wölbungen und sucht nur durch

dem Hauptrestaurant; die Mittelfaçade mit dem äusserst geschickt angebrachten Firmenschild enthält nichts, was nicht unbedingt praktisch zu ihr gehört, und doch kann man sich nicht dem Reiz der Linien entziehen. Ganz kongruent ist das Innere gehalten; zwei Tonnengewölbe mit kleinem Querschiff, dessen

TSCHARMANN, Arch.   Ausstellung. Leipzig

die konstruktive Linie zu wirken. Die Façade des Café's zeigt einen grossen Hauptbogen mit zwei kleineren Bogen; zwei offene Türmchen sind der einzige Schmuck. Das Innere — ein einfacher Pavillon, ein Zelt in Holz ausgeführt, leicht, luftig, wie es der Zweck erheischt. Grossen Reiz erzielt er durch die hübsche Profilierung der Fensteröffnungen bei

Frontseite der erwähnten Mittelfaçade entspricht. Man findet nichts wie Holz; die Flächen sind mit Brettern verkleidet, darüber reizendes, einfaches Stabwerk, im übrigen tragende Balken. Hier aber hat der Dekorateur zum besten, einfachsten, modernen Mittel gegriffen, zur Farbe. Das Balkenwerk ist grün, die Bretter sind weiss gestrichen und

36

darauf ist ein grün stilisiertes Weinlaub gemalt. Diese ganz gleichmässige Verteilung desselben anspruchslosen Musters in einfachen Farben durch den ganzen Raum ist entscheidend, man kann sich nichts Besseres denken. Solcher Art sind die Wirkungen, die einzig angestrebt werden sollten, weil sie erreicht werden können; die künstlerische Bedeutung der ganzen pomphaften Berliner Gewerbe-Ausstellung fällt gegen diesen einfachen Raum. Die schwere Scharte, die die proletarische Geschmacklosigkeit, der die Berliner Ausstellung zu verdanken war, deutschem Wesen im Auge des Auslandes geschlagen hat, ist von Leipzig ausgewetzt worden. So sehr wir uns Berlins schämen mussten, so stolz können wir auf die Leistung einer Stadt sein, die nicht einmal zu unseren Hauptstädten gehört.

Auf dieser Höhe steht von den Ausstellungen dieses Jahres nur die Kolonial-Ausstellung in Tervueren bei Brüssel, die gleichzeitig mit der grossen Brüsseler Ausstellung gemacht wurde. Die letztere selbst ist genau so wie alle anderen; im Ensemble ohne jeden Reiz. Man findet natürlich glückliche Einzelheiten, an denen die Ausstellung selbst unschuldig ist. Wir verweisen zum Beispiel auf den äusserst praktischen und geschmackvollen Tisch, den MAJORELLE in Nancy für die DAUM'schen

Gläser gezeichnet und ausgeführt hat. Der untere Teil ist getöntes Holz mit den an GALLÉ erinnernden Füssen. Auf der Tischplatte erheben sich schön geschwungene blanke Messingträger, die eine Glasplatte halten. Man hätte die Details vielleicht noch besser ausarbeiten können; das Ganze ist jedenfalls gelungen. Auch HORTA's grosse Auslage in Holz, Glas und Metall für die Gläser der Gesellschaft Val St. Lambert — das beste, was die Brüsseler Ausstellung enthält (wir kommen darauf zurück) wie manche Arbeiten von SERRURIER in Lüttich und einzelnes von WOLFERS, Brüssel, u. a. sind ausgezeichnete Arbeiten, aber sie verschwinden in der Masse geschmacklosen Kramwerks, über deren Niveau selbst die hübsche kunstgewerbliche Abteilung der jungen Brüsseler — DU BOIS, LEMMEN, FINCH, FERNANDUBOIS, COMBAZ u. a. — nicht hinweghilft.

Ganz anders TERVUEREN. Hier ist zum erstenmal die Gesamtdekoration einer organisch zusammenhängenden Ausstellung in die Hände von Künstlern gelegt worden, die alle nach gemeinsamen Zielen streben. Das Resultat erschien uns so wichtig, dass wir ihm im folgenden einen besonderen Platz anweisen zu müssen glaubten, wofür wir das Wort einem der Hauptbeteiligten überlassen haben.

—Y—

MAJORELLE, Ausstellungs-Tisch   Gläser von DAUM FRÈRES

DIE KOLONIAL-AUSSTELLUNG TERVUEREN
VON
HENRY VAN DE VELDE

In einem Lande, das jeder Idee hemmend entgegentritt, erlangt eine Ausstellung wie die von Tervueren, die einzig als Ausdruck eines starken Gedankens möglich wurde, eine weit über die Bedeutung einer der vielen Ausstellungen unserer Zeit hinausgehende Wichtigkeit. Es ist daher besser, statt von der belgischen Kolonialausstellung von dem ›Fall Tervueren‹ zu reden.

Sehen wir zu, wie dieser Fall, dessen Beziehungen zur modernen gewerblichen Entwicklung Belgiens in die Augen springt, entstehen konnte.

Es liegt in der Art jeder gesunden Idee, dass sie im Keim eine Menge andere birgt, die vielleicht erst von der vierten oder fünften Generation zum deutlichen Vorschein gebracht werden. Die Menschen, die eine Idee hinnehmen, sind genötigt, auch die Folgen zu billigen, und der, der für sie kämpft, kommt notwendig dazu, daneben für andere Dinge zu kämpfen, an die er nie vorher gedacht hat.

Über die Congo-Frage zu reden, scheint in dieser Zeitschrift überflüssig. Mich interessiert sie hier nur als Idee in einem an Ideen armen Lande; es war fast selbstverständlich, dass die thätigen Anhänger der Congo-Politik sich notwendig von Leuten angezogen fühlen mussten, die für eine andere Sache kämpften. Freilich ohne dieselbe Aufmerksamkeit und denselben Widerstand hervorzurufen: den modernen Künstlern Belgiens, die sich die Erneuerung des Gewerbes zum Ziel gesetzt haben. Die Annäherung musste sich in dem Moment vollziehen, als die für ihren Congo Kämpfenden eine Ausstellung zu veranstalten gedachten, deren Gelingen von einer geschmackvollen, eigenartigen Herrichtung wenn nicht abhing, so jedenfalls sehr wesentlich gefördert werden konnte.

Es blieb zwischen den beiden natürlicherweise auf einander angewiesenen Kräften die Regierung, der ganze offizielle Apparat. Glücklicherweise giebt es im Congostaat wohl eine Regierung, aber keine Bureaukratie.

Der Lieutenant MASUI, Generalsekretär der Ausstellung, den ich über die Entstehungsgeschichte der Ausstellung befragte, machte mich auf diesen glücklichen Umstand in der Verwaltung des Congostaates aufmerksam und

H. VAN DE VELDE   *Export-Saal*

P. HANKAR   *Ethnograph. Saal*

39

SERRURIER-BOVY   Import-Saal

führte die Idee des modernen Arrangements auf den Staatssekretär Mr. VAN EETVELD zurück. In einer anderen Staatsform würde auch der höhere Titel eines einzelnen nicht im stande gewesen sein, einen solchen Plan in so einheitlicher Form auszuführen. Die vielen Unter- und Oberkommissionen hätten das Ihrige gethan, und von dem ursprünglichen Plan wäre nichts übrig geblieben. Der Congostaat ist noch jung, er hat wenig Beamte und ist daher genötigt, dem einzelnen grösste Machtbefugnis zu geben und seine Thätigkeit ebensosehr zu beanspruchen wie unsere reiferen Staatsformen den Beamten zur Unthätigkeit verdammen.

Der »Fall Tervueren« ist die Aufgabe, eine künstlerische Kolonialausstellung zu machen. Man kennt das Material an Glaskästen, Postamenten, Etageren, Stoffbehängen, Wandschmuck u. s. w., dessen sich bisher die Ausstellungen ausnahmslos bedienen, und man muss sich die ganze hässliche Nichtigkeit dieser Dinge vor Augen stellen, um den Riesenvorsprung zu ermessen, den die für dieselben Zwecke gemachten neuen Gegenstände in Tervueren darstellen.

Die Arbeit der Herren VAN EETVELD und MASUI — denn trotz der Erklärung des letzteren kommt ihm ein grosser Anteil am

Gelingen des Werkes zu — war um so schwieriger, als es sich um die Aufstellung einander höchst entgegengesetzter Dinge handelte. Man denke sich einen Saal, in dem die Werke belgischer Künstler in dem Elfenbein der Kolonie ausgestellt sind, und dann einen anderen, in dem man die Handelswaren findet, die Belgien zum Umtausch nach Afrika schickt. Trotz dieser notwendigen sachlichen Gegensätze ist das Ganze von einem künstlerischen Geist durchdrungen; man findet denselben künstlerischen Willen in dem eleganten Fussgestell, das eine zierliche Elfenbeinarbeit trägt und ebenso in der einfachen Auslage, auf der die Seifen- und Kerzenpakete ausgebreitet sind.

Der in die Brüsseler Bewegung Eingeweihte findet leicht in der Ausstattung der einzelnen Säle die Persönlichkeiten der beteiligten Künstler heraus; das Publikum sieht nur vielfach verschiedene Äusserungen desselben neuen Geistes. Daher wäre es auch unmöglich, die Ausstellung zu beschreiben. Die Mittel sind höchst einfach, es ist immer nur wieder Holz, hier und da ein wenig Glas und Beschläge. Damit hat jeder der Künstler das Seinige gethan, immer nur in dem Wunsch, das Ganze zu verschönen. Der Zweck ist erreicht worden und das Gewonnene ist bleibend. Der Erfolg

40

HOBÉ   Pflanzenkultur-Saal

geht weit über den Rahmen eines flüchtigen
Ausstellungsversuches hinaus. Er wird für
alle folgenden Ausstellungen bestimmend sein.
Bisher gab es noch keinen Vergleich, jetzt
wird selbst der Erfolg der Weltausstellung
von Paris 1900 davon abhängig sein, ob dort
derselbe Geist rege wird, von dem Tervueren
eine Äusserung ist. Und von der Ausstellung
wird derselbe Geist auf die Einrichtung aller
öffentlichen Gebäude, Museen, Schulen, Biblio-
theken, Hospitäler übergehen und von hier
auch in das Privathaus eindringen.

Dieser Bedeutung gegenüber treten Über-
treibungen oder Schwächen im einzelnen zurück.
Der unter uns, dem noch nie ein Versuch
missglückt ist, wage den ersten Stein auf sie

zu werfen. Ich für meinen Teil habe zu oft
schon vorbeigeschossen, als dass ich mich
dieser Gerechtigkeit verschliessen könnte. Gegenwärtig hat das Publikum keinen Masstab für
das Gewerbe. Es sieht in der Masse verschiedener Postamente nur den »neuen Stil«.
Nichts anderes sieht es in der Balkenverbindung
HANKAR's für den ethnographischen Saal, oder
in der Bogenkonstruktion SERRURIER's des
Importsaals, in den gerundeten Vitrinen und
Gestellen, die ich für den Exportsaal gemacht habe, oder in den viel zu schweren
Blocks, die HOBÉ für den Pflanzenkulturraum
geschaffen hat. Bald wird dasselbe Publikum
lernen, in diesem neuen Stil das Gute von
dem weniger Brauchbaren zu scheiden.

A. ENDELL, Wandfries im Hause des Herrn H. OBRIST

49

KORRESPONDENZEN

BERLIN — *HIRZL hat eine Anzahl sehr reizender neuer Broschen hergestellt (ausgeführt in Gold, zum Teil mit Email vom Hofjuwelier WERNER auf der Leipzigerstrasse). Sie haben vor den ersten Modellen den Vorzug höheren Gebrauchswertes; die spitzen Zacken, die den Kleidern gefährlich wurden, sind vermieden und die stilisierende Note hat an Deutlichkeit gewonnen. Die Modelle können sich neben den besten ausländischen Bijouterien sehen lassen und sind billiger. Es ist kein geringer Vorzug, dass man diese äusserst gediegen gearbeiteten echten Sachen für 45—90 Mark haben kann.● Herr ELKAN, der Schwager PÄCHTER's, des bekannten Besitzers des Japan-Geschäftes R. WAGNER, ist aus Japan zurückgekehrt und hat die Kunst der Patinierung, die nirgends so wie im Lande der Bronzen verstanden wird, mitgebracht. Er nimmt ganz einfache Gefässe mit glatter Oberfläche und erreicht mit seinem, natürlich geheim gehaltenen, Verfahren die reizendsten Farbenwirkungen; dunkle, rote, blaue, orange und grüne Töne, die sich ausgezeichnet mit dem Grund der Bronze verbinden. Ganz den Charme alter japanischer Bronzen wiederzugeben, bei denen die Patina wie gehaucht erscheint, ist wohl unmöglich und liegt auch kaum im Interesse einer modernen Technik. Man sollte im Gegenteil versuchen, die wundervolle Färbung zu ganz bewussten dekorativen Wirkungen, vielleicht sogar zu diskreten Ornamenten — wenn das möglich ist — auszunutzen.● PÄCHTER selbst hat sich eine hübsche einfache Villa im Westen geschmackvoll und seiner Vorliebe für Japan entsprechend eingerichtet. An der Installation ist auch VAN DE VELDE in Brüssel beteiligt. Von dem gleichen Künstler rührt ein Speisezimmer her, das sich der Maler C. HERRMANN in seinem entzückenden, neuen Heim hat machen lassen. Hier hat HERRMANN willkommene Gelegenheit gefunden, seine Begabung für dekorative Farbwirkungen zu äussern. Jedes Zimmer ist mit wohlthuender Diskretion mit den reizvollen Bildern des Künstlers geschmückt und auf ausgesprochene reine Töne gestimmt, deren Gesamtheit aus der Wohnung, die in Berlin ziemlich einzig sein dürfte, ein einheitliches Ensemble macht, in dem sich's gut sein lässt. ● Das grosse Warenhaus für WERTHEIM auf der Leipzigerstrasse ist im Äussern annähernd fertig und fällt in seiner amerikanischen Einfachheit höchst vorteilhaft*

aus der Masse der überladenen Berliner Gipsstilarrangements heraus. ● Der bekannte Hamburger Künstler OTTO ECKMANN hat seinen Wohnsitz von München in das Berliner Kunstgewerbemuseum verlegt, wo er an die Gewerbeschule berufen worden ist. ECKMANN befindet sich gerade jetzt, wie seine letzten Arbeiten beweisen, die wir in dem Aufsatz über Beleuchtungskörper abgebildet haben, und die das Beste darstellen, das er bisher gemacht hat, in einer äusserst günstigen Entwicklungsphase, und er ist nicht allein der feine Produzent, sondern auch durch persönliche Veranlagung geeignet, anderen seine Ideen mitzuteilen, also vorherbestimmt zum Lehrer wie übrigens die meisten Neuerer. Er weiss jetzt seinen Weg, kommt also nicht zu früh und auch nicht zu spät in die Stellung, die ihm Freude macht. Hoffentlich erfüllen sich seine Erwartungen an die massgebenden Autoritäten. ● In gleicher Stellung möchte man KOEPPING sehen; wir denken dabei durchaus nicht allein an die reizvollen Gläser. So gelungen sie sind und so berechtigt der Erfolg, KOEPPING ist mehr als

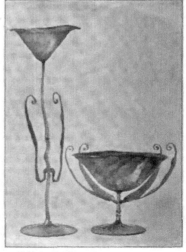

K. KOEPPING, Originalzeichnung

42

seine Gläser; sie sind, gewerblich gedacht, nur ein vielversprechender Anfang, und KOEPPING ist der Mann, den gewerblichen Keim, der neben dem ästhetischen Wert in ihnen steckt, zu reifen. Er ist, darf man sagen, moralisch dazu verpflichtet, denn glänzender ist wohl nie ein erster Versuch gelohnt worden. Er trägt sich gegenwärtig mit gewerblichen Ideen, auf deren Ausführung man gespannt sein kann. KOEPPING ist sich der Schwierigkeit der Aufgabe vollkommen bewusst, es bedarf langen Wägens, um nach den Gläsern einen Fortschritt zu bringen. Was es auch sei, es wird Wert haben. KOEPPING gehört zu den höchst seltenen Künstlern, bei denen man ohne zu sehen glauben kann. Nie wird das, was sie machen, schlecht sein. Diese Sicherheit des Geschmacks, die sich nie verleugnet, ist Gold wert für eine Schule; freilich ist es feine Ware, die sich zwischen groben Fingern leicht verflüchtigt. Wir bringen zwei von ihm für uns gezeichnete Abbildungen seiner letzten Modelle. Das hohe Glas hat stumpfstila, amethystfarbenen Kelch mit gelblichen und grauen Schattierungen. Stiel und Fuss blassgrünlich, Blätter dunkelgrün. Das breite Glas hat gelbfleckigen Kelch bei auffallend starkem Licht mit blauen Reflexen. Fuss und Blätter in gelblichen und grünlichen Tönen. —Υ—

MÜNCHEN — Seit GEDON hat in Münchner Wohnräumen mehr als anderswo der »Atelierstil« geherrscht. Die malerische Häufung von Antiquitäten und Möbeln alter Zeiten und Völker in der Harmonie ihrer durch Staub und Alter gedämpften Farben und ihrer künstlerischen Unordnung verlieh den Räumen jene weiche, wohlige Stimmung, welche so sehr der sorglosen, gemütlichen Nonchalance unserer innerlichen und äusserlichen Sammeljacken entsprach. Münchner Architekten und Künstler schufen in ihren Häusern Säle von venezianischer Pracht oder florentinischer Vornehmheit, lichte Hallen in graziösem Rokoko und unvergleichlich echte altdeutsche Trinkstuben, die, gefüllt mit kostbaren Altertümern, gewiss des Reizes nicht entbehren. Der vollständige Mangel an eigener, selbständiger Schöpfungskraft wird durch eine geschmackvolle und feinfühlige Anlehnung an gute Vorbilder ersetzt und hier liegt die Stärke, aber auch die enge Grenze ihres Könnens. Wir werden voraussichtlich Gelegenheit haben, bei Besprechung neuer Münchner Bauten näher darauf einzugehen.

LENBACH hat im Verein mit EMAN. SEIDL die architektonische Ausschmückung unserer diesjährigen Kunstausstellung geschaffen. Ihr Streben ging dahin, die Bildwerke in eine künstlerische Atmosphäre zu versetzen und sie in jene harmonische, stimmungsvolle Umgebung zu bringen, in welcher sie einzig zu voller Geltung gelangen und vollen Genuss gewähren. So richtig dieses Prinzip auch erscheint, so sollte doch gerade in einer Ausstellung nicht das Verhältnis überschritten werden, in welchem der Rahmen zum Bilde steht. Der Rahmen sollte nicht beanspruchen, für sich als selbständiges Kunstwerk zu wirken, in dem die Bilder nur schmückende Beigaben sind, umsomehr, wenn dieser Rahmen, wie es hier unvermeidlich, aus Gips und Masse aufgebaut, doch nur einen theatralischen Effekt zu geben vermag, der an diesem Platze fremdartig wirkt. Man kann nicht leugnen, dass im Streben nach künstlerischer Dekoration im allgemeinen des Guten zu viel geschehen ist. Wo immer der Blick, von allzuvielem Schauen ermüdet, sich von den Bildern wendet, trifft er auf reich verzierte Säulen und Portale; und gewiss nur wenige werden hinauf geschaut haben zu den plastischen Friesen, welche die Höhen der Wände in den Hauptsälen bekränzen. Der Minervatempel im Vestibül wirkt brutal in seiner falschen Pracht und erscheint einem feineren Fühlen als eine Orgie in Gips und Stilen; und wenn auch die verfehlte Architektur dieser Halle bedeutende Schwierigkeiten bot, so hätte man doch von diesen Künstlern eine geschmackvollere Lösung erwarten dürfen. Der Vergleich des feingetönten Kabinetts, das LENBACH's eigene Bilder enthält, mit dem Prunksaal, in welchem ein Teil der retrospektiven Ausstellung auf den von LENBACH so bevorzugten, wenig schönen und an den Kaufladen erinnernden Etageren untergebracht ist, beweist, wie viel mehr durch diskrete Bescheidenheit, als durch reiche Prachtentfaltung erzielt werden kann, — welch unendlich grössere Intimität, welch eindringlichere Sprache diese in beiden Sälen so vorzüglichen Bilder in zarter gestimmten Umgebung bewahren.

Die kunstgewerbliche Abteilung ist auf zwei kleine Kabinette beschränkt worden; aber es ist freudig zu begrüssen, dass auf Drängen einer Anzahl Künstler und Kunstfreunde endlich der Kleinkunst ein Platz in unserer Ausstellung eingeräumt worden ist. Der Erfolg ist über die Erwartungen gut und lässt noch Besseres hoffen. Die Mehrzahl der ausgestellten Gegenstände hat Absatz gefunden und viele müssen fünf- und sechsmal wiederholt werden, um der Nachfrage zu genügen. Von Münchnern sind die Maler V. BERLEPSCH,

43   8*

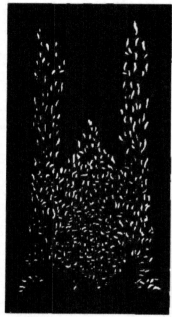

H. OBRIST   Wandvorhang

gut vertreten ist, näher einzugehen. Heute
nur einige Worte zu den Illustrationen, welche
wir als tüchtige und vielversprechende Stich-
proben Münchner dekorativer Kunst geben.
ECKMANN's und seiner sehr beachtenswerten
Arbeiten in Schmiedeeisen ist in dem Aufsatz
über Beleuchtungskörper bereits Erwähnung
gethan. Es ist sehr zu bedauern, dass diese
vielseitige tüchtige Kraft für München verloren gehen wird. Gerade sie hätte an geeigneter Stelle eine segensreiche Thätigkeit für
unser Kunstgewerbe entwickeln können. ECK-
MANN arbeitet zur Zeit an einem Sammelwerke
>Neue Formen<, das binnen kurzem bei MAX
SPIELMEYER in Berlin erscheinen wird. Wir
werden über die sehr interessanten Entwürfe,
die wir zu sehen Gelegenheit hatten, nach Erscheinen ausführlicher berichten. ● H. OBRIST
ist durch seine meisterhaften Stickereien
allgemein bekannt. Welch ein Schritt von
dem Sophakissen mit dem gestickten: >Nur
ein Viertelstündchen< bis zu diesen in
Linie, Farbe und Technik so vollendeten
Arbeiten! Es ist nicht zu glauben, dass
guter Geschmack einem grösseren Publikum so vollständig verloren gegangen sei.

ECKMANN, ERLER, V. HEIDER, KÖGEL, RIE-
MERSCHMID, SCHMUZ-BAUDISS, die Bildhauer
ENDELL, OBRIST, WILHELM, die Architekten
DÜLFER und FISCHER hervorragend beteiligt
und beweisen, wie viele selbständig denkende
Köpfe und geschickte Hände die neue Richtung im Kunstgewerbe hier zur Geltung bringen,
so dass München hoffen darf, auch auf diesem
Gebiete der Kunst die Führung in Deutschland zu übernehmen. Selbst in unserem sonst
konservativen Kunstgewerbeverein macht sich
eine starke Strömung zu Gunsten dieser Bewegung geltend, die hoffentlich nicht bei der
dankenswerten Reorganisation der Zeitschrift
dieses Vereins Halt machen wird, sondern vor
allem sich der so notwendigen Neugestaltung des
kunstgewerblichen Unterrichtes zuwenden sollte.
Wir müssen es uns für später vorbehalten,
auf die einzelnen obengenannten Künstler und
so manchen Fremden, der in dieser Ausstellung

A. ENDELL   Thürvorhang

44

um diesen gewaltigen Umschwung nicht allgemein erkennen zu lassen und diesen relativ sehr billigen Arbeiten nicht grosse Verbreitung zu sichern. Wir reproduzieren hier die Stickerei zu einem Wandvorhang, die in Silber auf grünblauem Samuel ausgeführt, durch die schöne Führung der züngelnden, flackernden Linien hervorragt. OBRIST weiss den reinen zarten Schwingungen seiner Linien eine geradezu musikalische Sprache nützuteilen, deren stimmungsvoller Einklang durch keinen fremden Ton getrübt wird. Seine besten Wirkungen erreicht er da, wo es gilt, ein frischbewegtes Motiv darzustellen, während ihm bei ruhigen Massen wie z. B. dem in der Ausstellung befindlichen Wandvorhang mit dem blühenden Baum die gleiche Ausdrucksfähigkeit nicht zur Verfügung steht. ● OBRIST geistesverwandt ist ein junger vielversprechender Künstler, A. ENDELL. Seine Schrift »Um die Schönheit« lenkte zuerst die Aufmerksamkeit weiterer Kreise auf ihn. Er hat die Wandfriese zu einem der Kabinette für Kleinkunst entworfen, welche von einem eigenartigen Talente ausdrucksvoller Linienführung zeugen. Als Komposition ist der auf Seite 4 abgebildete Fries besonders zu loben, dessen weich und weil viel Fittige sich ausbreitende Linien, den Strahlen der sinkenden Sonne vergleichbar, an die Nacht gemahnen, während man aus den Motiven Seite 1, 21

und 15 in ähnlichem Sinne Beziehungen zu Morgen, Mittag und Abend ableiten kann. Von hohem Reiz ist auch der von ihm entworfene Thürvorhang, in seiner einfachen strengen, gut der Webart angepassten Zeichnung. ● C. STRATHMANN dokumentiert in seinen neueren Arbeiten einen wesentlichen Fortschritt. Er hat viel an japanischen Vorbildern gelernt und doch eine eigene durchaus persönliche Ausdrucksform gefunden. Das Original unserer Abbildung zeigt die Linienführung durch den Gegensatz der Farbe klarer. Bei einer noch grösseren Einfachheit würde die Wirkung wohl noch erhöht werden. Das Bild beweist eine eminente Begabung für dekorative Aufgaben dieser Art. ● Der Bildhauer G. WILHELM hat schöne Arbeiten in Kupfer ausgestellt. Sein Wandbrunnen (S. 47) ist eine hübsche Probe derselben, gut in Verhältnissen und Umrissen, die Dekoration leicht und flüssig, wenn auch nicht sehr eigenartig in der Erfindung. Die technisch vorzügliche Ausführung ist die gemeinsame Arbeit von WILHELM und M. LIND. ● SCHMUZ-BAUDISS zeigt in seinen keramischen Arbeiten grosses Talent. Die Dekorierung ist in Anlehnung an Pflanzen- und Tierformen frisch und originell, die Technik eigenartig. Die Gefässe (S. 46) tragen zwei verschiedenfarbige Thonschichten, in welche der Künstler vor der Glasur seine Ornamente einschneidet und so je nach der Tiefe des Striches

C. STRATHMANN

45

T. SCHMUZ-BAUDISS

zweierlei Farbenabstufungen erreicht, welche der Glasur eine abwechselnde Tönung geben. Die Form der Gefässe ist gut erfunden und abwechslungsreich, die Farbe kräftig. ● Wenn wir hier an letzter Stelle P. BEHRENS erwähnen, so geschieht es, um zu beweisen, dass die Reihenfolge keinerlei Massstab für unsere Wertschätzung geben soll. Seine farbigen Holzschnitte, von welchen hier einer abgebildet ist, verraten, wie seine übrigen Arbeiten auf dem Gebiete der dekorativen Kunst, ein stark entwickeltes Stilgefühl, ein energisches Streben nach selbständiger Ausdrucksweise. In grossen, vereinfachten, kräftigen Zügen das Wesentliche einer Erscheinung zu charakteristischem Ausdruck zu bringen, ist ihm in diesen Holzschnitten vorzüglich gelungen. Die breite kraftvolle Art dieser Technik weiss BEHRENS in wohlverstandener Weise an-

zuwenden und erzielt damit eine Wirkung, die durch andere Mittel nicht zu erreichen ist. Die Wiederaufnahme dieses alten schönen Druckverfahrens, wie sie in München durch ECK-MANN, BEHRENS und einige andere erfolgt, ist von hoher Bedeutung, insofern dasselbe zu einer breiten monumentalen Behandlungsweise drängt, und in den Händen solcher Künstler zu einer freien Stilisierung führt, die nicht ohne Rückwirkung auf das eigentliche Kunstgewerbe bleiben wird. ● Wir möchten diese Mitteilungen nicht schliessen, ohne auf die Ausstellungen hinzuweisen, welche hier als Erster der rührige und mit feinem Verständnis für modernes Schaffen begabte Kunsthändler LITTAUER für Erzeugnisse der Kleinkunst veranstaltet. Manches daraus hoffen wir, in den nächsten Heften unsern Lesern in Bild und Wort vorzuführen.

— 63 —

P. BEHRENS, Original-Holzschnitt

46

HAMBURG — In der gewerblichen Abteilung der Gartenbau-Ausstellung, von der eingehend in dem Ausstellungsaufsatz berichtet wird, sind die bekannten KÄHLER'schen Majoliken ausgestellt. Von Einheimischen eine Menge schlechter Keramik und ganz elende Nachahmungen KOEPPING'scher Gläser. Interesse verdienen die nach einfachen japanischen Modellen ausgeführten Korbflechtereien von H. AHRENS. ● Die Glaserei von ENGELBRECHT, die ausser in Hamburg (Rathaus u. a. a. O.) auch in Dresden (bei ARNOLD) und in München im Glaspalast vertreten ist, und im Champ de Mars ein paar Sachen ausgestellt hatte, entwickelt sich zusehends. ENGELBRECHT verarbeitet nach dem TIFFANY-schen Prinzip amerikanische Gläser, die er von den Glasfabriken L. HEIDT in Brooklyn und KOKOMO in Indiana bezieht — er besitzt, wie er sagt, den Alleinvertrieb für Europa. Jedenfalls wäre es zu wünschen, wenn sich die Künstler statt der schlechten, französischen Nachahmungen amerikanischen Glases, dieses Materials bedienten, das durchaus nicht teurer und ganz unvergleichlich schöner ist. Namentlich den Belgiern, die fast ausnahmslos französisches Glas verarbeiten, sei das geraten. — ENGELBRECHT arbeitet fast ausschliesslich nach eigenen und des in Paris lebenden Künstlers CHRISTIANSEN's Entwürfen. Es fällt uns der gänzliche Mangel an ornamentalen Motiven, die Vorliebe für genrehafte Darstellungen auf; andrerseits ist das Bestreben nach breiter ruhiger Flächenbehandlung, der Verzicht auf kleinliches Detail zu betonen, das diese Arbeiten auszeichnet. ● Bei HULBE technisch ausgezeichnete, in den Vorwürfen indifferente Arbeiten. Er versucht sichtlich, moderner zu werden, aber mit den Blümchen ist es nicht gethan. Jeder tüchtige Künstler wird gern einer so vortrefflichen Ausführung zuliebe HULBE so weit wie möglich entgegenkommen; an HULBE, sich die Künstler zu suchen. —γ—

G. WILHELM

liche Ausstellung veranstaltet, in der die besten Werk- ausländischer und inländischer Künstler zu sehen waren, von Deutschen KOEPPING, ECKMANN u. a., von Ausländern CARABIN, MASSIER, der verstorbene Bildhauer CHERET, H. NOCQ, die Kopenhagener PORZELLAN-MANUFAKTUR, KÄHLER, MUNTHE, FINCH, ZSOLNAY, TIFFANY u. a. Eine Menge vorzüglicher dänischer Einbände und gute deutsche, englische, belgische und französische Bücher. — Die Königl. Porzellan-Manufaktur in Meissen könnte sich ein Beispiel daran nehmen, wie Künstler, die das liebe Geld viel nötiger brauchen als sie, ungeachtet dessen dem Publikum neue Geschmacksrichtungen beizubringen suchen, freilich soll sie sich nicht nach ZSOLNAY, sondern nach den besten richten, wie BIGOT in Paris und nach ihrer Kollegin, der Manufaktur in Sèvres, die sehr energisch die alte Tradition zu durchbrechen beginnt. Wie wir hören, soll man sich übrigens in Meissen mit Neuerungsplänen tragen. ● Das Kunst-

DRESDEN — Die Jungen bei uns beschränken sich noch fast ausschliesslich auf Plakate, unter denen wir gute Sachen haben, auf Wandmalereien in Restaurants — OTTO FISCHER ist gerade mit einem Riesengemälde für einen solchen Zweck beschäftigt — und Buchillustrationen. Unverkennbare Mühe giebt sich die Kunsthandlung von E. ARNOLD um die Hebung des Geschmacks und des Interesses für die moderne dekorative Bewegung. Zum erstenmal in Dresden, sogar im wesentlichen in Deutschland, hat sie im Anfang des Sommers eine gewerb-

47

gewerbemuseum hat sich — zwar mit innerem
Widerstreben — zu einigen modernen An-
käufen entschlossen, viel zu wenig, um sie
anzuführen.   —Y—

LONDON — ASHBEE'S Guild and School of
Handicraft arbeitet an verschiedenem
Mobiliar für den Grossherzog von Hessen-
Darmstadt, das wir nebst anderem Material der
Guild publizieren werden. Er baut gleichzeitig in seiner Strasse Cheyne Walk in
Chelsea eine Reihe einfacher hübscher Häuser,
von denen eines der Vollendung nahe ist. ● Die
Guild of Birmingham hat bei MORRIS & CO. auf
der Oxford Street eine kleine Ausstellung ihrer
ausgezeichneten Metallgegenstände, Lampen,
Becher, Ofenuntensilien, Schmucksachen u. s. w.
veranstaltet. Zu der gediegenen Kunst des
grossen MORRIS passen diese äusserst einfachen, aber absolut guten Gegenstände vortrefflich. — Während die Kelmscott Press demnächst schliessen wird, bleibt das Geschäft
von MORRIS weiterbestehen. MORRIS hat eine
grössere Anzahl von Studien, Entwürfen für
Tapeten und Stoffe etc. hinterlassen, die Mr.
DEARLE, ein Mündel des Verstorbenen und
Mitglied der Firma, ausarbeitet; zugleich ent-
wirft Mr. DEARLE auch eigene Kompositionen,
die sich in den MORRIS'schen Bahnen bewegen. ● Das glänzende Buch von A.VALLANCE,
»The art of William Morris«, gedruckt in
der Chiswick Press, erschienen bei G. BELL
& SONS, ist bereits gänzlich vergriffen und
nur noch zu wesentlich erhöhtem Preis (nicht
unter 12 £) bei den Händlern zu haben. Es
ist in der That eines der glänzendsten Bücher
der letzten Jahre. Wundervoll sind die Tapeten
und Stoffe, getreu in der Farbe, von W. GRIGGS
of Peckham reproduziert. Wir geben einen
Wandteppich des Werkes auf S. 1 wieder. Man
findet in dem Werk auch die herrlichen Glasfenster von Oxford, wohl das beste, was die
moderne englische Kunst in Glasmalerei geleistet
hat, gut reproduziert. Hier befindet sich übrigens
ein kleiner Irrtum in dem vortrefflichen Text
von VALLANCE. Das auf S. 47 erwähnte
Fenster, Adam und Eva, ist nicht von ROSSETTI,
sondern von MADOX BROWN. Höchst dankenswerter Weise veranstaltet VALLANCE eine zweite
Auflage des Werkes in bedeutend verkleinertem
Format, aber mit wesentlich vermehrtem Illustrationsmaterial und Text. Es kommen verschiedene Kapitel hinzu, namentlich eines über
den Sozialismus des grossen Reformators.
Freilich fallen die farbigen Reproduktionen
ganz fort. Dafür wird das Buch nur 1 £
kosten. Es erscheint ebenfalls bei G. BELL
& SONS. — Weniger bekannt geworden ist ein

anderes neues Buch von VALLANCE: A book
of fifty drawings by AUBREY BEARDSLEY
bei LEONARD SMITHERS, das ausser den besten
und bekanntesten Schwarz-Weisszeichnungen
des Künstlers einen annähernd vollständigen
Katalog seiner sämtlichen Zeichnungen enthält. — BEARDSLEY hat den grössten Teil des
Sommers in St. Germain bei Paris zugebracht
und soll sich jetzt wohler befinden. ● Der
Verlag von HACON & RICKETTS, der nunmehr
nach Ausscheiden von MORRIS die Führung
des englischen Buchgewerbes zu übernehmen
scheint, beginnt in England Boden zu fassen.
Der kleine Shop in der Warwick Street enthält
bereits eine stattliche Anzahl ausgezeichneter
Werke, die wir nicht anstehen, zum Teil —
ihrer modernen und mindestens gleich vornehmen Note wegen — über MORRIS zu stellen.
Ausser den noch vorhandenen Exemplaren
von The Dial, der glänzenden ersten Publikation von SHANNON und RICKETTS, findet
man ein Dutzend reizender Bücher, die meisten
von RICKETTS, zwei von L. PISSARRO illustriert
und mit seltenstem Geschmack ausgestattet.
Wir haben das Reproduktionsrecht sämtlicher
Werke für die Dekorative Kunst erworben. ●
L. PISSARRO war den ganzen Sommer schwer
leidend — überarbeitet. ● CORDEN-SANDERSON
hat bereits circa 60 Exemplare des Chaucer
gebunden, die zu seinen vollkommensten Arbeiten gehören. Wie alles Gute findet der beste
englische Binder Nachahmer. So wünschenswert eine Schule CORDEN-SANDERSON wäre,
so wenig vermag man den Nachahmern
zuzustimmen. Es ist schwer begreiflich, wie das
Studio sich zur Publikation einer so glatten
Imitation (vergl. Januarnummer) hergeben mag. ●
L. WILSON hat für den Duke of Port-
land für dessen Besitzung in Welbeck die geschmackvolle Einrichtung einer Kapelle und
einer Bibliothek hergestellt und für die Kirche
S. Bartholomäo in Brighton eine vollständige
Ausstattung an Gebetsstühlen, Bänken, Metallsachen u. s. w. entworfen. WILSON sucht
mit grossem Geschick den modernen Stil in
der Kirche einzuführen. Er geht dabei von
der Gotik aus, die ihm in der Regel vorge-
schrieben ist, aber es gelingt ihm, dieser all-
mächtigen Tradition eine sehr persönliche
moderne Note zu geben, ohne die hier mehr
als anderswo gebotene Diskretion zu verletzen.
Unter den ehrlichen Arbeitern, die aufrichtig
streben, die englische Entwicklung weiter zu
führen, steht er an erster Stelle. ● In der
All Saints Church (Knights Bridge) verfolgt HARRISON TOWNSEND mit HEYWOOD
SUMNER, dem durch seine Filzgraphilder bekannten Zeichner, und RATHBONE, dem

48

brillanten Kupferschmied, zusammen eine ähnliche Aufgabe. HEYWOOD SUMNER hat eine grosse Wanddekoration entworfen, die zum Teil bereits ausgeführt ist in der äusserst wirksamen Sgraffito-Technik, verbunden mit Mosaik, und eine höchst dekorative Wirkung

E. M. GEYGER,
Spiegel

erreicht. RATHBONE hat ein Weihwasserbecken aus getriebenem — leider braun getöntem — Kupfer gemacht, das zu seinen besten Werken gehört. Der Pfarrer der Kirche findet, es sei nicht »kirchlich« genug, weil es in ganz einfachen ernsten Linien gehalten ist. Er irrt sich, es kommt nur auf die Frömmigkeit an und die steckt in jedem ernst erdachten und gut gemachten Handwerke. BENSON hat wieder eine Anzahl neuer vorzüglicher Metallgegenstände entworfen. Wir publizieren Seite 49 einen Marmorsarg, der bereits vor einiger Zeit hergestellt ist und für den BENSON nach Zeichnungen von BURNE JONES die Bronzeeinlagen, die die Aussen-

wände höchst wirkungs- und geschmackvoll verzieren, gemacht hat. Das Monument ist dem als Kunstfreund bekannten Rheder LEYLAND aus Liverpool gewidmet und steht auf dem Kirchhof von Brompton in London. Es ist von einem Eisengitter umgeben, das wir weglassen, um nicht die Hauptsache zu schmälern. ● ALEXANDER FISCHER hat eine Anzahl neuer Schmuckgegenstände hergestellt, die wir nächstens zeigen werden. Er steckt immer noch — wie die meisten, namentlich französischen Schmuckkünstler — ein wenig im Figürlichen, aber man merkt das intense Streben, rein ornamentale Formen zu erlangen.   —γ—

LIVERPOOL — RATHBONE ist als Instruktor in »Metalwork« an die Architektur-Abteilung des University College in Liverpool berufen, an dieselbe Schule, wo bekanntlich ANNING BELL seit Jahren thätig ist. RATHBONE's Übersiedelung von Menai Bridge nach Liverpool findet bereits in diesen Tagen (Ende September) statt. Damit ist der tüchtigen Schule in Liverpool eine vorzügliche neue Kraft geworden.   —γ—

GLASGOW — MACKINTOSH, die beiden Miss MACDONALD, G. WALTON u. a. haben binnen kurzem Glasgow, das in Deutschland nur durch die Münchner Erfolge der träumerischen schottischen Maler bekannt war, ein neues Gesicht gegeben. Von ihnen geht eine frische Strömung aus, die gar nichts mit dem Praeraphaelitismus gemein hat und den erschlafften Adern der Londoner neues Blut geben könnte. Wo sie ihre Anregung her haben, lässt sich mit Sicherheit nicht feststellen, sicher wie überall aus den Kolonien; man findet in ihren originellen Ornamenten deutliche Erinnerungen an indische Motive. Jedenfalls schöpfen sie aus anderer Quelle als die BURNE JONES und Genossen.   —γ—

FLORENZ — BOECKLIN's Heim in Fiesole ist nun fertig geworden. Sein Sohn CARL hat die Loggia ausgemalt, der Alte selber die Arbeit geleitet. Es ist kein moderner Geschmack, der sich hier und in den anderen Räumen äussert, aber er passt zu dem Riesen. Die schweren dunklen Tapeten in dem »Salon« in dem Braunrot, das manche BOECKLIN's haben, der Kamin, primitiv aber riesig, die Höhe des Zimmers, alles das ist ein Stück von ihm. — E. M. GEYGER hat ein paar sehr schöne Metallgegenstände gefertigt, einen Spiegel in Silber und eine Urne in Bronze. Auch an ihm ist nichts Modernes, aber was bei BOECKLIN wie die

*Grösse des Wilden erscheint,
ist bei ihm der äusserst feine
eklektische Sinn, mit dem
heute so viele unserer ersten
Künstler dem Alten nach-
träumen. Der Spiegel ist
in der Komposition völlig
klassisch, aber innerhalb
dieser scheinbar abstrakten
Sphäre äussert sich eine
ganz feine, fabelhaft sichere
und persönliche Künstler-
hand, der eine geradezu
einzige Zeichnung zu Gebot
steht. Die Urne ist mir
fast noch lieber mit ihrer
japanischen Einfachheit, die
nur da, wo es unumgäng-
lich nötig erscheint — an den
Füssen — einen bescheidenen
Schmuck gestattet und sich
im übrigen lediglich auf die
Schönheit der Verhältnisse
beschränkt.*   —Y—

E. M. GEYGER

AMSTERDAM — Was CUYPERS, der
Vater der modernen holländischen
Architektur, für Amsterdam bedeutet,
ist mit den Bauten, die von ihm selbst stammen,
nicht abgethan. Wohl sind Werke wie das
neue Reichsmuseum, das trotz manchem Mangel
an Konsequenz, der wohl auf Rechnung der
Mitarbeiter zu setzen ist, vorbildlich wirken
kann, glänzende Schmuckstücke der sonst
architektonisch so langweiligen Stadt, wichtiger
ist aber die Saat, die, von ihm ausgehend,
in den Jungen zu reifen beginnt. Einem der
tüchtigsten unter ihnen, BERLAGE, von dem
bereits ein paar einfache, rationelle Häuser
in Amsterdam und im Haag stammen, bei
denen als Bildhauer ZYL, von dem wir
demnächst verschiedene Werke abbilden,
thätig war, ist nunmehr mit dem Bau der
neuen Börse betraut worden und gegenwärtig mit den Plänen beschäftigt. Das
neue Gebäude, für das hinter dem alten —
zwischen diesem und dem CUYPERS'schen
Bahnhof — ein riesiger Platz geschaffen ist,
dürfte die erste moderne Börse in Europa
werden. Man kennt die in allen Ländern
beliebte Form, die auch die alte Amsterdamer
Börse zeigt, mit den griechischen Säulen, aus
um die Mittagszeit das Höllengezeter der Makler
entweicht, gar merkwürdig mit der heiligen
Stille kontrastierend, die der griechischen
Tempelarchitektur eigen ist. BERLAGE wird
eine sachliche Börse machen, die nicht über

den Zweck täuscht, für den sie geschaffen ist,
und wir zweifeln nicht, dass es ihm trotzdem
gelingt, den Bau zu einem monumentalen
Schmuckstück zu gestalten. ● DIJSSELHOF's
Zimmer für den Doktor VAN HOREN, an dem
der Künstler seit Jahren arbeitet, ist nun annähernd fertig. Es ist nicht leicht, Einlass
zu finden, DIJSSELHOF umgiebt sich mit einem
mysteriösen Nimbus, den kein Ungeweihter
durchbrechen darf. Wider Erwarten und
glücklicherweise ist man, wenn sich einem
nach unendlichen Schreibereien schliesslich
das geheimnisvolle Zimmer öffnet, nicht enttäuscht, ja man verzeiht allen Ärger über den
überflüssigen Zeitverlust. Das Zimmer ist
unseres Erachtens das beste Werk der
modernen holländischen Bewegung, die so
reich an dekorativen Reizen ist, und es
dürfte in der Moderne der ganzen Welt allein
stehen. Nächstens hoffentlich mehr darüber. ●
LION CACHET arbeitet ebenfalls an der
Gesamt-Dekoration eines Zimmers, das dem
Werke seines Freundes DIJSSELHOF ebenbürtig werden dürfte. Er gedenkt die Wände
mit Stoffen, die in der Basiliken-Technik geschmückt sind, zu bedecken und die Möbel in
kostbaren Hölzern mit Einlagen auszuführen.●
Die beiden Künstler LAUWERICKS und DE BAZEL
haben sich zu ähnlichem Zwecke vereinigt,
DE BAZEL für die Dekoration, LAUWERICKS für
Architektur, und haben bereits eine Anzahl vorzüglicher Innendekorationen ausgeführt. Von

51   7*

DE BAZEL. stammen Holzschnitte für Bucheinbände, ornamentierte Leisten u. s. w., die
einen ganz seltenen Geschmack verraten. ● Der
intelligente Goldschmied W. HOEKER, der der
modernen Bewegung bereits durch Ausführung
von Entwürfen des erwähnten Bildhauers
L. ZYL für Schmucksachen nahe gekommen
ist, hat soeben eine kleine keramische Fabrik
gebaut, in der ZYL die künstlerische Seite
vertritt. Man darf auf die ersten Resultate
dieses vielversprechenden Unternehmens gespannt sein. ● TH. MOLKENBOER, von dem
verschiedene gute Bucheinbände stammen,
hat von NIEUWENHUIS eine Tapete zeichnen
lassen.

Auf alle hier erwähnten Künstler und Werke
kommen wir demnächst mit Abbildungen
zurück, desgleichen auf die Künstler im Haag,
TOOROP, THORN, PRIKKER und vor allem
COLENBRANDER, auf ROLAND HOLST, DER
KINDEREN und auf HARLEM.   —γ—

PAUL DU BOIS, Zinndekoration

EVALDRE, Glasfenster

BRÜSSEL. — Die Abteilung »für angewandte Kunst« (unter welchem Namen
in der Brüsseler Ausstellung die Werke
des Kunstgewerbes und der Ornamentation
vereinigt worden sind) gestattet dem fremden
Besucher nur einen oberflächlichen Überblick
über die Kräfte, die sich in Belgien auf
diesem so vielseitigen Gebiete bethätigen.
Diejenigen, die ich vor allem hervorheben
möchte, sind nicht vertreten, und statt ihrer
sind viele da, deren Nennung mir wenig
Vergnügen macht.

Man merkt dieser Abteilung »für angewandte Kunst« an, welche Streitigkeiten ihrer
Bildung vorausgegangen sind, und in der That
ist die Geschichte ihrer Entstehung erbaulich
genug. Die Gruppe »Schöne Künste« hat alles
gethan, um das Kunstgewerbe los zu werden,
und mit Erfolg; man wollte es der Gruppe
der »dekorativen Künste« zuteilen, aber
das Kunstgewerbe protestierte, und es gelang
ihm, eine neue selbständige Abteilung unter
dem Namen »für angewandte Kunst« zu bilden;
diese Thatsache der formellen Anerkennung
neben den »schönen Künsten« ist sicherlich
beachtenswert.

52

60

Die plötzliche Unabhängigkeit erforderte aber seitens der Organisation sehr viel Nachsicht und damit eine zu weitgehende Berücksichtigung aller Leute, die sich in Belgien mit Kunstgewerbe befassen. In dieser improvisierten Versammlung findet sich das Gute neben dem Schlechtesten, und daher nehme ich, indem ich Einiges davon erwähne, hierfür nur den Grad von Verantwortung auf mich, der in einer Gesellschaft angebracht ist, wo die Vorstellung zu nichts verpflichtet. Meine Briefe werden also mehr blosse Berichte und Auskünfte enthalten, als Lob und Tadel verteilen. Man wird es aber leicht durchfühlen können, wo einem Werke meine volle Bewunderung zukommt.

Diese »Abteilung der angewandten Künste«, zu deren Organisation die Herren VAN DER STAPPEN, MAUS, CRESPIN, DU BOIS und VAN DE VELDE durch die Wahl berufen wurden, schliesst eine ermutigende Vielfältigkeit in sich. Sie enthält Plakate, Bucheinbände, Teppiche, Tapeten, Stickereien, Spitzen, Zinnarbeiten, Schmucksachen, Töpferwaren, Glasfenster, dekorative Malereien und Buchillustrationen. Kein einziges Möbel!

Die dekorative Malerei ist durch zwei grosse Darstellungen vertreten; eine von M. MONTALD, die andere von M. FABRY; unter den Buchillustrationen finden wir solche von KNOPFF, VAN DOUDELET — sehr mittelalterlich —, und sehr gelungene moderne Ornamente zu dem Buche KAHN's, »Limbes de lumière« von LEMMEN, der ausserdem mit einigen Teppichen vertreten ist, auf welche wir gelegentlich ausführlicher zurückkommen werden. WIJTSMAN hat eine Anzahl Entwürfe für Teppiche ausgestellt.

Unter den Plakatzeichnern ist MELLERY einer unserer besten Künstler; er ragt hier durch die gleichen Eigenschaften hervor, welche ihn vor anderen belgischen Künstlern auszeichnen, durch Würde und Mässigung. Aber, um wahr zu sein: die Mässigung ist bei Plakaten nicht immer am Platze und das ist der Grund, warum ich ihm THEO VAN RYSSELBERGHE vorziehe, dessen Affichen hier leider nicht zu finden sind.

A. W. FINCH hat sehr tüchtige Töpfereien ausgestellt, es ist viel Kunst darin, ehrliche Kunst, ehrliche und persönliche Art. Gute Bucheinbände finden wir in leider sehr hässlichen Schaukästen untergebracht. Gerade auf dem Gebiete des Bucheinbandes könnten wir in Belgien sehr Tüchtiges leisten, denn es fehlt nicht an guten Kräften, unter denen ich P. CLAESSENS besonders erwähnen möchte, denn seine Arbeiten zeugen von einer seltenen Hingabe an den Gegenstand und einer

wohlüberlegten Bevorzugung des Modernen. M. RIJKERS ist mit seinen »Histoires extraordinaires de E. A. Poë« vertreten, in der nicht einwandfreien Manier der Schule von Nancy. SAMBLANC und WECKESSER haben sich MARIUS MICHEL und einige noch schlimmere pseudo-amerikanische Verirrungen zum Vorbild genommen.

Von PAUL DU BOIS finden wir eine umfangreiche Ausstellung von Gebrauchsgegenständen aus Zinn, das er bei uns wieder zu Ehren gebracht hat. Ich bin überzeugt, dass eine grössere Einfachheit die schon vorhandene Eleganz noch erhöhen würde. Neben ihm figuriert G. MORREN mit seinen Zinn- und Schmucksachen; seine grosse Geschicklichkeit und findige Schmiegsamkeit bewähren sich besser bei dem Geschmeide als bei den Gebrauchsgegenständen. Wir erwähnen noch die dekorativen Entwürfe von CRESPIN, die Tapeten von A. HUET, die ein aufrichtiges und gesundes Streben zeigen, die Glasmalereien von EVALDRE und THYS.

Die Aufzählung aller dieser Namen mag trocken klingen, aber ein erster solcher Brief gleicht dem Aufstellen der Schachfiguren, wir werden bald sehen, welche vorrücken und welche Schach bieten werden. Diesen letzteren werde ich in meinen Mitteilungen besondere Aufmerksamkeit widmen. Man beachte im übrigen, dass diese Aufzählung unvollständig ist; es fehlen Namen wie HORTA, HANKAR, SERRURIER u. a. Aber es wird nicht an Gelegenheit fehlen, von ihnen im Einzelnen zu sprechen.   VAN DE VELDE.

A. W. FINCH

Für die Redaktion verantwortlich H. BRUCKMANN, München

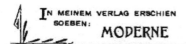

62

BESCHLÄGE UND GRIFFE

Unserer Sprache fehlt ein Sammelwort für die Arbeiten, denen dieser Aufsatz gewidmet ist. Er soll von Beschlägen und den eng damit zusammenhängenden Griffen für Fenster, Thüren u. dergl. handeln, Dingen, die anscheinend sehr geringe Bedeutung besitzen, aber in der neuen Bewegung eine auffallende Beachtung gefunden haben. In England giebt es eine ganze Legion von Künstlern, die sich mit modernen Beschlägen beschäftigen, fast überall, wo sich der neue Heimsinn regt, ist der Beschlag eines der ersten Lieblingsthemen geworden, er rangiert gleich hinter dem Buchschmuck und bildet für vieleKünstlerdaseinzigeBand, durch das sie mit dem modernen Gewerbe zusammenhängen. Dieser Umstand hat manchen Irrtum im Gefolge. Das sogenannte Moderne an manchem englischen Möbel liegt nur im Beschlag. Mit Aufnagelung von ein paar Metallplättchen glaubt man ein neues Gewerbe zu schaffen, und diese Metallplättchen erweisen sich beim näheren Hinschauen als die Übertragung eines niedlichen Holzschnittes, der die Seite eines der vielen englischen Bücher umrahmt. Man verzeihe, wenn wir gleich mit etwas Negativem anfangen, aber diese Bemerkung gehört an erste Stelle, weil man auch unsere heutigen Abbildungen als willkommene

Unterstützung dieses Unfuges betrachten und sie, so wie sie sind, auf beliebige Thüren oder Kästen aufheften könnte, in der Einbildung, damit neues Mobiliar zu machen. Hier liegt eines der vielen Verbrechen gegen die Gediegenheit, mit der sich's die Bewegung gar zu leicht im Anfang macht, um sich für später den Weg um so schwieriger zu gestalten. Man darf nicht gegen Imitation von Rokokoschnörkeln wettern, wenn man es auf andere Art ebenso billig und schlecht macht.

H. OBRIST   Beschlag einer Truhe

63

BESCHLÄGE UND GRIFFE

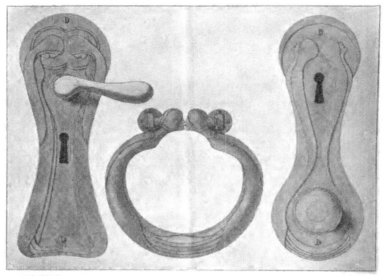

P. BEHRENS   *Entwurf*

Beschläge sind Nebensachen, und die auf-
getrwungene höhere Bedeutung macht sie zu
Fehlern. Ein Möbel hat vor allen Dingen
durch seine Verhältnisse, durch die Komposition seiner wesentlichen Linien seine Eigenart zu beweisen. Das ist, wie bekannt, nicht
ganz leicht, wenn man dem Grundprinzip,
das vor allem grössten Gebrauchswert verlangt, treu bleiben will. Die ernsthaften
Künstler, die mit dem Bestreben, Neues zu
schaffen, die Einsicht verbanden, dass es im
Gewerbe wichtigere Dinge giebt als die Originalität um jeden Preis, sahen sich auf ein
scheinbar kleines Feld angewiesen, auf dem
eine originelle Schmuckwirkung nicht zugleich
die gewerbliche Seite des Gegenstandes be-
einträchtigte. Es blieben neben der Eigenart,
die in guten Verhältnissen stecken kann, nur
Einzelheiten übrig und vor allem die Fläche.
Für beides fanden sie in dem Metall, vor
allem im Kupfer, ein unschätzbares Material.
So betrachtet, gewinnt unser Thema positive
Bedeutung.

Aber man kann nie genug auf den Grenzen
dieser Bedeutung bestehen. Zweifellos ist beim
modernen Interieur die Fläche der einzig mög-
liche Träger eines Schmuckes. Man hat an der
Renaissance die verhängnisvolle Vermengung
von Skulptur mit Architektur erkannt; dem
neuen Geschmack widerstrebt die Bedeckung
der Fläche mit geschnitzten Fruchtstücken oder
aufgesetzten Tier- oder Menschenköpfen ebenso
sehr wie die Verwendung gebückter Leiber zu
tragenden Pfeilern u. dergl. Er wünscht die
Konstruktion nicht durch Kunst verdeckt zu
sehen und will die Fläche nicht zu bildhaueri-
schen Wirkungen missbraucht wissen. So
bleibt das Flachornament übrig. Soll dies
aber wirklich seinen Zweck erfüllen, so muss
es ganz in der Fläche bleiben; diese Bedingung erfüllt nur die Intarsie.

Erst langsam beginnt man heute der Einlage-
technik wieder Aufmerksamkeit zu schenken.
Sie ist der geborene Schmuck für das moderne
Mobiliar, weil sie das Ornament gestattet, ohne
im mindesten die Form des Möbels zu beeinflussen und gerade das verlangt, was unser
Heim immer mehr von dem anderer Epochen
unterscheiden wird, die Fläche. Die Führen-
den sind sich darüber längst klar; Amerika

BESCHLÄGE UND GRIFFE

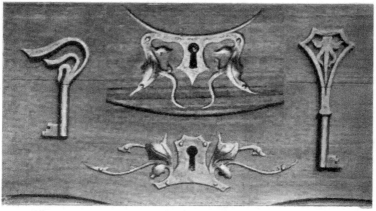

A. ENDELL

erreicht mit Mosaiken und Intarsien seine glänzendsten modernen Wirkungen. Das beste, was man dort dem Orient verdankt, ist diese Technik; wir werden später bei unserer Arbeit über TIFFANY genügend Gelegenheit haben, auf sie zurückzukommen.

Erst wenn ihre Bedeutung allgemein anerkannt sein wird, werden die Beschläge jene übertriebene, irrtümliche Bedeutung einbüssen, die man ihnen heute zumisst. Denn viele unserer heutigen Beschläge wären besser durch Intarsien ersetzt; alle die nämlich, die lediglich dem Schmuckzweck dienen, die nicht organisch mit einem notwendigen Metalldetail zusammenhängen.

Das Gesetz ist nicht neu. Wir sind wie gewöhnlich genötigt, in die primitiven Zeiten zurückzugehen, um die reinste Form zu entdecken. Wie immer war sie ursprünglich kein Schmuckelement, sondern Ausdruck des Notwendigen. Sie ergab sich von selbst, als man die Rolle des Eisens als Bindeelement zwischen einzelnen Bau- oder Möbelteilen erkannt hatte; die Notwendigkeit, diese Eisenverbindungen zu schmieden und der grossen Beanspruchung gemäss zu befestigen, fährte von der Thürangel zum Thürbeschlag, dieselbe Notwendigkeit ergab alle übrigen Beschläge. Das Romanische enthielt das Gesetz am reinsten, die Gotik baute es am glänzendsten aus. Dieselbe Gotik ist es, die heute die Rückkehr zu den Beschlägen bewirkt hat.

Die materielle Notwendigkeit des Beschlages besteht heute kaum noch — wenn man nicht etwa Einzelzwecke, wie die Fingerschutzplatten an den Thüren, in denen England, BENSON z. B., reizende Sachen macht, dazu rechnet. Zum mindesten darf man nicht gegen die moralische Berechtigung sündigen und aus dem Beschlag ein auch dem Sinne nach überflüssiges Anhängsel machen. Ein annehmbares Beispiel bieten die beschlagenen Möbel der beiden Amsterdamer Künstler LAUWERIKS und DE BAZEL, die wir demnächst in einem Aufsatz über Innendekoration bringen werden, oder die Thüren des Brüsseler HANKAR für das von ihm gebaute geschmackvolle Geschäftslokal, das wir ebenfalls abbilden. Bei allen diesen ist der Beschlag nicht unbedingt notwendig; das Möbel hält auch ohne diese äusserliche Verbindung zusammen und die Thüren HANKAR's werden dadurch kaum widerstandsfähiger. Aber es liegen diesen Beschlägen überzeugende konstruktive Gedanken zu Grunde, sie ergänzen das Notwendige, betonen die massgebenden Linien und schmücken, ohne sich aufzudrängen.

Um dieser, moralisch genannten, Berechtigung zu genügen, ist daneben die Erfüllung einer weiteren, ebenso häufig ausser acht gelassenen Bedingung nötig: sie betrifft die Stärkedimension. Alle reinen Schmuckbeschläge sind zu dünn: natürlicherweise, denn sie haben keinen Zweck zu erfüllen und würden

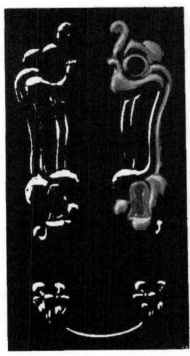

G. LUMMEN

Beschläge

BESCHLÄGE UND GRIFFE

in stärkerer Dicke nur noch mehr stören. Der Beschlag muss aber eine gewisse Stärke haben, wenn er überhaupt Zweck haben soll. Es ist Unnatur, Metallflächen so dünn zu fertigen, dass sie zur Biegsamkeit eines Pappkartons herabsinken — wenn man sie nicht, wie gesagt, zu Intarsien verwendet und dem Material dadurch einen ganz anderen, rein koloristischen Charakter giebt. Darin, in der richtigen Wahl der Dimension, liegt die ganze unscheinbare und so schwierige Kunst des Gewerbes. Das springt noch mehr bei den rein praktischen Metalldetails, den Griffen, Klinken, Schlüssellöchern u. s. w. in die Augen. Hier liegt alles in den kleinsten Nuancen. Es ist nicht schwer, einen originellen Thürgriff zu machen. Man kann in jeder Pariser Ausstellung kunstgewerbliche »Objets-Griffe« sehen von wahrhaft monströser Originalität; Bildhauereien, die die Seele in Schwung versetzen und Gedichte eingeben können, aber weit erhaben sind über jeden Gebrauchswert. Solchem genialen Blödsinngegenüber erscheint die Arbeit gering, die nichts als einen Griff machen will, einen Griff ohne Poesie, aber mit Geschmack.

Die natürliche Logik ist hier dem Künstler zuvorgekommen. — Lange bevor man an modernes Gewerbe dachte, wurden höchst moderne Griffe gemacht, — von Leuten, die an nichts weniger als Kunst dabei dachten — die noch heute mit zu den besten gehören. Die Tramways fast aller Städte haben Thürgriffe, die wir nicht anstehen, für kleine gewerbliche Wunder zu erklären im Vergleich zu dem verrenkten Zeug, das die Nachahmung des Alten oder die unsachliche Thorheit junger Bildhauer an die Thüren heftet. Sie sind hervorragend praktisch; das müssen sie sein; so eine Thür, die in einer Minute womöglich zehnmal geöffnet wird, muss in dem Moment, da sie die Hand berührt, gleichsam mit ihr zusammenwachsen, um der geringsten Kraft die grösste Ausnutzung zu geben. Und sie sind hervorragend geschmackvoll — die guten wenigstens — das ist das Bemerkenswerte; der scharf umrissene Gedanke, der ihrer Konstruktion zu Grunde liegt, scheint ihnen diese wohlthuende, gediegene, abgeschlossene Form zu geben, die sich einschmeichelt. Wer Augen hat, wird in unserem öffentlichen Verkehrswesen noch viele

solcher Überraschungen erleben. In manchen neuen Waggons, in den Griffen, Haken, Knöpfen u. s. w. der neuesten Schlafwageneinrichtungen, die auf ein Minimum von Raum alles konzentrieren, was zu des Menschen dringendsten Bedürfnissen gehört, steckt eine ungewollte Eleganz, die nach unserer Meinung gar manchem Prunkraum den Rang abläuft.

Und es ist die Eleganz, die zu uns gehört, uns, den Menschen dieses Jahrhundertsendes, die gewohnt sind zu fahren, zu reisen, zu telephonieren und die ihr Leben damit verbringen. — Zeit zu sparen. Die Künstler, die aushelfen wollen, können aus dieser unfreiwilligen Mitgift unserer Lebensformen unendlich viel mehr lernen, als aus alten oder neuen Skulpturen. Das moderne Gewerbe liegt nicht in der Tiefe des Gemütes, sondern

P. HANKAR   Glasthüre

62

an der Oberfläche, im Bereich der Hand; was die Kunst unserer Künstler dazugeben kann, muss wenig sein, damit es mehr werden kann.

Unter diesem, wenn man will, bescheidenen Sehwinkel, müssen die Abbildungen betrachtet werden, die diesen Teil der Arbeit illustrieren. Sie zeigen, dass die hier herrschenden Gesetze nicht so streng sind, um die Eigenart zu unterbinden, die der Atem jedes Werkes ist. Nie darf man vergessen, dass es sich um Details handelt, die ihrer Bedeutung entsprechend nur in untergeordneter Weise dieselbe dekorative Wirkung äussern können und dürfen, die von rechtswegen in dem Ensemble liegt, für das sie bestimmt sind. Immerhin wird, wer sehen kann, selbst in so unscheinbaren Dingen wie den RATHBONE'schen Schmiedearbeiten mit ähnlicher Sicherheit die Originalität herausfühlen, mit der er das Bild eines flüchtigen Malers von dem eines anderen unterscheidet. Man kann in der Einfachheit nicht weiter als RATHBONE gehen, und doch steckt in ihr vollbewusste künstlerische Persönlichkeit, die ihre Eigenart scheinbar spielend äussert. Zwischen diesen englischen Arbeiten und denen der Belgier liegt der Unterschied zweier Rassen. LEMMEN erscheint als der gesündere, exaktere; seinen Arbeiten

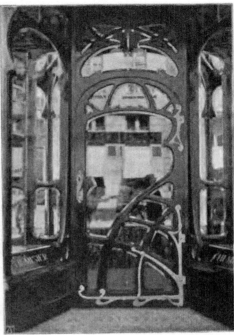

P. HANKAR'   Glasthüre

fehlt ganz die zuweilen fast tändelnde Leichtigkeit des Engländers; sie sind dafür gediegener, seine Vornehmheit geht tiefer. Der Engländer setzt seine Sachen aus fein geschmiedeten Plättchen zusammen, LEMMEN liebt den breiten, wuchtigen Guss und seine grösste Kunst liegt darin, trotz dieser massiven Art stets jede Plumpheit zu vermeiden. Wir werden im nächsten Heft ausführlich auf ihn zurückkommen.

VAN DE VELDE hat wie in allen Gebieten so auch hier im Kleinen wahre Muster geschaffen. Die kupfernen Metallmäntel für seine Kamine gehören zu seinen glänzendsten Funden. Der Besucher der Dresdener Ausstellung findet in der Vertäfelung des dort ausgestellten Esszimmers ein geradezu einziges Beispiel für äusserst dekorative Metallverwendung. Die Vertäfelung besteht aus Cedern-

holz; da, wo die einzelnen mässig breiten Tafeln zusammengeheftet sind, wachsen starke, schön geformte Messingstangen in die Höhe und biegen sich in Kopfhöhe zu Trägern des Bords natürlich aus. Horizontal läuft in mässiger Entfernung unterhalb des Bords im Getäfel eine aus abgeschlossenen gleichen Einzelmotiven gebildete Kupfer-Intarsie. Nutzen und Schmuck können nicht besser vereint werden, die Farbenwirkung — das Messinggelb zu dem Kupfer auf dem warmen Cedernton — und der Eindruck der Linien, die vertikalen Streben, zwischen denen das horizontale Motiv verläuft — das ist meisterhafte Kunst, die sich getrost neben der glänzendsten Dekoration der Alten sehen lassen kann.

Die abgebildeten französischen Metallarbeiten des Hauses FONTAINE und von L'ART NOUVEAU in Paris verdienen um so mehr Anerkennung,

63

69

P. HANKAR   Schaufenster

als gerade der Pariser Geschmack sich immer
noch mit Händen und Füssen gegen das
Flächenornament sträubt, und solche Bestrebungen sich daher nur mit äusserster Mühe
durchzusetzen vermögen. Für FONTAINE
arbeiten LAMIRAL, CAMILLE GARDELLE u. a.
LAMIRAL trifft in der Regel das Wesen des
Beschlages; nicht immer vermag er sich von
den Verlockungen der Belgier fern zu halten,
deren kühne Linien dem aufliegenden Flächenornament leicht die Solidität rauben. In
GARDELLE's Thürgriff, der zu den besten gehört, triumphiert die überlegene Gediegenheit
des Architekten. Die Liebe, mit der hier das
Detail studiert ist, könnte man manchem
Engländer, der gar zu gern aus dem Beschlag
spielerischen Dilettantismus macht, empfehlen.
Deutschland hat bis jetzt nur wenig in dem
Gebiete gethan. Wo der Beschlag auftritt, dient
er dem Archaismus, d. h. dem denkbar über-
flüssigsten Sport. An solide und elegante Klinken
und Griffe denkt niemand. Seitdem England bei
uns Mode geworden ist, fängt man allenfalls an,
zu kopieren. Damit wird auch nicht geholfen.
Umso dankbarere Beachtung verdient das
Wenige, das wir haben. Wir bilden einige Be-

schläge ab, die PETER BEHRENS in München
für uns gezeichnet hat. Die drei für Ausführung in Messing bestimmten Entwürfe,
die hoffentlich auch ausgeführt werden, zeigen,
wie weit das Figurale bei solchen Dingen Anwendung finden kann, ohne den Gebrauchswert im mindesten zu stören und können den
Franzosen zum Muster dienen, die diesen
Sehwinkel, wie schon betont, meist ausser
acht lassen. BEHRENS gehört zu der kleinen
Anzahl der für die moderne Bewegung wichtigsten deutschen Künstler, weil er mit ge-
werbhaften Anschauungen an die gestellten
Aufgaben herantritt. Dieselbe Liebe, die er
der unendlich schwierigen Technik seiner
Holzschnitte, von denen wir in dem letzten
Heft das Adlerblatt abbildeten, widmet, über-
trägt er auf das reine Gewerbe. Die vorliegenden Entwürfe stellen seine ersten Beschläge dar. Nachdenken und Geschmack
haben ihn gleich etwas finden lassen, das nach
unserer Meinung den Vergleich mit den ausländischen Arbeiten wohl auszuhalten vermag,
auch wenn man der Meinung ist, dass das
Figurale selbst in so reduzierter Form von
unserem Gewerbe lieber ganz ausgeschlossen

64

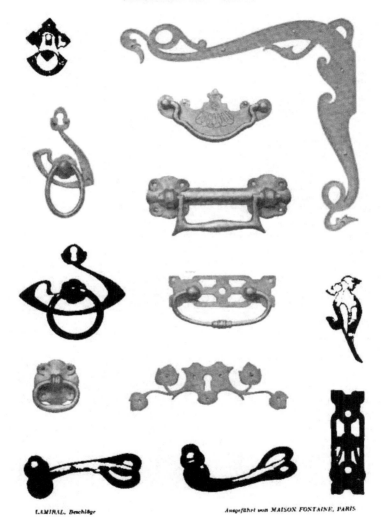

LAMIRAL, *Beschläge*   *Ausgeführt von MAISON FONTAINE, PARIS*

bliebe. In OHRIST's Beschlägen zu einer reichen Truhe finden wir die gleichen Vorzüge wieder, die seinen Stickereien so grosse Anerkennung erworben haben und die wir im vorigen Hefte schon erwähnten. Es liegt Stil in diesen Arbeiten, eine ganz persönliche Ausdrucksform. Das reiche Schloss (S. 59) ist ein Meisterstück in seiner vornehmen sicheren Form und in der Vorzüglichkeit der technischen Ausführung, die aus der für ihre tüchtigen Arbeiten wohlbekannten Werkstätte der Kunstschlosserei von REINHOLD KIRSCH in München stammt. — Der als Maler bekannte RIEMERSCHMID ist eine neue, beachtenswerte Erscheinung in seiner kunstgewerblichen Thätigkeit, zu welcher ihm Talent und feines Gefühl zu Gebote stehen. Das kleine Büffett, mit welchem er in der Münchner Ausstellung für Kleinkunst vertreten war, beweist das, und seine frische Erfindungsgabe. Der einfache geschmackvolle Thürbeschlag dieses Büffetts, den unsere Abbildung zeigt, spricht für sich selbst. Die hübschen Beschläge VON BERLEPSCH's, Seite 71, stammen von dessen Möbeln zu einem Bibliothekzimmer, die auch in dieser Ausstellung zu sehen waren. Sie zeugen von dem Ernst, mit welchem sich der Künstler in jedes Detail vertieft hat und mit welchem er in allem eine seinem persönlichen Empfinden gemässe Form zu erreichen sucht. Vergleicht man diese deutschen und Münchner Arbeiten untereinander, so er-

weisen sie sich sämtlich als so individuell, dass es ein Leichtes erscheint, auf den Urheber zu schliessen, wie man es vor Bildern thut. In dieser persönlichen Farbe liegt zum Teil ihre grosse Bedeutung, ihre Gesundheit und der Beweis für ihren dauernden Wert. Das gilt auch von ENDELL's Beschlägen zu einem Stehpult, die wir hier reproduzieren. Höchst originell und geschmackvoll ist die Art und Weise, wie er das im Pult versenkte Tintenfass, das sonst als ausgeschnittenes Loch wirkt, durch die eiserne Umrahmung mit der Platte verbunden hat. Reizend ist das Motiv. Das zeichnerische, wenn man so sagen darf, lineare Element wiegt allerdings vor, der Körper des Metalls musste sich ihm kunstvoll schmiegen, und die Technik hat sich vielleicht mehr der Zeichnung angepasst als umgekehrt. Anders bei den reizvollen Schlüsseln und Schildchen. Das Pult, das wir demnächst in ganzer Ansicht wiedergeben werden, beweist ENDELL's hervorragende Begabung für die dekorative Linie. Wir hielten es für interessant, ihm selbst das Wort über dieses Thema zu erteilen. -γω-

RIEMERSCHMID   Beschlag einer Schrankthüre

66

72

BESCHLÄGE UND GRIFFE

J. E. LAMIRAL, GARDELLE u. A.   Ausgeführt von MAISON FONTAINE, PARIS

67

C. R. ASHBEE.   Thürbeschlag im Palais des Grossherzogs von Hessen-Darmstadt

WOHIN TREIBEN WIR?

VON

S. Bing

II

Wir haben im vorigen Heft die Anfänge der modernen dekorativen Bewegung in England verfolgt. Ein Ereignis begann auf sie mitbestimmend zu wirken. Japan eröffnete plötzlich neue Horizonte und zeigte, dass sich das Gebiet des Schönen weit über die Grenzen er-

C. R. ASHBEE

streckt, die ihm unsere Überlieferungen gezogen haben. Alles was dem Neuen zugänglich war, sah in Japan ein Element, das fähig war, uns aus dem alten Geleise mit heraus-zuhelfen.

Von zwei Punkten also, die sowohl ihrer Herkunft wie ihrer Art nach ganz entgegengesetzt waren, gingen — fast zu gleicher Zeit — die befruchtenden Einflüsse aus. Der eine entfaltete sich aus unserer eigenen Tradition, der andere aus einer völlig neuen Ästhetik, die unter fernen Himmeln gereift war; beide brachten uns zu neuen kostbaren Kunstempfindungen. Doch unsere schwach gewordenen Hände hatten verlernt, Schätze dieser Art in angemessener Weise zu verwerten. England wurde von Japan mitten auf der Suche nach neuen Formen überrascht, die es teils seiner eigenen Vergangenheit, teils den alten Italienern entnahm. Es zögerte nicht, dieses exotische Element mit seinen Funden zu verbinden, und aus dieser Vermischung gingen Resultate hervor, die zuweilen nicht der Würze einer gewissen Eigenart entbehrten. Im grossen Ganzen aber machte sich der Einfluss in derselben Art geltend, wie es bei den Praeraphaeliten der Fall gewesen war. Man nahm Verfahren an, die für andere, von den unseren ganz verschiedene, Bedürfnisse geschaffen waren.

Nach zwölf bis fünfzehn Jahren begann es klarer in den Gemütern zu werden. Man merkte, dass ein ganz anderer Nutzen aus dem japanischen Kunstprinzip zu ziehen war, wenn

68

man weniger den einzelnen [Beispielen und dafür mehr dem Geist folgte, der sie belebte. Man begriff den Hauptzug des Japanischen: diese ewig jugendliche Einbildungskraft, die sich lediglich der Natur unterwirft und kein höheres Ziel kennt, als der grossen Meisterin ihre feinsten Harmonien abzulauschen.

Aber der Gedankengang einer Rasse, die aus tief wurzelnden Gewohnheiten entsprungene künstlerische Konvenienz, alles das lässt sich nicht willkürlich umformen und ohne weiteres von dem Geist eines Volkes durchdringen, das unter einem liebenswürdig spielenden Äusseren die denkbar strengste Gesetzmässigkeit, eine Ästhetik verbirgt, die sich in einer mehrtausendjährigen Geschichte gefestigt hat.

Ein Hauptirrtum machte sich fühlbar und zog die schädlichsten Folgen nach sich: Mit der Erfahrung, dass der Reiz japanischer Kunst auf den engen Anschluss an die Natur beruhe, glaubte man sich im Besitz des Geheimnisses und machte sich frisch daran, dieses anscheinend einfache Verfahren auszunutzen und alle nur denkbaren Formen

der Natur so getreu wie möglich nachzuahmen.

Ein merkwürdiger Irrtum! — Giebt es etwas Unsinnigeres, als den Versuch, mit Menschenwerk den Wundern der Schöpfung gleich zu kommen. Die Japaner haben sich in ihrer tiefen Verehrung für die Natur von dieser Verirrung stets fern gehalten. In ihren Augen ist die Natur stets nur die ewige Erzieherin, der Urstoff für alle Formen des Schönen, der ihren erleuchteten Getreuen gegeben wird, damit sie aus ihm unaufhörlich neue Schöpfungen ableiten können, Werke, die sich dem täglichen Leben anpassen. Jeder Versuch ausserhalb dieses Prinzips muss in die Irre führen. Denn das Einzige was allen Teilen der himmlischen Schöpfung ihren wahren Glanz verleiht und bei jedem neuen Anblick das Herz mit seiner Wonne füllt, ist der magische Funke des Lebens. Mit dieser Habe seine Schöpfungen zu durchdringen ist keinem Sterblichen vergönnt. Sobald die Kunst versucht, das wirkliche Leben nachzuahmen, wird sie immer nur Schattenbilder hervorbringen, ähnlich dem Werke des

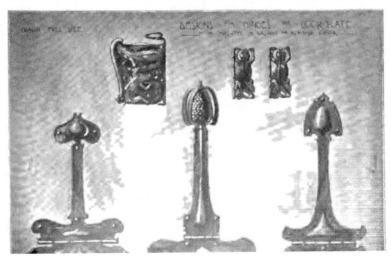

C. R. ASHBEE   Thürbeschläge im Palais des Grossherzogs von Hessen-Darmstadt

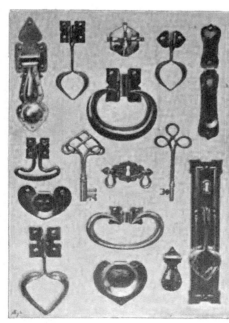

H. RATHBONE

Todes, der dem gefallenen Blatt das, was es uns lieb machte, die lachende Frische, entzieht. Hätte die Kunst kein anderes Ziel so wäre ihr Ideal in einer künstlichen Blume oder einer gelungenen Wachsfigur erreicht.

Die Wahrheit liegt wo anders. Den befruchtenden Keim, den die Kunst aus der Natur gewinnt, muss sie auf ein anderes Gebiet — eben das ihrige — übertragen, um daraus neue Formen zu gewinnen, verschiedenartig gestaltet, je nach der Klasse von Werken, die sie bringen will. Wenn es gilt, den Eindruck einer Landschaft oder einer Gestalt wiederzugeben, ohne anderen Zweck als den, das Auge zu erfreuen und den Geist anzuregen, hat der Künstler sein Werk mit eigenem Leben zu durchdringen, das nicht in der Aussennatur, sondern in seinem Gehirn entsteht und die ihm besonders erscheinenden Eigenschaften seines Modells in den Vordergrund bringt.

Um ganz andere Erfordernisse handelt es sich bei Schöpfung eines rein dekorativen Werkes. Hier muss jenes sekundäre, vom Geist des Künstlers ausgegangene Leben, das der Staffeleimaler, der Bildhauer, in seinen Werken zur höchsten Kraft entwickelt, nach ganz bestimmten Regeln eingedämmt

70

76

werden. Ganz und gar wird aber
hier jede Nachahmung des physischen Lebens zur Thorheit, wo die
Kunst beabsichtigt, im geschlossenen
Raum Ruhe für das Auge — und die
Nerven zu geben. Der grösste Fehler
so vieler tüchtiger Künstler unserer
Zeit, die unsere häusliche Umgebung erneuern wollen, liegt in
der Verkennung dieses unumgäng-
lichen Gesetzes. Anstatt die Ruhe
zu erstreben, die den Hauptreiz
des Interieurs, des Zufluchtsortes
vor der fieberhaften Hast der modernen Existenz, ausmacht, malt
man Freiluft-Perspektiven an die
Wände und ruft so den Eindruck
hervor, als sei da die Mauer durch-
bohrt, um den Blick ins Freie zu
öffnen. In Stoffen und Tapeten
sieht man skulpturale und bild-
hafte Wirkungen, anstatt flächen-
gemässe Ornamente. Das ist noch
nicht alles. Man glaubt von den
Japanern die Berechtigung herzu-
leiten, auf Stilisierung verzichten
zu dürfen, auf das wesentlichste
Mittel, um den Formen Gleichmass
zu verleihen. Wenn man das unter
Fortschritt versteht, wäre es besser
gewesen, bei unseren alten Überlieferungen zu bleiben. Denn was
man dabei über Bord wirft, war
das beste der Traditionen unserer
älteren dekorativen Kunst, das diese
übrigens zu ihrer Zeit gerade von
dem Orient — den Persern namentlich — gelernt hatten, deren mehr
geometrisch gehaltenes Schmucksystem diese
Gesetze klarer zum Verständnis brachte. Es
ist ein unbegreiflicher Mangel an Einsicht,
in der japanischen Kunst diese Stilisierung zu
übersehen, nur weil sie sich unter freieren un-
gezwungeneren Formen verbirgt.

Aber die Stilisierung beschränkt sich nicht
auf die bewusste Umwandlung der Formen,

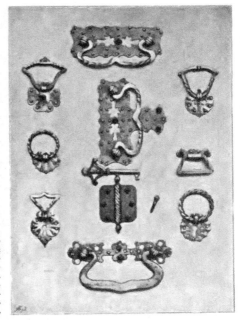

v. BERLEPSCH

sie bedingt vor allem die Vereinfachung, die
Entfernung alles unruhigen Details und beruht
nicht zum wenigsten auf der richtigen Verteilung der Linien und der Farben. Gerade
darin haben es die Japaner am weitesten gebracht. Hier muss angesetzt werden, um von
ihnen zu lernen, diese Weisheit muss sich uns
zunächst mitteilen, wenn wir von ihnen Vorteil haben wollen, die Einsicht, dass auch
das grösste Genie nicht des Wissens entbehren
kann, wenn es vollendete Werke schaffen will.
Dann wird man begreifen, dass es nicht genügt,
ein hübsches Motiv hinzuwerfen, das so wie
es ist, der lebenden Natur entlehnt ist.

Die schwersten, hier gerügten Fehler werden
in Frankreich und Deutschland begangen. In
England, Holland und Belgien haben die Vor-
geschrittenen die Schwere der begangenen Irrtümer begriffen und sind sich des rechten
Weges bereits bewusst geworden.

C. R. ASHBEE   Thürband

71

ZYL   Giebelfigur

DER HOLLÄNDISCHE BILD-
HAUER ZYL

*Den ersten Unterricht genoss ZYL in einer
vom Staate unterstützten Schule — dann in
einer solchen, deren Lehrgang ganz unter
staatlicher Kontrolle steht. Aber bald machte
er sich frei von dieser unpersönlichen und
wie fast immer nichts sagenden akademischen
Lehre und suchte freie Bahn für seinen
neuerungslustigen Geist. Er hatte das Glück,
volles Verständnis für seine Begabung bei dem
jungen Architekten BERLAGE, einem Neuerer
wie er, zu finden. Diese beiden Männer schienen
für einander geschaffen, sich gegenseitig zu
ergänzen.*

*ZYL ist Bildhauer im wahrsten Sinne des
Wortes; er unterscheidet sich darin von der
Mehrzahl unserer Künstler, selbst der Bildhauer; denn er hat nichts vom Maler an
sich - - und von diesem Gesichtspunkte aus
stellt er eine höchst interessante Erscheinung
dar, die eingehender zu betrachten ich mir
für später vorbehalte. Zunächst genügt es,*

*darauf hinzuweisen, welch eminente Hilfe der
Bildhauer ZYL einem Architekten von der Art
BERLAGE's, im Streben nach grosser ruhiger
Wirkung, nach schönen Verhältnissen der
Massen — werden musste.*

*Wir verdanken ZYL die Ausschmückung
eines Hauses auf dem Damrok (Abb. S. 74),
das der Allgemeinen Versicherungsgesellschaft
gehört, ferner diejenige eines grossen Gebäudes
auf dem Muntplein und endlich jene der
Bureaux einer Versicherungsgesellschaft in der
Prinsenstraat im Haag, deren dekorative Ausstattung vollständig nach seinen Modellen hergestellt wurde. Diese Arbeiten sind meist
relativ kleine Skulpturen, die sich vollkommen
der Architektur einfügen, von ihr bedingt*

ZYL   Karyatide

72

ZYL.

Kapitäl

ahmer auf, die gute Sache zu missbrauchen. Das sind aber nicht die einzigen Schwierigkeiten, gegen welche zu kämpfen war. Wenig vertraut mit der suggestiven Art dieser Modelle, verdarben die Handwerker oft die ganze Wirkung. Zwei grosse allegorische Figuren vor der Fassade der Prinsenstraat im Haag sind auf diese Weise vollständig verfehlt; ich erwähne das, weil so manche Nörgler es nicht lassen können, sich an solche Zufälligkeiten zu halten.

ZYL lässt, wie alle unsere jungen Künstler, den Einfluss seiner archäologischen Studien erkennen; seine starke Persönlichkeit schätzt jedoch

werden und in ihr aufgehen, so dass sie dem Auge zugleich Anziehungs- und Ruhepunkt sind.

Die Anerkennung des Publikums hielt sich, wie nicht anders zu erwarten, zurück und zeigt sich auch heute nur selten; aber doch gewinnt sie schon an Boden, und schon tauchen Nach-

seine Werke vor der Krankheit unseres Jahrhunderts: dem gedankenblassen Archaismus. Als Beweis mag das schöne Kapitäl mit Büffelkopf gelten, das unsere obenstehende Abbildung zeigt.

Die Proportionen und manche Einzelheiten, wie die obere Reihe kleiner Spiralen, der fast

ZYL.   Lamm?

ZYL.   Gemde

barbarische Geschmack, erinnern an die reizvollen Kapitäle in norditalienischen Kirchen
des sechsten, siebenten und achten Jahrhunderts, oder an die Überreste merovingischer
Architektur. Aber der wohldurchdachte, weise
abgewägte Eindruck des Ganzen gibt diesem
Kapitäl einen ganz eigentümlichen Charakter
in der Reihe moderner Bildhauwerke.

ZYL's grosse Jugend, nicht nur dem Alter,
sondern vielmehr dem Charakter nach, erklärt
die noch wenig durchgebildete Form seiner
Kunst. So haben z. B. einige seiner Gestalten
hässliche Züge, zu stark betonte Ausladungen
und Vorsprünge und eine oft rohe Lebendigkeit, ohne dadurch besondere plastische Wirkung zu erreichen oder sich dem Gedächtnis
ganz besonders einzuprägen. Was seinen
Figuren bisweilen fehlt, ist mit einem Worte
gesagt: Charakter, ein Charakter, der auch
ohne starke oft rohe Mittel sich zu äussern
weiss.

Dieser Fehler tritt natürlich besonders in
den feiner durchgeführten Arbeiten hervor,
wie in den kleineren für Innenräume bestimmten Bronzen und erklärt uns, warum
so viele im übrigen reizende Entwürfe, von
denen ein andermal die Rede sein wird, un-
ausgeführt geblieben sind. Der Künstler, un-
zufrieden mit sich selbst, begnügte sich nicht

ZYL   Karyatide

mit dem Vorzug, den ihm seine glückliche
Erfindungsgabe namentlich tierischer Formen
und Stellungen gab. Das beweist aber nur
die grosse Gewissenhaftigkeit seiner Arbeit
und die Thatkraft seines Geistes, die uns über
die Zukunft beruhigen können. In kurzem
wird es ZYL gelingen, auch für die menschliche
Gestalt Typen zu finden, welche neben der
bewegtesten physischen Lebendigkeit einen
Seelenzustand klar zum Ausdruck bringen.
Unter dieser Reserve können wir frei an-
erkennen, dass manche seiner menschlichen
Gestalten, namentlich dort, wo wir es mit
reiner Phantasie zu thun haben, vollständig
dem dekorativen Ziele entsprechen, das er
sich gesetzt hat. Durch die starke wohl-
verstandene und genau wiedergegebene Mus-
kulatur erreicht er ein äusserst wirkungsvolles
Lichtspiel, wie die nebenstehenden Abbildungen
zeigen. Um die Art dieser Arbeiten kurz zu
charakterisieren: sie haben einfache Formen,
ihre Stellungen sind logisch und fein beobachtet und sie tragen alle den Stempel des
künstlerischen Temperamentes, dem sie entsprungen sind.

ZYL's Darstellungen von Tieren verdienen
unsere rückhaltlose Bewunderung. Sein Stil
mag sich noch befestigen: aber alles, was er
bisher in dieser Art geschaffen, wird immer

BERLAGE & ZYL   Allg. Lebensvers.-Ges., Amsterdam

74

ZYL.   Medaillon

beachtenswert bleiben, nicht nur wegen des reizvollen Ausdruckes einer frischen Empfindung,
sondern auch in Hinsicht auf seinen inneren
künstlerischen Wert.   A. PIT

FORMENSCHÖNHEIT UND DEKORATIVE KUNST. I. DIE FREUDE AN DER FORM.

In das immer
ungestümer werdende Verlangen nach
einem neuen Stile in Architektur und Kunstgewerbe, nach einer neuen eigenartigen und
selbständigen Dekorationsweise klingen miss-
tönig warnende Stimmen bedächtiger Leute,
die von der steilen Höhe ihrer gereiften Erfahrung und ihrer durch umfassende historische Studien geklärten und vertieften Auffassung das thörichte Thun der Jüngeren
mitleidig belächeln und noch immer bereit
sind, dem Publikum den einzig wahren Weg
zu zeigen. Sie lehren uns, dass es keine neuen
Formen mehr geben könne, alle Möglichkeiten
seien in den Stilen der Vergangenheit erschöpft, alle Kunst bestehe in einer individuell
getönten Verwendung alter Formen. Ja man
geht so weit, uns den jammervollen Eklek-
ticismus der letzten Jahrzehnte für den neuen
Stil zu verkaufen.

Dem Wissenden kann diese Mutlosigkeit nur
lächerlich scheinen. Denn er sieht klar, dass
wir nicht nur im Anfang einer neuen Stil-
periode, sondern zugleich im Beginn der Entwicklung einer ganz neuen Kunst stehen, der

Kunst, mit Formen, die nichts bedeuten und
nichts darstellen und an nichts erinnern, unsere
Seele so tief, so stark zu erregen, wie es nur
immer die Musik mit Tönen vermag.

Dem Barbaren ist unsere Musik zuwider;
es gehört Kultur und Erziehung dazu, sich
ihrer zu freuen. Auch die Freude an der
Form will errungen sein: man muss es lernen
zu sehen und sich in die Form zu vertiefen.
Wir müssen unsere Augen entdecken. Wohl
giebt es schon lange unbewusst in den Menschen
das Freuen an der Form, in der Geschichte
der bildenden Künste lässt sich deutlich seine
Entwicklung verfolgen, aber noch ist es nicht
zu einem festen, unverlierbaren Besitze geworden. Die Maler haben uns viel gelehrt;
aber ihr Ziel war zuerst immer die Farbe,
und wo sie die Form suchten, suchten sie
meist das intellektuell-charakteristische durch
exakte Wiedergabe ihres Gegenstandes, nicht
das ästhetisch-charakteristische, das die Natur
nur selten und zufällig in solchen Dimensionen
bietet, wie sie der Maler braucht.

Wollen wir formale Schönheit verstehen
und geniessen, so müssen wir lernen, isoliert
zu sehen. Auf die Einzelheiten müssen wir
unsern Blick lenken, auf die Form einer Baum-
wurzel, auf den Ansatz eines Blattes am Stengel,
auf die Struktur einer Baumrinde, auf die
Linien, die der trübe Schaum an den Ufern
eines Sees bildet. Wir dürfen auch nicht
achtlos über die Formen dahingleiten, sondern
müssen sie genau mit den Augen verfolgen, jede
Biegung, jede Krümmung, jede Erweiterung,
jede Zusammenziehung, kurz jede Änderung
der Form miterleben. Denn genau sehen wir

ZYL.   Bronzeplatte

75   3*

FORMENSCHÖNHEIT UND DEKORATIVE KUNST

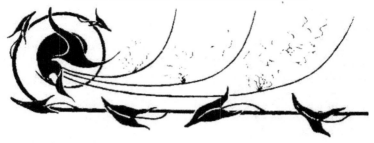

A. ENDELL.

nur einen Punkt in unserm Sehfeld, und wirksam für unser Gefühl kann nur werden, was wir deutlich gesehen. Sehen wir aber in dieser Weise, so ersteht vor uns eine neue, nie gekannte Welt von ungeheurem Reichtum. Tausend Stimmungen werden in uns wach, immer neue Gefühle mit neuen Nuancen und ungeahnten Übergängen. Die Natur scheint zu leben und wir begreifen jetzt, dass es wirklich trauernde Bäume und boshafte heimtückische Äste, keusche Gräser und furchtbare grausenerregende Blumen giebt. Freilich nicht alles übt solchen Eindruck aus, es fehlt nicht am Langweiligen, Unbedeutenden und Unwirksamen, aber das wachsame Auge wird überall, in jeder Gegend, Formen von wunderbarem, die ganze Seele erschütterndem Reize gewahren.

Das ist die Macht der Form über unser Gemüt, ein direkter unmittelbarer Einfluss ohne alle Zwischenglieder, durchaus nicht etwa die Folge eines Anthropomorphismus, einer Vermenschlichung. Wenn wir von einem trauernden Baume sprechen, denken wir den Baum durchaus nicht als lebendes Wesen, das trauert, sondern meinen nur, dass er in uns das Gefühl des Trauerns erwecke. Oder wenn wir sagen, die Tanne strebe empor, so beseelen wir die Tanne nicht, der Ausdruck des Geschehens : streben erzeugt nur leichter in der Seele des Zuhörers das successiv entstehende Bild des Aufrechten. Dergleichen ist nur ein sprachlicher Notbehelf, die mangelnden Worte zu ersetzen und rascher lebendige Anschauung zu erzeugen.

Auch ist es nicht Erinnerung, die den Formen ihre Bedeutung für das Gefühl leiht. Ein Kreis mag an den Ring erinnern und damit an Treue und Ewigkeit, aber ebenso gut auch an Gebundensein, Knechtschaft und Sklaverei, und so würde der Kreis bald dieses bald jenes

Gefühl in uns erwecken. Aber derlei Gefühle kommen bei der Formkunst so wenig in Betracht, wie etwa in der Musik die Erinnerungen, die sich für den einzelnen an Flötentöne knüpfen.

Auch muss man nicht meinen, dass die unbewusste Vorstellung des Wesens eines Gegenstandes erst seine Form uns bedeutungsvoll erscheinen lässt. Allerdings besteht ein gewisser Parallelismus zwischen Wesen und Schein. Ein dicker Baum erscheint uns stark und ist es auch. Aber er erscheint uns lange so, ehe wir um seine wirkliche Stärke wissen. Auch deckt sich nicht immer Form und inneres Sein. Ein Zorniger sieht oft komisch genug aus und ein hohler Baum genau so stark wie ein gesunder, ja vielleicht gerade um seiner zerrissenen Rinde willen stärker und kolossaler. Nicht vom Wesen zum Schein geht der Weg, nein umgekehrt, das Aussehn giebt uns den ersten Aufschluss über das Wesen. Wir übertragen den durch die Form erregten Eindruck auf das innere Sein des Gegenstandes und treffen eben durch den genannten Parallelismus meist das richtige. Man denke z. B. an die instinktive Angst der Tiere und Kinder. Die Form weckt unmittelbar das Gefühl, wir wissen von keinem dazwischenliegendem, psychischem Ereignis. Und unbewusste Ereignisse erklären alles und eben darum nichts.

Worin aber liegt dann die Erklärung des Formgefühls? fragen die am lautesten, die es nie gekostet. Ich könnte antworten, das gehört nicht hierher, man geniesst Musik auch ohne zu wissen, warum Accorde und Accordfolgen im stande sind, uns so gewaltig zu erregen. Ich will aber doch, um die Zweifler zu beruhigen und ihnen den Zugang zu der Welt der Formen zu erleichtern, den Versuch machen, die Gefühlswirkung der Form-

76

elemente und ihrer Zusammensetzungen
zu beschreiben und auch die psycho-
logische Erklärung wenigstens andeuten,
soweit es sich ohne langwierigere Er-
örterungen ermöglichen lässt.

A. ENDELL

RAT FÜR DILETTANTEN

Maison Fontaine

Wir werden
unter dieser
Rubrik im An-
schluss an
einen Aufsatz
mit Illustrati-
onen, der uns
passend er-
scheint, ver-
suchen, dem
Dilettantismus,
dessen Pflege
uns am Herzen

liegt, Anregungen zu geben. Eine prinzipielle Erklärung wird hier nötig. Wir
wollen helfen, aber wir würden glauben,
dies nicht zu thun, wenn wir dem Dilettantismus Gelegenheit zur Selbstüberschätz-
ung gäben, wie dies leider im Zuge der Zeit
liegt. Der Dilettantismus hat der neuen
Bewegung schweren Schaden gethan;
von ihm sind sowohl in Frankreich wie
in England und auch bei uns Produkte
ausgegangen, an denen sich das Publikum den Masstab für den künstlerischen Wert der modernen dekorativen
Bewegung bildete, weil diese Sachen mit
der Prätention des künstlerischen Werkes
vorgeführt wurden, ohne zu genügen.
Wir wollen keinen sozialen Gegensatz
zwischen Künstler und Laien, wohl aber
den sachlichen, der zwischen dem, was
Einfall und guter Wille hervorbringen,
und dem, was strengem, gediegenem
Handwerkertum entspringt, säuberlich
scheidet. Nur mit diesem Vorbehalt also
helfen wir wie wir können.

Nicht dadurch macht man Ornamente,
dass man sich von einem idyllischen
Spaziergang ein paar niedliche Blümlein
mitbringt, diese sorgfältig abzeichnet
und dann durch Wiederholung derselben
Zeichnung so etwas wie einen Fries
fabriziert. Die Blumenstilistik der Japaner
und Engländer hat diesen bereits internationalen Irrtum, der nachgerade unerträglich wird, erzeugt. Stil ist das, was
die künstlerische Persönlichkeit aus der
Natur macht, nicht die Natur selbst.

Was den Engländern hemmend an-
haftet, ist, dass sie nicht von der Blume
loskommen. Immerhin steht das, was
die feineren unter ihnen aus der Blume
machen, noch himmelweit über der
naiven Impotenz, mit der die Dilettantismus die Natur plündert. Hier ist die
Reaktion gegen den Naturalismus am
Platz, gegen den man so lange bei der
Betrachtung moderner Malerei gewütet
hat. Weg von der Natur! Freilich muss
man die Natur ersetzen können, statt
der Organisation, die in dem Blatte des
Baumes steckt, eine neue vereinfachte
Gesetzmässigkeit geben können, die ebenso überzeugend ist. Mit der Entstellung
der Natur ist es nicht gethan, man
muss die Berechtigung dazu nachweisen,
das ist Künstlerschaft. Die Blattmotive
der venezianischen Holzdrucke, welche
wir in unserer ersten Nummer brachten,
wird man in der Natur vergeblich
suchen, und doch sind sie natürlich,
es sind Vereinfachungen, die ein künstlerischer Geist vollzogen hat. Gelingen sie
dem Dilettanten, so ist er kein Dilettant
mehr, sondern Künstler. — Aber es giebt
Aufgaben, zu denen der Dilettantismus
schon eher genügt, wenn er Geschmack
hat. Man beobachte dort z. B. das Blatt
Seite 25. Es ist, wie man leicht sieht,
aus geometrischen Zügen entstanden,
die der Urheber vermutlich mit dem
Zirkel in der Hand entdeckt hat. Er
schlug sich Kreise und modifizierte nachher die Schnittpunkte. Dieses Prinzip
lässt sich ausdehnen und wir halten es
für viel leichter, mit ihm bescheidene
ornamentale Wirkungen zu erzielen,
als mit der Natur, die eines ebenbürtigen
Gegners bedarf, um überwunden zu
werden. Statt der Blümchen nehme
man mal den Zirkel; mit ihm kommt
der gute Einfall weit eher zu seinem
Recht und wenn man zu wählen und zu
verbinden versteht, wird man hübschere,
originellere Dinge erreichen, als auf der
abgegrasten Wiese des Blumenorna-
mentes. Die Orientalen haben bewiesen,
was man mit der Geometrie schon zu
ihrer Zeit machen konnte. Unsere Geometrie ist wesentlich weiter gegangen und
kann auch für unsere Zwecke frucht-
barer sein. Die Intelligenz, die dazu
nötig ist, steht dem Laien viel eher zur
Verfügung als Künstlerschaft.

- Y -

A. ENDELL

77

ALB. DAMMOUSE

ALBERT DAMMOUSE

Viele Irrtümer in der Keramik erklären sich aus dem Umstande, dass der Künstler, der die Dekoration, die künstlerische Seite, überhaupt den Entwurf fertigt, nicht gleichzeitig dem rein praktischen Beruf angehört. Man kann verfolgen, dass nur da, wo diese beiden Seelen in einer Brust vereint waren, Erspriessliches erreicht worden ist. So bei DAMMOUSE. Das Gewerbe seines Vaters, eines geschickten Bildhauers in der Manufaktur von Sèvres, brachte ihn von der ersten Kindheit an in enge Berührung mit allem, was mit dem Porzellan zusammenhing. Sehr jung trat er in die École des Arts décoratifs von Paris ein und wurde 1868 von der École Nationale des Beaux Arts aufgenommen. Er begann seine Laufbahn als Gehilfe des Künstlers SOLON MILÈS, der durch seine Pasta-Auflagen bekannt geworden ist und 1870 nach Stoke-on-Trent in England in das Haus MINTON berufen wurde. DAMMOUSE trat zuerst 1878 mit eigenen Arbeiten hervor. Das Haus POUYAT & DUREUIL in Limoges beauftragte ihn mit dem Entwurf des Hauptteils der Porzellane, mit denen sich das Haus an der Pariser Weltausstellung zu beteiligen gedachte. Die Ausstellung hatte Erfolg, namentlich mit einem 3 x 2 m grossen Panneau, das aus bemalten und in grossen, feuergebrannten Kacheln bestand, und jetzt als eines der besten Stücke das Limoger Museum ziert.

Im Jahre 1882 liess sich CH. HAVÉLAND in der neuen Fabrik von Auteuil-Paris von DAMMOUSE die ersten bemalten Grés machen, die bei den Künstlern — nicht beim Publikum — sofort Erfolg hatten. Dieser erste Versuch in Steingut war für DAMMOUSE entscheidend. Während er fortfuhr, für die grossen Fabrikanten neue Modelle zu schaffen, vernachlässigte er nicht sein eigenes kleines Atelier in Sèvres, in dem er sich zunächst nur mit dekorierten Porzellanen beschäftigt hatte. Jetzt wandte er sich auch hier dem Steingut zu, in dem er einen an künstlerischer Zukunft und Gediegenheit weit allen anderen Materialien überlegenen Stoff erkannt hatte, dessen einziger Fehler war, nicht bekannt zu sein. Er hatte sein Teil an der Ermutigung, die den gewerblich thätigen Künstlern durch die Zulassung den objet d'art in den Marsfeld-salon wurde; sein erster Erfolg in diesem Salon mit auf Email dekorierten Porzellanen

78

ALBERT DAMMOUSE

reifte in ihm den Entschluss, sich in Sèvres Öfen für die Herstellung von Grés und Fayencen zu bauen. Seine ersten Resultate erschienen im Marsfeld 1893. Seit dieser Zeit ist er regelmässig dort vertreten, und jedes Jahr lässt sich in seinen Sachen ein Fortschritt, eine Neuerung finden.

Seine Grés haben dieselben koloristischen Vorzüge seiner Porzellane, er verfügt über Harmonien in tiefblau, starkgrün, zartgrau, hellrosa, die ihm allein gehören. Weniger bekannt als die grossen Anhänger der französischen Keramik, hat er doch verstanden, sich eine scharf umrissene Persönlichkeit zu schaffen, der man nie ohne Interesse gegenübersteht. Während DELAHERCHE, BIGOT u. a. fast ganz auf die Dekorierung verzichten und im wesentlichen nur mit der Güte ihres Materials, also auf demselben Wege, den die japanischen feinsten Töpfereien gingen, künstlerische Wirkungen erreichen, hat DAMMOUSE's sichere Technik verstanden, den Zufall, der gar oft die gelungensten reinfarbigen Effekte gebiert, an seine Zeichnungen zu bannen.

ALB. DAMMOUSE

Diese Zeichnung hat an sich keinen überwältigenden Wert, aber wie sie auf das geflammte Material übertragen ist, die Diskretion, mit der sie auftritt, das giebt den Sachen einen ganz besonderen Wert.

DAMMOUSE beschränkt sich nicht auf die Luxustöpferei; er hat ausser seinen Vasen und Tellern auch grössere für einen bestimmten Zweck entworfene Arbeiten gemacht, so z. B. die Friese für die Aussen- und Innendekoration des Hospice des Vieillards und des Festsaales im Kasino von Boulogne - sur - Seine. Seine besten einzelnen Stücke findet man ausser in den der Töpferei dienenden Museen von Sèvres und Limoges, im ›Luxembourg‹, im Musée des Arts décoratifs, dem Musée Galliera und anderen.   EDOUARD GARNIER

ALB. DAMMOUSE

T. C. DUGDALE (Manchester)

79

ALB. DAMMOUSE

MITTE FREI!

Im Garten ist grosser Lärm. Die Kinder sollen schnell aus dem Haus etwas bringen, laufen dabei immer durchs Gras und über die Blumen und werden darob heftig gescholten. Später macht eins von den Erwachsenen selber in Eile diesen Weg, wünscht das grosse Beet, das mitten auf dem Weg zwischen Haustüre und Gartenhaus liegt, zum Kuckuck und möchte es gradaus durchschneiden, erinnert sich aber des Verbots für die Kinder und bequemt sich wieder zu den anmutigen Umwegen.

Auf den Plätzen und Strassen der Stadt ist es ähnlich. Wo der thatsächliche Verkehr seine natürlichen Richtungen findet, also in den Achsen der Strassen und in mannigfachen Durchquerungen der Plätze, dort findet er auch seine künstlichen Hemmnisse. Genau in die Strassenachse sind Denkmäler, Brunnen, Blumenbeete u. dergl. gestellt, und schon auf dem Stadtplan erkennt man das ehrfürchtige Ausweichen der Trambahngeleise vor dem Standbild irgend eines historischen Despoten. Mitten auf jedem Platz steht womöglich eine Kirche oder ein Theater oder doch ein öffentlicher Brunnen zur Erlabung derer, die ihn herum müssen, oder allermindestens irgend etwas, das die geometrische Mitte so bezeichnet, wie mancher sich gern den Nordpol irgendwie sichtbar hervorgehoben denkt.

Man möchte vermuten, dass es in den Seelen der Kutscher, die da täglich so und so oftmals vor einem Denkmal oder dergleichen einen Umweg einschlagen müssen, bedenklich gähre. Um so mehr, als sie ja selber, wenn sie zur Winterszeit ihre Mussstunden mit dem

Aufstellen von Schneemännern ausfüllen, diese Werke keineswegs in die Verkehrslinien stellen, sondern zwischen hinein, in die »toten Punkte« des Verkehrs — wie es der Meister vom Städtebau, CAMILLO SITTE, so treffend auseinandergesetzt hat.

Die Andacht zur Symmetrie scheint nun einmal eine der allgemeinsten menschlichen Neigungen zu sein; oder vielleicht ist sie doch nur entweder eine Folge des »aufgeklärten Despotismus« (sei es dessen, der von einer Person, sei es dessen, der von einem Bureau ausgeht), oder aber eine Nachwirkung der geometrischen Bauliebhabereien in der Barockzeit, durch die sich diese ganz besonders von der Zeit des Mittelalters und der Renaissance, wenigstens der deutschen, abhebt. Indessen möchten wir noch über diese bekannten geschichtlichen Erscheinungen hinaus von einem derartigen Zug nach Regelmässigkeit im menschlichen Geschmack sprechen. Nur lässt sich unschwer zeigen, dass wir damit erst bei den Elementen des Geschmacks stehen: mit Symmetrie u. dgl. fängt Ästhetisches an, hört aber damit nicht auf, sondern geht weit darüber hinaus. Je entwickelter eine Kunstleistung ist, eine desto geringere Rolle spielen in ihr die »Regelmässigkeiten«.

Also dem Anfänger im Fühlen und Denken über Schönheit ist es nicht zu verargen, wenn er für eine »schöne Mitte« schwärmt und so einerseits den baren natürlichen Witz des Passanten, der nicht gern an ein Denkmal anrennt, andrerseits die Einsicht des gereiften Stadtbaukenners gegen sich hat. Und was

ALB. DAMMOUSE

86

ALB. DAMMOUSE

ALB. DAMMOUSE

sich uns da im Städtebau und gleich ein-
gangs im Gartenbau gezeigt hat, das gilt von
den meisten Künsten und insbesondere von
allen sogenannten anhängenden oder angewandten Künsten, also der dekorativen, und
was sich sonst an die Architektur anschliesst.
Betrachten wir einmal die Kunst der Ausstattung unserer Wohnräume. Von einer
Längsseite des Zimmers ist die genaue Mitte
durch ein von zwei möglichst gleichen anderen
Möbeln flankiertes Sopha markiert. Wer da-
raufsitzt, hat nun den Vorteil, seine schweifen-
den Blicke entweder an der gegenüberliegen-
den, ähnlich behandelten Wand auslassen oder
zwischen den links und rechts verbleibenden
Raumstücken wählen zu lassen. Vielleicht
gefällt ihm das Zimmer doch einigermassen,
und vielleicht kommt er, etwa auf Grund von
amateurphotographischen Erfahrungen, zu
dem Gedanken, wie's wär', wenn man die
Blicke in die Diagonale durchs Zimmer senden
könnte. Aber in jenem Winkel, von dem aus
der richtige Blick zu werfen wäre, steht kein
Sopha, nicht einmal ein Stuhl.
Gar der Gedanke, frei durchs Zimmer hindurch blicken und schreiten zu können, muss
ebenfalls bald aufgegeben werden. Denn in
dieser Mitte thront der Tisch mit seinem
Kollegium von Stühlen. Das ist bei kleinen
Zimmern wohl nicht anders möglich, zumal
wenn mehr als zwei Personen darankommen

wollen. In grösseren Zimmern hingegen wird
man sich doch fragen müssen, was einen zu
dieser Mittelstellung bestimmt: ob der Geschmack oder der Nutzen. Es scheint sehr,
als spiele hier wiederum lediglich jener tragi-
komische Respekt vor der Mitte. Je kleiner
allerdings ein Raum, desto mehr gilt das
vorhin Gesagte vom Gefallen an der Regelmässigkeit als einem elementaren Geschmacks-
faktor. Ein kleines Zimmerchen, ein kleines
Gärtchen geben nicht leicht Gelegenheit, so
viel Schönheit zu entfalten, dass sich die
Mannigfaltigkeit eines »englischen Stils« lohnen
würde; da wird sich eine Ampel, die von der
genauen Mitte der Decke herabhängt, und
ein kleiner Wasserstrahl im Zentrum jenes
Häufchens von Gras und Kies wohl als
passend erweisen.
Wo indessen das Bedürfnis streng ge-
bietet, dort müssen Geschmacksgewohnheiten
weichen. Unsere eigentlichen Arbeits- oder
überhaupt Thätigkeitsräume zeigen noch am
ehesten eine freie Mitte: so meistens die Küche,
ein Gemach, das man wegen seiner sehr nötigen
Freiheit von Künstlichkeiten und seiner natürlichen Ausprägung seines Zwecks bereits als
den ästhetisch wertvollsten Bestandteil unseres
Wohnungswesens gerühmt hat. Das hindert
freilich nicht, dass grössere Küchen und Labora-
torien je nach Bedarf, aber nicht nach
»Ästhetik«, die Mitte durch einen Herd oder

87

dergleichen ausgefüllt haben. Auch der erfreuliche Zug von Natürlichkeit ferner, der aus einer Werkstätte, zumal einem Atelier, selbst aus einem Kinderzimmer entgegenweht, mag grossenteils auf die freie Mitte und ihre guten Folgen, wie z. B. bequemere Ausblicke, zurückzuführen sein. Wenn wir ein Atelier und ebenso alte Stadtansichten malerisch nennen, so gehört zu diesem Malerischen ganz besonders der Gegensatz gegen die im eigentlich Architektonischen grossenteils unvermeidlichen geometrischen Regelmässigkeiten. Dass die Malerei selber am allerwenigsten der Mitte zu huldigen hat, ausser vielleicht insofern sie dem Monumentalen und dem Architektonischen oder wenigstens Ornamentalen nahe kommen soll, braucht wohl nicht erst betont werden.

Auch in anderen Räumlichkeiten als denen des Wohnens kehrt die Frage nach der Mitte wieder. In Ausstellungssälen hängen freilich die Bilder an den Wänden, und allmählich wird man geschmackvoll genug, diese Massen durch ein oder das andere künstlerische Nichts zu unterbrechen. Trotzdem entgeht nicht so leicht eine Mitte dem Dämon des Verstellens, und wenn's auch nur ein Bronzefigürchen auf einem Postamentchen wäre, welche beiden in einer Ecke sich doch so wohl befinden könnten. Die zwei Ausstellungen des Jahres 1897 zu München und die zu Dresden verstellten ihre Eingangskuppelhallen gerade in der Mitte, also auf dem lebhaftesten Kreuzungspunkt der Besuchswege, mit grossen Gruppen.

Dasselbe finden wir in den eigentlich gewerblichen Gebieten. Die Würde des Menschen oder vielmehr des guten Bürgers scheint am besten durch Bucheinbände gewahrt, die vorne genau in der Mitte etwa eine goldene Weltkugel tragen, oder durch Becher, die ebenso ein passendes Ornament zeigen, oder durch Teppiche, deren Linien gleichmässig von allen Seiten ein Mittelbild umrahmen, dieses natürlich ganz folgerichtig verborgen unter einem in der genauen Mitte darüber gestellten Tisch. Allein bereits kennen wir Bucheinbände, deren Titelworte oder Titelsymbol mit einer vielleicht mehr oder minder affektierten Zurückhaltung in eine Ecke gerückt sind, und in ähnlicher Weise andere Neuerungen in kunstgewerblichen Einzelheiten. Bei den Taschentüchern freilich hat schon längst das Gebrauchsbedürfnis so viel vermocht, das Monogramm von der Mitte weg in eine Ecke zu halten.

Beim modernen Gewerbe kommt nun hauptsächlich der Umstand in Betracht, dass es sich, kurz gesagt, vom Geometrischen zum Organischen wendet. Man ist des vielen Ornamentenwerks, das so schön Peripherie und Mittelpunkt scheiden liess, herzlich satt, und herzhaft wird nun in die Welt der pflanzlichen Vorbilder und der sie neu gestaltenden eigenen Phantasie gegriffen. Man sehe sich z. B. die Teppiche und teppichähnlichen Arbeiten von HERMANN OBRIST an, mit ihren allerdings dem Gebrauchszweck und Stoff entsprechend gleichmässigen, aber ganz einfach gleichmässigen Reihen freikombinierter Naturmotive: hier fehlt von vorn herein schlechterdings jede Gelegenheit zu einem Mitteleffekt. Ähnliches gilt von mannigfachen anderen Leistungen der neuen deutschen angewandten Kunst, wie sie die Münchner Ausstellung von 1897 in eigenen Zimmerchen, eingerichtet von den Herren TH. FISCHER und M. DÜLFER, vorgeführt hat. Ein Vergleich mit den in derselben Ausstellung enthaltenen Zimmern arabischer und klassizistischer (Empire-) Ausstattung liess sich natürlich nur zum Teil ziehen, zeigte aber doch, dass eine Befreiung von dem Absolutismus oder sagen wir geradezu Terrorismus der Mitte jenes neue deutsche Gewerbe auszeichnet, auch wenn andere Nationen derzeit ebensogut daran sein mögen.

Schon einmal, vor drei bis vier Jahrhunderten, hat der natürliche, individualistische und sozusagen organische Sinn der germanischen Völker sich in dem Gegensatz der freier bewegten, zumal nicht gern symmetrischen Renaissance Deutschlands zu der geometrisch geschlosseneren Italiens Luft gemacht; und seither war es immer wieder das »Geheimnis der Form« oder besser der sogenannten Form, das uns der Süden mit niemals vollkommenem Erfolg zu lehren versuchte. Heute kehrt der damalige Widerstand eines deutschen Stils gegen einen italienischen Stil und der spätere eines englischen gegen einen französischen wieder. Eine Folge dieses abermaligen Widerstandes ist der allmähliche Rückgang des Götzendienstes, der mit der Mitte getrieben wird. Unser Ruf nach freier Mitte aber, mag er nun dem Stadtarchitekten oder dem Teppichzeichner, dem Gärtner oder dem Dekorateur gelten, soll einer der Rufe sein, durch die zwar keine neue Kunst und kein neuer Stil gemacht, aber doch wenigstens ein 'Aberglaube vernichtet werden dürfte. *HANS SCHMIDKUNZ*

T. C. DUGDALE (Manchester)

G. M. ELLWOOD (Holloway Schule) — Vorderseite eines Klaviers

KORRESPONDENZEN

LONDON — Das »Department of Science and Art« erhielt, wie die Zeitungen melden, durch das Auswärtige Amt die Mitteilung, dass zufolge Dekrets des Königs von Spanien in Madrid eine spanische Industrie-Ausstellung am 20. Okt. dieses Jahres eröffnet werden soll. ● Die kgl. Schule für Kunststickerei macht alle Anstrengungen, sich auf der Höhe der Zeit zu halten; neben den Übungsklassen für die gründliche und systematische Ausbildung der Schüler wurden Vorlesungen über verschiedene auf Stickerei und Ornamentzeichnen bezügliche Gegenstände eingeführt. Den ersten Vortrag hielt WALTER CRANE im »Imperial Institute« am 3. März dieses Jahres; ihm folgten eine Reihe von Vorlesungen durch einen andern Fachmann, und ebensolche sind für den Herbst in Aussicht gestellt. ● Der Gebäudestock des South Kensington Museums, in welchem Kunstschätze von unersetzbarem Werte aufgestapelt sind, giebt seit Jahren zu Klagen und Bedenken Anlass; nicht nur wegen der mangelnden Übersichtlichkeit dieser unvollendeten und provisorischen Anlage, wofür als Entschuldigung gelten mag, dass bis jetzt kein Plan beschafft werden konnte, welcher allen Ansprüchen genügt hätte, sondern wegen der grossen Feuersgefährlichkeit, die durch den letzten Bericht einer zu diesem Zwecke zusammengetretenen Kommission bestätigt wurde. Als einzige praktische Folgerung hieraus wurde die Versetzung einer besonders feuergefährlichen Hütte beschlossen, welche seit langem in dem offenen Raume zwischen den Flügeln des Mittelbaues stand und nun weiter abgerückt wird. Damit scheint man sich beruhigt zu haben. Hätte es sich um irgend eine neue Kriegswaffe gehandelt, die mehr Menschen zu töten vermag

als eine andere, so wären Mittel sicherlich sofort bereit gewesen. Da es aber nur eine Angelegenheit der Bildung und Erziehung unseres Volkes anbelangt, wird so »Unwichtiges« auf bessere Zeiten verschoben. Ich dächte, man hätte schon lange genug auf diese Zeiten gewartet, und der Augenblick

J. HALNON (New Cross Schule) — Modell einer Standuhr

A. G. WRIGHT (Nottingham)   Wandfliessen

wäre endlich gekommen, eine Umwandlung dringend zu erheischen. Diese Angelegenheit ist geradezu entehrend für unser Land. Denn wie unser grosser WILLIAM MORRIS zu sagen pflegte: die alten Denkmäler und Kunstschätze, die uns vergangene Zeiten überliefert haben, sind nicht das ausschliessliche Eigentum eines Landes, sondern das Erbe der ganzen Menschheit, und England ist nicht nur sich selbst, sondern der ganzen Welt verantwortlich für die sichere Erhaltung der unschätzbaren Kunstwerke in seinem Besitze, jener Schätze, deren Verlust durch keinen Reichtum ersetzt werden könnte, denn die Toten, die sie geschaffen, erstehen nicht wieder. ● Ein Vorkommnis, das uns betrifft, wenn es sich auch nicht hier zugetragen hat, mag in diesem Berichte Erwähnung verdienen. Herr JEAN LAHOR in Paris, ein eifriger Bewunderer des verstorbenen MORRIS und Anhänger der gegenwärtigen Entwicklung der dekorativen Künste in England, hat kürzlich einen Vortrag veröffentlicht, den er in der Universität zu Genua im vergangenen Januar gehalten hat. Es mag vielleicht kleinlich scheinen, die wenigen Fehler anzuführen, die die Schrift enthält, wie z. B.

dass als MORRIS' Todestag der 4. statt der 3. Oktober 1896 angegeben wird, dass das Jahr, in welchem er die alte Offizin von MERTON ABBEY in Surrey übernahm und dort seine Werkstätte errichtete, 1881 (Juni) und nicht 1874 war; und dass es ein Irrtum ist, anzunehmen, MORRIS' utopischer Roman »News from nowhere« habe die Inspiration zu BELLAMY's »Looking backward« gegeben — das zwei Jahre vorher erschienen war; eher das Gegenteil ist der Fall, da MORRIS sein Buch als eine Art Antidot gegen jene falsche Auffassung des Sozialismus schrieb, welcher auch der amerikanische Schriftsteller zuneigte. Aber auch im übrigen wäre zu wünschen gewesen, LAHOR wäre mit kritischerem Urteil an die Lobpreisung moderner englischer Werke herangetreten. In die Bewunderung für MORRIS schliesst er eine Menge Dinge mit ein, oder schreibt sie seiner Schule und seinem Einfluss zu, welche MORRIS als Erster verurteilt hätte, besonders auf dem Gebiete der Architektur. (Uns fällt auch die ungerechte Behandlung der bedeutendsten Brüsseler Architekten zu Gunsten ihrer Nachahmer auf. D. R.) Alles in allem aber können wir nur dankbar sein für den Tribut, der uns hier von einer benachbarten und befreundeten Nation gezollt wird. Indem er Gegenwart und Vergangenheit vergleicht, sagt der Autor: »Rappelons que l'Angleterre avait été battue dans les grandes expositions artistiques, qu'elle s'était humiliée, avait, comme il convenait, reconnue ses défaites, et que bientôt, avec sa tenace et puissante volonté, elle s'était rearmée, preparée pour mieux lutter et pour vaincre. Ce mouvement patriotique d'opinion se manifesta, par la création, en tout le royaume, d'écoles d'art et de musées speciaux.« — Sei es nun Schamgefühl oder Ehrgeiz, wie Herr LAHOR behauptet, oder irgend ein anderer Grund — sicher ist, dass dieser grosse Aufschwung vorhanden ist, dass die grossartige Organisation der Kunstschulen in Verbindung mit der Zentralschule von South Kensington in der Verbreitung künstlerischer Grundsätze und in der Heranbildung von Künstlern eine weitwirkende That vollbracht hat. Die Daseinsberechtigung dieser Unterrichtsanstalten — das muss besonders betont werden — liegt nicht darin, Bildermaler zu züchten, sondern in der Pflege und Entwicklung der künstlerischen Seite unserer gewerblichen Manufakturen. Jeden Sommer wird in eigens dazu eingerichteten Räumen des South Kensington Museums eine Ausstellung der Preisarbeiten im nationalen künstlerischen Wettbewerbe veranstaltet. Der Bericht darüber giebt an, dass nicht

84

A. H. BAXTER (Leicester)   Detail aus einem Fries

weniger als 62 000 Arbeiten zur letzten Jahres-
prüfung von den verschiedenen Klassen der
Kunstschulen — eingerechnet jene des Landes
— eingesandt wurden. Diese Ziffer bezeichnet
sicherlich nicht die Gesamtzahl der Schülerarbeiten des letzten Jahres, sondern nur jene,
welche nach Ansicht der Lehrer gut genug
waren, um der offiziellen Prüfung unterstellt
zu werden. Es ist dabei interessant, zu beobachten, wie die Ansprüche an die ausgestellten Werke sich von Jahr zu Jahr steigern,
und dass trotzdem gewisse Fehler immer wiederkehren. So macht sich in den Zeichnungen
für Tapeten, Cretons u. dergl. ein Streben
nach Besonderlichkeit, eine Sucht nach Originalität bemerkbar, welches die seltsamsten
Formen bedingt. Auch scheint es, dass der
Zweck, dem ein Werk dienen soll, den Schülern
nicht immer klar vor Augen stand. So ist
es wohl eine einleuchtende Bedingung für das
Muster eines Bodenteppichs so gut wie für die
Zeichnung eines Plafonds, dass es von jeder
Stelle des Zimmers aus betrachtet werden
könne, ohne dass es dabei auf dem Kopf
steht. Und doch zeigt ein sonst sehr schöner
Entwurf für einen Teppich mit hübsch stilisierten und erfundenen Vogelformen von einem
Schüler in Macclesfield in der Mitte ein Rund-
stück mit einem Eichhörnchen, das nur von
einer bestimmten Seite gesehen aufrecht erscheint. Eine Zeichnung — aus Scarborough
— für ein Damast-Tischtuch hat, im übrigen
wunderschön, eine Bordüre, in welcher die Trut-
hühner auf dem Kopf stehen. Man sollte sich
doch klar werden, dass eine Tischdecke nie
von der Mitte aus gesehen wird und dass
folglich das Ornament stets von den äusseren
Seiten oder Ecken auszugehen hat, während
umgekehrt bei einem grossen auf dem Boden
liegenden Fussteppich darauf
zu stehen pflegt und das Muster daher von
der Mitte ausgehen soll. Unter den Stickereien

finden sich viele sehr tüchtige Stücke, nicht
nur auf Papier entworfene Zeichnungen,
sondern auch ausgeführte Arbeiten. Miss
KEMP's Büffettläufer hat eine hübsche Bordüre
mit gut und klar ornamentierten Blumen.
Aber die langen Verbindungsstengel, die alle
von einem Zentrum ausgehen, wirken zu ver-
worren. ARTHUR BAXTER aus Leicester hat
sechs vorzügliche Entwürfe zur Ausstattung
einer Bibliothek ausgestellt. Der Grundton ist
grün und alle Einzelheiten sind harmonisch
ausgearbeitet und wohldurchdacht, vom gemalten Wandfries bis zu den Beleuchtungs-
körpern und Thürbeschlägen. Ein anderer
Entwurf für Innendekoration stammt von
ALBERT COUMBER aus New Cross, der uns
die hübsche Ausschmückung eines türkischen
Bades zeigt mit mosaikbedeckten Wänden und
lünettenartigen Bleifenstern. Von G. M. ELL-
WOOD von der Holloway Schule sehen wir einige
ausgezeichnete Arbeiten, so das Panel für die
Vorderseite eines Pianos in Gips mit leichtem

Miss KEMP (Canterbury Schule). Hälfte eines Läufers für
ein Büffett

85

E. C. SHEPHERD   Cyclamen-Motiv für eine ausgeschnittene Bordüre

Kolorit, das sich zart von dem natürlichen Eichenholze abhebt. Die Schrift ist in Gold, in den beiden Medaillons aber klingen Gold. Fleischton, blasses grün und heliotrop schön zusammen, während die zarten Ausläufer der Pflanzen weiss gehalten sind. Die Zeichnung eines dreiteiligen Wandschirmes ist von dem gleichen Künstler, der Mittelteil aus Kupfer, die beiden Flügel in grün und anderen Tönen gefärbtem Holz gedacht. Im ganzen waren die Zeichnungen für Metallarbeiten, namentlich für elektrische Beleuchtungskörper, welche sich doch so besonders für dekorative Behandlung eignen und den jungen Künstler zu selbstständigen Leistungen anregen sollten, durchaus unbefriedigend. Man könnte vielleicht Miss COGGIN's (aus New Cross) Ofenschirm in Schmiedeisen mit Abteilungen aus durchbrochenem Kupfer davon ausnehmen, wenn nur die Schilder an den gotischen Kreuz-

A. H. BAXTER (Leicester)   Wand eines Bibliothekzimmers

blumenknäufen zu beiden Seiten mit dem übrigen besser übereinstimmten. Ein anderer Künstler aus New Cross stellte einige gute Zeichnungen für Metallsachen aus, dabei einige Thürfüllungen, denen die Form der Distel zu Grunde liegt; während EDWARD C. SHEPHERD unter anderen Zeichnungen einen Schloss-Beschlag ausstellte, der der Form des Cyclamens nachgebildet ist. FREDERICK HALNON's Entwurf für eine Uhr ist ausgezeichnet und besonders willkommen im Hinblick auf die gebräuchlichen schauderhaften Zeichnungen der Fabrikanten, die überall im Gebrauch vorherrschen. In ALFRED WRIGHT's Zeichnung für bemalte Ziegel ist die Einheit der Wiederholung innerhalb der Grenze jedes einzelnen Ziegels gewahrt, ohne dass das Ganze irgendwie einen unerfreulichen Eindruck des Verzerrt- oder Zusammengepresstseins macht. Für Buch-Ausstattung waren einige treffliche Zeichnungen von leinenen Einbanddecken ausgestellt, einschliesslich einer für das Werk »The Year that the locust hath eaten«, in dem bekannten Pfauenfeder-Thema: desgleichen finden wir eine Anzahl Entwürfe für Buchdeckel, die, von einem Clapton-Schüler herrührend, eine neue Art der Anwendung von Schablonen zeigen. Die Idee hätte mit grösserem Erfolge angewandt werden können, wenn die Formen etwas genauer betont worden wären. Unter den am meisten fesselnden Zeichnungen der ganzen Ausstellung sind die Studien für naturgeschichtliche Vorwürfe, ornamental behandelt, zu erwähnen; indessen, so

sehr sie unsere Bewunderung
verdienen, möchte man doch
wünschen, dass der Künstler
noch einen Schritt weiter gegangen wäre und die gleichen
Formen in praktisch verwendbare Entwürfe gebracht hätte.
Der hier entfaltete dekorative
Sinn ist ausserordentlich, wie
z. B. in der vortrefflichen
Studie einer Hausschwalbe, als
Silhouette behandelt. Andere
Studien von Eulen, Seemöven
u. s. w. offenbaren grosse
Fähigkeiten und berechtigen
zu der Hoffnung, dass wir
von diesen Zeichnern in Zukunft noch schöne dekorative
Sachen zu erwarten haben.

AYMER VALLANCE

A. H. BAXTER (Leicester)   Wand eines Bibliothekzimmers

BERLIN — Wenn im Herbst in den
Museen und privaten Ausstellungsräumen
rechte Schausammlungen gewerblicher
Kunst nicht mehr oder noch nicht zu stande
kommen, dann bringt das Geschäftsinteresse
immer noch einige kunstgewerbliche Neuheiten
in die bunten Auslagen der Kaufhäuser.
Leipzigerstrasse, Friedrichstrasse, Linden; auf
diesem Wege hält die permanente Kunstmesse
ihre Kramläden offen, und der Gang durch
diese Strassen zeigt heute fast alles, was von
internationalen Bestrebungen des Kunsthandwerkes sein Publikum sucht. Statt in der
grossen Kunstausstellung ein geschlossenes Bild
der gegenwärtigen Kunst in der Industrie zu
finden, muss man hier aus dem Wust der
Läden sich mühsam die Elemente sammeln,
die eine Anschauung geben vom Wesen der
modernen Dekoration.

Es ist eine erschöpfende Arbeit nötig, um
in dem Dornengestrüpp zu beiden Seiten ein
paar Blüten zu finden. Denn Kunstgewerbe
ist eigentlich überall hier. Es ist in den Kaffee-
häusern und Aschingerstuben, beim Bäcker
und beim Schlächter; kunstgewerblich sind
die Bonbonschachteln, die Firmenschilder und
die Zigarrenetiketten. Wer kann heute ohne
blinkende Kunst sein Geschäft betreiben.

Der gute Geschmack empfindet das ja nicht
mehr; aber es ist darum nicht weniger vorhanden, es ist nicht weniger typisch, jede
Erbärmlichkeit für sich. Hinter jedem Erzeug-
nis steht einer aus dem grossen Heere der
künstlerischen Halbbildung, und so wird das
Lächerliche zu einem ernsthaften, sozialen
Ereignis. Man muss sich das sagen, um nicht
die wenigen guten Sachen in ihrer Bedeutung zu überschätzen. Ein paar feinsinnige

Miss WALDRON   Schablonen für Ex-libris

87

Miss DAWSON (Bingley)   *Zeichnung*

Passanten, die selten auch Käufer sind, haben ihre Freude daran; das ist alles.

Bei KAYSER ist ein Schaufenster gefüllt mit reichverziertem Tafelgeschirr aus Zinn. Sehr bezeichnend für unser unpersönliches Kunstgewerbe heisst dieses Fabrikat »Kayserzinn«; die Komposition der Metallmasse ist ein Geheimnis der Firma. Nicht der Name des das Rohmaterial formenden Künstlers wird genannt, sondern die in rätselhafter Anonymität thronende Firma. Das ist so die Gepflogenheit all unserer Geschäfte. Übrigens ist bei diesen Zinnarbeiten der Name des Künstlers sehr gleichgültig, denn es sind in Kunst und Technik nur schlechte Nachahmungen der feinen, nervösen Arbeiten von CHARPENTIER und DUBOIS, die sich das Zinn für ihre persönliche Dekorationsfreude erst neu entdeckt haben. Die Ziermotive, selbst die naturalistischen, sind aus bekannten mittelmässigen Sammelwerken zusammengesucht, und die Kühnheiten, die den Franzosen Temperamentsache waren, sind hier imitiert, mit thörichter Freude am springend Gegenständlichen. Nachgeahmtes Temperament — das ist schrecklich. Die weichen, zeichnerischen Reize, die jene französischen Künstler dem Material entlockten, sind dabei zu der Wirkung versilberten Gipsstuckes vergröbert worden.

Das ist der erfreuliche Gegensatz fast aller englischen Arbeiten, und eine starke Ursache

der allgemeinen Wirkung ihres Kunstgewerbes, dass sie vor allem das Technische genau kennen und dem Material neue künstlerische Gestaltungsmöglichkeiten dadurch abgewinnen. Die englischen Thonwaren im Hohenzollern-Kaufhaus, so mittelmässig sie in vielen Einzelheiten der Form sind, wirken sehr interessant durch die geschickte Art, mit der der Glasfluss getönt ist und durch das reinliche, von der üblichen »malerischen« Sudelei sich vorteilhaft unterscheidende Auftreten der Grundmasse im Ornament. Auch einige gewebte Tüllgardinen erfreuen durch vorzügliche Maschinenarbeit, so offenbar an ihnen auch der Stillstand in der Erfindung origineller Muster bei den Engländern wird.

Wenige Häuser weiter bietet sich der Beweis, dass die raffinierteste Technik in den Händen der Manier wenig zu befriedigen vermag. Wer die Schaufenster der königlichen Porzellan-Manufaktur einmal gesehen hat, der kennt damit auch das ganze Gebiet der künstlerischen Produktion dieses Instituts: es ist ewig das »flutschige«, elegante Berliner Rokoko. Man kann der künstlerischen Leitung die entschiedensten Vorwürfe nicht ersparen. Hier ist einmal eine Fabrik, die ohne geschäftliche Rücksicht eine Musteranstalt in jedem Sinne werden könnte. Jeden wirklichen Künstler müsste es reizen, die überreichen Ausdrucksmittel der Porzellanfabrikation in den Dienst

einer persönlichen Schmuckanschauung zu
stellen. Die enge Vereinigung der Bildhauer-
arbeit mit der Malerei erlaubt den Ausdruck
der kompliziertesten und wechselreichsten Zier-
gedanken. Und doch zehrt die Kunst der
Manufaktur noch immer von dem Erbe
BOUCHER's, WATTEAU's und CUVILLIE's. Die
Technik ist ja nach einer Richtung hin ausgenutzt, die Herstellung vorzüglich, aber die
Kunst ist ohne jedes moderne Empfinden?
Kopenhagen, das in der Friedrichstrasse seine
feinen Arbeiten zeigt, Sèvres und selbst Berliner Privatfirmen sind dem königlichen Institute weit überlegen.

Auf einem einzigen Gebiete ist allgemeine
Sommerblüte — es ist das Gebiet, das der
Frau allein, ihrer Toilette gehört. Das Material
ist hier ja an sich schon künstlerisch, und
seine natürlichen Eigenschaften wirken oft
auch wie Kunst; trotzdem ist es erstaunlich,
wie die Industrie mit dem Beirate der Frauen
— die, im eigennützigsten Interesse, Künstler-
temperamente von Natur sind — alle Möglichkeiten tausendfältig ausnutzt. — Bei PETRUS
sind einige Zusammenstellungen von Seide und
Spitzen, die, neben dem alle Sinne streicheln-
den Genuss, noch zeigen, dass die Spitzen-
fabrikation, trotz 400jähriger Konvention,
moderner empfindet als andere Kunstindustrien
ohne weite Vergangenheit. Diese mit der
Maschine hergestellten Tüllspitzen und Tüll-
stickereien sind schön in ihrer klaren Zeichnung und voll malerischen Wechsels in der
Fadenführung. Es macht prickelnde Freude,
an den Säumen der strahlenden Kleiderflächen
diese Zierlichkeiten zu finden, über den farbigen
Untergrund ihr reizendes Blütengespinnst zu
verfolgen. Was der Kunst verloren ging, die
Beziehung zum Leben, die Frau hat es in
ihrem naiven, glücklichen Schmuckinstinkt
immer festgehalten.   KARL SCHEFFLER

GRIMSTONE (Glasgow)   Cretonmuster

THÜRINGEN — Es ist eine Freude, wenn
man, nachdem fast ein Jahrhundert der
schlimmsten Geschmacksverwirrung, der
Unsolidität und der schlechten Fabrikware
dahingegangen, auf ein einsames Dorf kommt
und dort, unberührt von allem, was draussen in
der Welt vorging, eine bäuerliche Werkstätte
findet, in der mit grosser handwerklicher Geschicklichkeit und in seiner einfachen Weise doch
mit künstlerischem Stilgefühl nach uralten Tradi-

Thüringer Töpferwaren

95

v. HEIDER, Thongefässe   Aus Littauer's Kunstsalon

tionen gearbeitet wird. Ich führe im obigen Bilde einige Beispiele der Thüringer Töpferwaren vor, wie man sie noch an entlegenen Orten findet und auf die ich die Aufmerksamkeit lenken möchte. Die mit einem Henkel versehenen Gefässe sind Krüge, in denen der Bauer seinen Trunk mit aufs Feld nimmt (wozu auch besonders die hier nicht abgebildeten dickbäuchigen, enghalsigen Thonflaschen gehören); das zweihenkelige Gefäss ist eine bäuerliche Blumenvase. Die Form ist bäurisch derb, plump, aber charaktervoll; dagegen weist die Farbe Reize auf, die zu dem entzückendsten gehört, was einfache Töpferwaren geben können. Die Gefässe rechts und links aussen haben eine eigentümlich schillernde, an Schlangenhaut erinnernde Oberfläche, deren grüner Grundton ein in allen Farben spielenden Glanz zeigt. Das dunkle Gefäss ist in einem wundervollen tiefen Blaugrün mit metallischem Glanz gehalten.

Hier ist ein Material gegeben, das nur des Künstlers, der es zu neuen Schöpfungen ausbeutet, harrt und das in seiner Eigentümlichkeit in den Töpferwerkstätten anderer Gegenden nicht zu finden.

SCHULTZE-NAUMBURG

MÜNCHEN — Wir bringen nebenstehend die letzten Arbeiten der keramischen Familie von HEIDER: Ein Vater mit seinen drei Söhnen, von welchen jeder eine Species der keramischen Kunst vertritt und die so in ihrem Zusammenwirken als etwas Einheitliches aufzufassen sind. Wer sie in ihren Ateliers an der Maistrasse aufsucht, empfängt dort den Eindruck ihres ernsten Schaffens, er sieht Künstler, die sich nicht scheuen, Handwerker zu sein. Das drückt sich auch in der Tüchtigkeit ihrer Arbeiten aus, von welchen wir vor allem den Tierfries aus glasierten Fliessen hervorheben wollen als eine der besten Leistungen dieser Art. Der nach dem Entwurf wiedergegebene kraftvoll stilisierte, vorwärts stürmende Büffel, dessen Bewegung durch das Astwerk links und rechts gesteigert und wieder festgehalten wird, ist ein Beispiel der ganz vorzüglichen Lösung des Vorwurfs, welchem die Künstler auch in seinen übrigen Teilen mit Darstellungen von Steinböcken und einem Pantherpaar so grossen Reiz, so markige Form zu geben wussten. Die mit Tierköpfen verzierten Vasen, die etwas an KÄHLER's ähnliche Leistungen erinnern, zeichnen sich besonders durch ihre klare, vornehme Kontur aus und durch den vor-

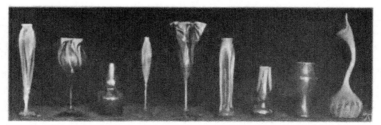

L. TIFFANY, New York, Ziergläser   Aus Littauer's Kunstsalon

90

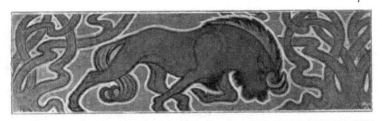

Keramische Arbeiten

5*

97

G. LACOMBE, Versailles   Holzschnitzerei

züglichen Übergang des Körpers der Vase
zur Verzierung. Aber auch die Konstruktion
der übrigen Gefässe weist, wie z. B. die beiden
Stücke unserer Abbildung links unter dem
Büffet zeigen, einen grossen Fortschritt in
Beziehung auf präcise charaktervolle Formgebung auf. Die HEIDER'schen Arbeiten sind
mit die besten dieser Art, welche zur Zeit in
Deutschland hergestellt werden. Möge ihr
Beispiel anregend wirken. ◉ In LITTAUER's
hübschen Räumen war eine Ausstellung von
Gläsern und keramischen Arbeiten von GALLÉ,
TIFFANY, HEIDER, SCHMUZ-BAUDISS u. a. zu
sehen. TIFFANY's Ziergläser wirken vor allem
durch ihre nicht wiederzugebenden Farben-
und Lichteffekte, welche von einer Vollendung
in der Technik der Glasherstellung zeugen,
hinter welcher unsere deutsche Fabrikation
leider weit zurückbleibt. Der Amerikaner hat

in der Verwendung und Verbindung ver-
schiedenfarbiger Glasflüsse eine Geschicklichkeit und Sicherheit erreicht, welche ihm ge-
statten, damit umzugehen, wie der Maler mit
Pinsel und Farbe. Darin — nicht in der
oft unproportionierten Form dieser Gläser —
beruht ihr grosser Wert.   —◎—

PARIS — Die Reisezeit ist nicht vorübergegangen, ohne dass die Eisenbahn-
verwaltungen die Mitwelt zu recht
fleissiger Benutzung der ihr zur Verfügung
gestellten Beförderungsmittel einluden. Und
da es sich um französische Verwaltungen
handelt, so haben sie den Einladungen selbstverständlich nicht die Form einer trockenen
Anzeige gegeben, sondern die der illustrierten
Affiche.

Zum Besuche der Normandie und Bretagne
rufen zwei Affichen von PAUL
BERTHON und von L. KO-
WALSKI. Beide ohne Interesse.
Auch die von PAL für die
West- und Brighton-Bahn
ermangelt besonderen künst-
lerischen Wertes. Die beste
Reiseanzeige hat in diesem
Jahre zweifellos die Staats-
bahn gegeben. Sie ist von
G. MEUNIER und soll die
Zahlungsfähigen auf die
Schönheiten des Seebades
Royan aufmerksam machen,
gehört aber nicht zu den
besten MEUNIERS. Zwei
junge, hübsche, elegante
Blondinen, denen die Aus-
sicht auf den Badeort zum
Hintergrunde dient, gehen am
Strande spazieren. Da gerade
von Affichen gesprochen wird,
so sei auch die neueste von

H. DE TOULOUSE-LAUTREC.

92

G. LACOMBE. Versailles   *Holzschnitzerei*

H. DE TOULOUSE-LAUTREC für den Photographen SESCAU erwähnt. Sie zeigt (siehe S. 92) den ganzen, ausserordentlichen Chic dieses Künstlers, seine Leichtigkeit, die freilich schon ein wenig die Nachlässigkeit streift. Ein unter dem Tuche schwitzender Photograph visiert eine dem Apparate den Rücken kehrende rolgekleidete Pariserin.

Alles in allem: die Glanzzeit der Pariser Affiche ist vorüber, sie kannte der Natur der Sache nach nicht lange dauern; eine lediglich auf Laune und guten Einfall gegründete Malerei hat keinen Bestand. LAUTREC ist der einzige noch, der interessiert, und selbst er wird nie mehr Höhen wie den DIVAN JAPONAIS etc. erreichen. Sein Bestes steckt gegenwärtig in den ausgezeichneten Lithos, die PELLET in kleiner Auflage herausgiebt. Das ist das wahre Feld jener geistvollen Kunst, die sich vergeblich bemühte, durch grosses Format wirklich dekorative Grösse zu gewinnen. Ein reines Plakat hat Frankreich noch nicht geschaffen, trotzdem es die Plakatkunst geboren hat. Es fehlt eben auch hier der kunstgewerbliche Gesichtswinkel, der bei der Affiche die dekorative Ausnutzung des Textes in erster Linie verlangt. Belgien, England, Amerika sind die glücklicheren Erben. Der intelligentere Teil der Sammler beginnt sich daher auch immer mehr diesen Ländern zuzuwenden. ● L'ART NOUVEAU hat für den bekannten Industriellen MENIER eine Anzahl Mietsvillen bei Trouville einfach und hübsch eingerichtet. Wir bilden einige kolorierte Holzschnitzereien von G. LACOMBE in Versailles ab, die ein Gegenstück zu ZYL darstellen, nur mit geringerer architekturaler Betonung. Es sind abstrakte Kunstwerke — wenn sie auch zum Teil als die Flächen eines Bettes Anwendung gefunden haben — aber von so starker dekorativer Wirkung, dass sie in unser Bereich fallen. Die Note, die der Freund VAN GOGH's, GANGUIN, der sein Leben in Tahiti verbringt, mit seinen Bildern, Schnitzereien und keramischen Werken in die französische Moderne

gebracht hat, wird von LACOMBE in origineller Weise fortgeführt.   *Lenzen-Bossaert*

DRESDEN — Im Kunstsalon der ERNST ARNOLD'schen Hofkunsthandlung (A. GUTBIER) findet gegenwärtig die zweite Ausstellung altjapanischer Holzschnitte und altjapanischer Kleinkunst statt, die weit vollständiger ist, als die 1895 veranstaltete Japan-Ausstellung. Die ausgestellten Stücke sind mit grösster Sorgfalt ausgewählt und charakterisieren die Vorzüge einzelner Künstler und ihre verschiedenen Techniken sehr deutlich. In Bälde werden wir auf Einzelheiten dieser so lehrreichen und in dekorativer Hinsicht bedeutungsvollen Ausstellung zurückkommen. -ω-

HAAG — COLENBRANDER, in dem man den Erwecker der neuen dekorativen Kunst Hollands erblicken kann, der Schöpfer der wundervollen ersten, modernen keramischen Arbeiten der Rozenbourger Fabrik, die heute bereits zu den Seltenheiten gehören, hat sich ganz auf die Teppichzeichnung geworfen. Seine Zeichnungen werden in der Amersfoort'schen Tapijtfabrik (Direktoren: GARJEANNE und MOUTON in Haag) in Amersfoort bei Amsterdam ausgeführt, mit der der Künstler bereits seit längerer Zeit in fester Verbindung steht. PH. ZILCKEN schreibt für uns eine Arbeit über das Gesamtschaffen COLENBRANDER's, die wir mit Reproduktionen des Mobiliars, der Keramik, der Teppiche

G. LACOMBE   *Holzschnitzerei*

93

O. ECKMANN   Aus »Neue Formen«

und allen anderen Zweigen, mit denen sich
die nie ruhende Energie des grossen Dekorateurs beschäftigt hat, publizieren werden. —
TOOROP scheint sich auch immer mehr gewerblichen Arbeiten zu nähern. Schon seine
Plakate und Bucheinbände verraten deutlich
diese Tendenz, die ja auch in seiner Malerei
greifbar hervortritt. Jetzt arbeitet er an einem
reizenden Kasten, den er in kostbarem Material
auszuführen gedenkt. ● Last not least: THORN
PRIKKER. Wir behalten uns eine eigene Arbeit
über die fabelhafte Linienkunst dieses feinsinnigen Geistes vor, der eine ganz separate
Stellung in Holland einnimmt.   -γ-

NEUE BÜCHER. — OTTO ECKMANN,
NEUE FORMEN, I. Serie. Verlag von
MAX SPIELMEYER, Berlin. Preis M. 12.—.
    Schon im vorigen Hefte konnten wir dies
neue Werk ankündigen, das uns heute vorliegt, und dem wir die nebenstehenden charakteristischen Proben verdanken. Die obige Abbildung gibt die Idee für die Dekoration einer
Vorhalle oder Einfahrt. Die in dem Werke

in verschiedenen Farben wiedergegebenen Vorhänge zeigen eine lichtgestimmte und eine
tiefere Art der Anwendung, und Eckmann
notiert dazu: »Die starke Farbe wurde gewählt, weil es viel schwieriger ist, in kräftigen Tönen eine Harmonie zu erzielen, als
in matten und grau gehaltenen. Ausserdem
entspricht unserem deutschen Auge eine gewisse massvolle Farbenfreudigkeit (siehe Mem-
ling, Dürer, Holbein etc.) mehr als die beliebte Graumalerei, welche wir von west-
lichen Völkern bezogen haben. Die Decke zu
diesem Entwurfe würde eventuell aus einfachen
Kassetten bestehen können, mit roten und
gelben Linien angedeutet auf weissem resp.
gelbem Grunde oder aus einem Rande von
Lilienmotiven.« In ornamentaler Hinsicht besonders interessant ist die umstehende Rand-
leiste. Das Ornament ist aus dem Rhythmus entstanden, welchen der zornige Schwan
in starker Bewegung macht und das Beispiel ist lehrreich für die Art der Stilisierung
überhaupt. Denn nicht in der sklavischen
Nachahmung und Verwendung von Natur-

94

O. ECKMANN   Aus »Neue Formen«

formen, sondern in der eigentümlichen Art ihrer Gestaltung oder Auflösung liegt das, was wir Stil zu nennen pflegen. Von dem zornigen Schwane allein die rhythmische Linie zu entlehnen und nicht den Schwan, das ist das Problem für die ornamentale Verwendung. In dieser Beziehung sind denn auch jene Blätter Eckmann's am besten, welche sich insofern am weitesten von der Natur entfernen, als man über der neuerstandenen Form das pflanzliche oder tierische Vorbild vergisst.

Eckmann's »Neue Formen« sind in doppelter Beziehung beachtenswert: als die bedeutende Leistung eines der ersten deutschen Künstler, welche sich dem Kunstgewerbe zugewendet haben und als ein eigenartiges und ganz persönliches Vorlagewerk für moderne Dekoration, das nicht nur Vorbilder, sondern namentlich Anregung bieten soll. Es ist ein erfreuliches Zeichen, dass auf diesem Gebiete die neue Bewegung sich Bahn bricht, und wünschen wir deshalb dem verdienstvollen Unternehmen, dem der bekannte Verlag eine vorzügliche Ausstattung gegeben hat, besten Erfolg.

H. FRILING, MODERNE FLACHORNAMENTE. Erste Serie, 24 Tafeln, BRUNO HESSLING, Berlin.

In diesem Vorlagewerk sind, wie der Titel angiebt, Ideen für textiles Musterzeichnen und dekorative Malereien aller Art, insonderheit Ornamente für Gewebe, Druckstoffe, Stickereien, Tapeten, Decken-, Wand- und Glasmalereien vereinigt und, wie das von dem geübten Künstler nicht anders zu erwarten ist, technisch vorzüglich ausgeführt. Das zeigen die hier beigefügten Abbildungen. Schon der Inhalt spricht von der reichen Erfindungsgabe Frilings, und wenn auch von den ca. 250 Mustern, welche das Werk enthält, so manche, insbesondere jene mit Tierdarstellungen nicht vorbildlich genannt werden können, so sind doch die Mehrzahl der aus der Pflanze entwickelten Motive, namentlich die einfacheren Formen, sehr geschickt und geschmackvoll komponiert und bieten Anregung in Hülle und Fülle.   -o-

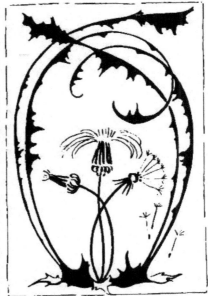

O. ECKMANN   Aus »Neue Formen«

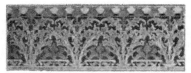

H. FRILING — Aus »Mod. Flachornamente«

FERD. LUTHMER, WERKBUCH DES DEKORA-
TEURS, Union, Stuttgart, geb. M. 17.50.

Ein gutes Buch des Professors der Frank-
furter Kunstgewerbeschule, diktiert von künstlerischem, fein beobachtenden Geiste, anziehend,
mit der vollen Kenntnis des Technikers
geschrieben, für den ausführenden Fachmann, wie den bedürftigen Laien. Die Disposition klar und übersichtlich, die Illustrierung
reichhaltig und vielseitig.

Die Stellung des Verfassers zu unsern
modernen Bestrebungen zeigt sich in knappen
charakteristischen Sätzen, wie : Stil in höherem
Sinne ist der einheitliche, der Bestimmung
durchaus angepasste Grundgedanke, oder:
darin liegt der Wert einer jeden Hausein-
richtung, dass sie ein persönliches Gesicht
hat. Hübsch ist, was LUTHMER über die Frau
sagt, in deren Gebiet die Fragen der Wohnungs-
einrichtung gehören : »Ausser dem Umstande,
dass die Lebensaufgabe der Frau, die den
grössten Teil ihrer Zeit im Hause verbringt,
sie darauf hinweist, ihre Umgebung so angenehm und schön zu gestalten, wie ihre
Mittel nur irgend zulassen, ist mehr noch:
die Forderungen der Schönheit und Anmut,
welche sie an ihrer eigenen Person durch die
Sorge für ihre äussere Erscheinung, ihre Toilette
täglich zu erfüllen hat und die sie ganz besonders dazu befähigen, in die durchaus verwandten Aufgaben der häuslichen Dekorations-
kunst mit Leichtigkeit einzudringen. Die
praktischen Studien der Farbenlehre — um
nur eines anzuführen — welchen sie unaus-
gesetzt bei der Wahl ihrer Toilette obliegt,
wird sie ohne weiteres bei der Einrichtung
ihrer Wohnung verwerten können. Und wenn
wir auch nicht so weit gehen wie unsere
Grossväter und Väter, denen jede Beschäftigung
mit Fragen der Hausausstattung als weibisch
und des Mannes unwürdig galt, so werden doch
auch wir einen grossen Teil der Sorgen für
diese Dinge gern unseren Frauen überlassen —
so wie es unsere germanischen Stammes-
genossen in England und Amerika schon lange
thun — sehr zum Vorteil des künstlerischen

und eigenartigen Charakters, den dort, mehr wie
bei uns, auch das bescheidenste home trägt.«

Diese unzweifelhaft richtige Bemerkung erhält besonderes Interesse, wenn man den Satz
umkehrt und fragt: trägt die englische Kunst
nicht den Charakter dieser Einwirkung der
Frau? Sollte der süssliche, zarte, weiche Zug
der modernen Kunstrichtung in England, der
unbestreitbar etwas Weibliches an sich hat,
dort seinen Grund und Ursprung haben? Es
wäre immerhin eine erfreuliche Antwort, die
der Engländer da dem Franzosen auf sein
Sprichwort geben könnte: où est la femme?

Wir müssen uns beschränken, eine kurze
Übersicht über den Inhalt von LUTHMER's
Buch zu geben: Der erste Abschnitt: »Die
Dekoration in der Hausausstattung« teilt sich
in die Kapitel über den Beruf des Dekorateurs
in Vergangenheit und Gegenwart, über die
theoretischen und praktischen Erfordernisse
und Kenntnisse seines Gewerbes; über die Ausstattung der einzelnen Räume von der Durch-
fahrt angefangen bis zum Wintergarten. Der
zweite Abschnitt aber behandelt wohl zum
erstenmale die sogenannte Festdekoration. Der
Schmuck der Tafel wie die Triumphpforte,
das Dirigentenpult wie der Wohlthätigkeits-
bazar werden unter einem künstlerischen und
feinsinnigen Gesichtswinkel erörtert.

Das Buch — von der Verlagsgesellschaft
auf das beste ausgestaltet, verdient volle Em-
pfehlung.   —o—

H. FRILING — Aus »Moderne Flachornamente«

Für die Redaktion verantwortlich H. BRUCKMANN, München
Verlagsanstalt F. Bruckmann A.-G., München, Kaulbachstr. 22. Druck der Bruckmann'schen Buchdruckerei, München.

MODERNE TEPPICHE

VON

G. LEMMEN

angsam hat die Renaissance der dekorativen Künste auch im Publikum neue Begriffe entstehen lassen. Früher war der fortgeschrittene Geschmacksmensch Sammler, er suchte sich Antiquitäten oder Bilder, und sein Haus glich entweder einem Trödlerladen oder der Filiale eines Museums. Seitdem aber die Künstler darauf gefallen sind, unsere Gebrauchsgegenstände zu verschönern und den Schmuck unseres häuslichen Lebens zu erneuern, mit einem Wort Kunst ausserhalb der Sphäre der Malerei und Skulptur zu machen, hat der moderne Geschmacksmensch neue Ziele. Er verachtet nicht nur die galanten Scherze der Zeit LOUIS XIII. oder die Gemälde MEISSONNIER's, sondern findet auch sein bürgerliches Mobiliar aus der Zeit LOUIS PHILIPPE's erneuerungsbedürftig; er hält plötzlich seine Tapeten, sein ganzes Heim bis auf sein Essservice in falschem Rokoko für höchst banal und geschmacklos.

Und er denkt an einen Wechsel: er will eine bequeme geräumige Wohnung, sein Mobiliar von einem »modernen« Tischler und für Stoffe und Tapeten »englischen Stil«, wie er ihn in den modernen englischen Läden findet.

Sind ihm nun plötzlich die Augen für eine neue, vernunftgemässe Schönheit aufgegangen? Mit nichten! es ist einfach die Mode, weil in den Ausstellungen die ornamentale Kunst eine besondere Stellung einnimmt, weil es sehr guter Ton ist, in diesen — Bazaren, die anfangen, den grössten Läden Konkurrenz zu machen, kleine Sächelchen, Einbände, Stoffe, Schmuck-

sachen, Dinge zu kaufen, die von Künstlern höchst eigenhändig gefertigt sind.

Dieser Umschlag ist gar zu leicht gekommen und scheint eher geeignet, uns zu beunruhigen, als zu befriedigen, denn es fehlt bisher an einem Beispiel in der Weltgeschichte, dass die Menge jemals einer dauernd schönen Sache so einstimmig zujubelte. Die eigentliche Ursache dieser Bewegung ist leicht zu finden. Das Streben nach einer sozusagen anonymen Schönheit, wie es die Kunst des Gewerbes mit sich bringt, die von Rechts wegen einzig und allein nur nach Form, Verhältnis und Stoff fragt, — denn nur dahin geht der wesentliche Teil unserer neuen Bestrebungen — dieses Streben genügte der Eitelkeit der Künstler, die nicht das Zeug zum Handwerker hatten, durchaus nicht. Sie wollten durchaus nicht vergessen, dass sie Maler oder Bildhauer waren; wenn sie daher versuchten, eine Vase oder einen Teppich zu machen, so wurde die Vase zur Skulptur, der Teppich zum Gemälde.

Das Bewusstsein dieses Mangels an Gesetzmässigkeit, an sachlichem Verständnis, der in das Gewerbe Faktoren einführt, die ihm durchaus fremd bleiben müssten, liess mich im Frühjahr 1895 im RÉVEIL schreiben: »Die Künstler folgen nicht dem reinen Drange ihrer Kunst, sondern schmeicheln einem momentanen Geschmack des Publikums an allem, was »künstlerisch« ist, ein Geschmack, der so wie er ist, vielleicht gefährlicher ist, als die frühere Neigung zu schlechter Handelsware. Das Publikum wird nie im stande sein, eine Schönheit zu erfassen, die sich lediglich in der Form, im Verhältnis und im Material äussert, und die sogenannte ornamentale Kunst besteht heute leider darin, die gewöhnlichen Gebrauchsdinge in unnütze Kunstgegenstände umzuwandeln. Eine Vase wird nie dadurch

MODERNE TEPPICHE

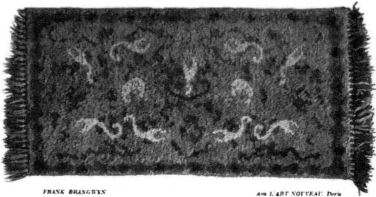

schöner, dass man einen weiblichen Akt, eine Blume oder einen Frosch darauf klebt und PALISSY's monströse Fabrikate oder unsere Fayencen, die mit ihren Vögeln, Gemüsen und Fruchtstücken Sinnestäuschungen hervorzurufen suchen, sind nichts weiter als Geschmacksverirrungen und jedes Begriffs von Schönheit bar.«

Gerade diese Irrtümer nahm das Publikum mit grösster Freude auf und begrüsste sie als geniale Neuerung. Ein Krug, der durch sein Gewicht jeden Gebrauch unmöglich machte, gefiel durch das »Sujet«, ein Spiegel durch den überladenen Rahmen, der das Glas verhinderte, zu reflektieren; ein Einband wurde durch Email so beschwert, dass es unmöglich wurde, ihn in ein Regal zu stellen, und ein Stuhl galt nur dann für künstlerisch, wenn er aus einer nackten Figur in gliederverrenkender Stellung bestand.

Zwei Prinzipien ergeben sich daraus, um Gegenstände zu schaffen, die nicht ebenso hässlich und unvollkommen sind:

1. Form, Mass, Stoff und Farbe müssen der Bestimmung am denkbar besten entsprechen.

2. Der Schmuck darf dem Nutzen nicht schaden.

Eine ebenso unerbittliche Verurteilung verdient die heutzutage immer stärker auftretende Tendenz, mit einem Material ein anderes nachzuahmen, die immer ein Zeichen des Verfalls des Gewerbes bedeutet. Nichts als die strikte Konsequenz dieses Prinzips: die Natur des Materials so wenig wie möglich zu verstecken, würde genügen, um eine vollkommene Um-

wandlung der Kunstindustrie herbeizuführen, die sich heute noch auf entgegengesetztem Wege befindet.

Man braucht nur die Schwelle eines Hauses — und zwar eines besseren — zu überschreiten, um sofort zu sehen, wie die Malerei im Flur den Marmor und das Holz nachahmt, oder gar Gobelins. Die Tapete sucht die verschiedensten Gewebe wiederzugeben, Tuch, Sammet, Leinen, Damast und zuweilen sogar ebenso wie die Malerei; Stickerei, Keramik, Mosaik oder Marmor. Wir sind nicht glücklicher, wenn wir die Plafonds oder den Boden untersuchen; denn die massenhaft verteilten Masken, Fruchtstücke und Verzierungen aller Art suchen Skulptur zu sein und sind nur vergänglicher Putz. Das Linoleum wird verdorben, weil es einen Teppich oder Steinparkett imitiert; als Wandbekleidung wird es geschwind zu erhaben gearbeitetem, korduanischem Leder.

Diese Beispiele, die man bis ins Unendliche fortsetzen könnte, zeigen, dass die Lüge dem Menschen tief im Blut sitzt, unzertrennlich mit seinen Schöpfungen verbunden und bei vielen der einzige Zweck. Würde heute plötzlich ein neuer Stoff mit den wunderbarsten Eigenschaften erfunden, er würde in den Kreisen der Industriellen nur die eine Frage hervorrufen: was kann man mit ihm am besten nachahmen?

In dem enthusiastischen Bestreben, Neues zu schaffen und den vorhandenen Massenprodukten persönliche und rein künstlerische Werke entgegenzustellen, setzten sich die belgischen Künstler — teils aus Unerfahren-

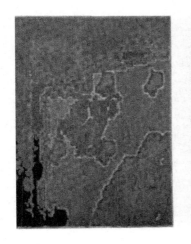 

heit, teils von revolutionärem Geist getrieben — in den denkbar stärksten Gegensatz zu der Überlieferung, aber sie verletzten dabei jene Tradition, deren Elemente unverletzlich sind. Gerade in der Kunst der Teppiche wurde am meisten gesündigt. Ich schrieb damals in demselben Aufsatz bei der Besprechung der Teppiche meines Landsmanns COPPENS: »er hat Teppiche gemacht, die wie ein Gemälde entworfen sind, sie haben ein Sujet, Schatten, Halbtöne, Perspektive. Man kann sie daher nur von einer Seite richtig sehen. So ein Teppich, der also auf dem Boden nicht zu seinem Rechte gelangt, kann auch nicht an die Wand gehangen werden, da er noch weniger ein Gemälde oder eine Stickerei ist. Ich bin in einem früheren Versuch selbst einem der Fehler verfallen und diese Einsicht gestattet mir wohl, solche Irrtümer zu rügen. Ein Teppich ist, abgesehen von seiner Gebrauchsbestimmung, eine rein ornamentale Sache und darf infolgedessen nichts, was ihm den Charakter einer Anekdote geben kann, also keine Darstellung des Natürlichen, enthalten. Dagegen darf das Motiv der Ornamentation von der Natur angeregt sein, sich aus stilisierten Tier- oder Pflanzenformen zusammensetzen, wie man in dem ägyptischen Lotusornament die wesentlichen Teile des Lotus wiederfindet. Wenn nun das gewählte Motiv, wie in einem COPPENS'schen Teppich, der Fisch ist, so handelt es sich darum, eine Arabeske zu finden, in der das in Frage stehende Tier nur den Vorwurf für eine dekorative Umformung liefert. Der Künstler verkennt sein Ziel, wenn er wirkliche Fische darstellt, die im Wasser zwischen Wasserblumen und Mondreflexen herumschwimmen. Wenn man diesen falschen Weg weiter verfolgte, würde man zu den Bettvorlagen seligen Angedenkens mit den wütenden Tigern oder gutmütigen Hunden zurückkommen, ich fürchte, man geht noch weiter und wird uns, nachdem die Flora und Zoologie geplündert ist, Familienporträts oder Bildnisse berühmter Leute zu Füßen legen, immer in dem Bestreben, »Neues« zu finden. Man vergisst, dass die Kunst sich nicht durch die Vermehrung der Sujets erneut, sondern durch die strenge Beobachtung ihrer ewigen Gesetze.«

So schrieb ich 1895 und richtig erschien im folgenden Jahre CHAMBON mit einem »landschaftlichen« Teppich und COPPENS brachte einen Schwan in natürlicher Grösse auf einem Weiher zwischen Lilien. Alles das wurde noch durch die Erfindung des Teppichs »Genre - Bilderrätsel« überholen, die wir keinem geringeren als FÉLICIEN ROPS ver-

danken. Er stellte auf einem mit Ginstergebüsch bedeckten Ufer einen auf einer Schildkröte reitenden Schmetterling dar, der ein Bouquet trug, wohl um sich zu einem galanten Abenteuer zu begeben.

Um gerecht zu sein, muss man zugeben, dass nicht unsere Zeit allein solche Irrtümer begeht; die Kunstgeschichte weist genug Beispiele auf für ähnliche Sünden an dem Geschmack und der Vernunft. Schon im IV. Jahrhundert beklagt der Bischof Amasius die Thorheit, »soviel Geld für die Werke einer Kunst aufzuwenden, die mittels Gewebe die Malerei nachahmt. Wenn Leute mit so gewebten Stoffen bekleidet auf der Strasse erscheinen, sehen die Leute sie an wie »wandelnde Bilder« und die Kinder zeigen mit Fingern darauf. Man sieht auf diese Weise Löwen, Panther, Bären, Felsen, Bäume, Jäger. Besonders fromme Leute tragen auf dem Stoff ihrer Kleidung sogar Christum, die Jünger und die Darstellungen der Wunder. Man sieht die Hochzeit von Kana und die Krüge mit dem in Wein verwandelten Wasser, den Gelähmten, der mit seinem Bette davongeht, die Sünderin zu Füssen Christi oder den geheilten Lazarus.«

Wenn man diese Irrtümer gewähren liesse, so würde zwischen den Begriffen des eigentlichen »Teppichs« und des »Wandbehanges« die ärgste Verwirrung entstehen. Ihre Verschiedenheit ergiebt sich aus der Technik und der Bestimmung. Der Wandbehang wird durch Handarbeit ausgeführt, der Teppich auf mechanischem Wege, der Wandbehang hat die Wände zu schmücken, der Teppich den Boden, und es springt in die Augen, dass ein für vertikale Flächen berechneter Schmuck nicht für horizontale verwandt werden kann.

In seinen interessanten Aufsätzen über die »Esthétique des Arts Industriels« berührte CHARLES BULS, der jetzige Bürgermeister Brüssels, unser Thema: »Es ist besser«, sagt er, »rein aus der Phantasie genommene Ornamente anzuwenden, als Bilder des menschlichen Körpers oder von Tieren u. dgl., deren genaue Formen wir kennen. Der Teppich ist gewissermassen ein Mosaik aus Fäden, er muss also dekorativ sein, breite Flächen darstellen und darf nicht versuchen, Reliefs nachzuahmen, wie es die Malerei vermag.« Und weiter: »Die Dekoration der Gewebe ist den allgemeinen Regeln des Ornaments unterworfen und die Schönheit des Ornaments ist von der richtigen Verwendung seiner Hauptfaktoren abhängig: Wiederholung, Wechsel, Unterbrechung u. s. w. Auf die Art des Ornamentes hat die Bestimmung des Gewerbes grösste Wichtigkeit. Wenn das Gewebe als Teppich

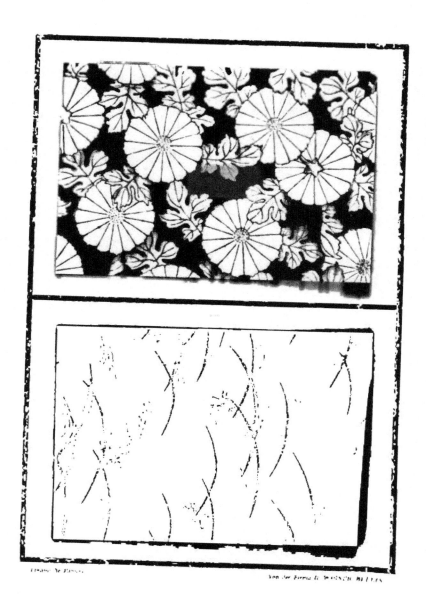

FRANK BRANGWYN

Aus L'ART NOUVEAU, Paris

O. ECKMANN

Gewebt in Scherrebeck

101

MODERNE TEPPICHE

Karton v. A. JORRAND, ausg. d. O. CRONIER   Hohenzollern-Kaufhaus H. HIRSCHWALD, Berlin

verwandt wird, darf das Ornament nicht den
Fuss zurückstossen dadurch, dass es Reliefs
darstellt. Das Gewebe an den Wänden darf
diese nicht zu durchbohren scheinen dadurch,
dass es tiefe Perspektiven darstellt, sondern
muss so dekoriert sein, dass den Wänden der
Charakter ihrer einheitlichen festen Fläche
gewahrt bleibt.« (Les Tissus. Revue de Bel-
gique, juillet 1876.)

Und man kann zur weiteren Bekräftigung
noch den Namen EDGAR POË's anrufen, für
den der Teppich die Seele des Zimmers ist
und der in seiner »Philosophie de l'Ameuble-

ment« als erstes Gesetz dafür aufstellt: »deut-
liche Hintergründe, scharfe, kreisförmige Zeich-
nung, ohne jede Bedeutung«. Er fügt hinzu:
»Die Geschmacklosigkeit der Verwendung von
Blumen oder anderen natürlichen Bildern
sollte innerhalb der Grenzen der christlichen
Welt verpönt sein. Ob es sich um Teppiche,
Vorhänge, Wandbekleidung oder um Stoffe
für Sessel handelt, jeder Gegenstand dieser
Art sollte nur mit Arabesken geschmückt sein.«

Ich will hier nicht im einzelnen vorführen,
was die neue Kunst im Teppichwesen in England, Frankreich, Belgien, Deutschland und

Karton v. A. JORRAND, ausg. d. O. CRONIER   Hohenzollern-Kaufhaus H. HIRSCHWALD, Berlin

102

G. LEMMEN

103

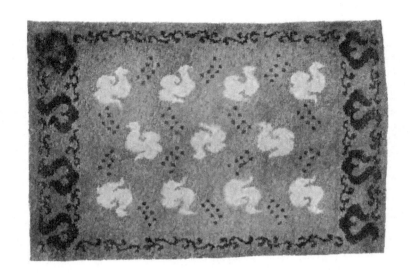

G. LEMMEN

104

FRANK BRANGWYN   Aus L'ART NOUVEAU, PARIS

anderen Ländern hervorgebracht hat. Die hier beigefügten Reproduktionen besorgen das selbst und sind leicht auf Grund meiner Darlegungen zu beurteilen. Aber ich kann unter ihnen wenigstens den Namen eines Künstlers nicht mit Stillschweigen übergehen: des Holländers COLENBRANDER, der, nachdem er früher die beste Keramik der Fabrik von ROZENBURG gemacht hat, sich jetzt ganz der Teppichkunst widmet und mit demselben Erfolg. Seine Teppiche (ausgeführt in der AMERSFOORT'schen Tapijtfabriek im Haag) sind weder barock, noch gehören sie der Malerei, und sie erinnern ebensowenig an die unvergleichlichen Muster der Perser oder Chinesen. Ihre Zeichnung ist lediglich aus genialen, geometrischen Kombinationen gebildet, von unendlicher Mannigfaltigkeit und kann als Vorbild für das richtige Verständnis für die Dekoration und die denkbar grösste Annäherung an das gesteckte Ziel gelten. Seine Farben fügen hierzu den Wert einer gediegenen Prachtwirkung.

COLENBRANDER scheint mir heute der persönlichste Neuerer auf unserem Gebiet und zwar ein Neuerer auf den engen Pfaden der gesunden Tradition.

In neuester Zeit hat sich, ebenfalls im Gebrauchsteppich, der Engländer FRANK BRANGWYN mit seinen Arbeiten für L'ART NOUVEAU hervorgethan, die koloristisch höchst interessant sind und auch in der rein flach-ornamentalen Zeichnung, die mir nur zu-

weilen noch ein wenig zu kompliziert erscheint, den Erfordernissen des Gewerbes genügen.

DIE SCHMUCKKÜNSTLER BELGIENS:
GEORGES LEMMEN

Der Besucher der letzten Brüsseler Kunstausstellungen, der die ausserordentliche Thätigkeit, die sich auf allen Zweigen der dekorativen Kunst regt, konstatieren konnte, wird bei dem Gedanken erstaunen, dass all dieses neue Leben, all diese Werke, alle Anstrengungen, um die gewerbliche Kunst wieder zu beleben, noch nicht zehn Jahre zurückreichen. Wenn man die Kataloge der Ausstellungen von den letzten zehn Jahren durchblättert, findet man immer wieder dasselbe Schema, eine Abteilung für Malerei, eine für Skulptur, eine für die graphischen Künste und eine für Architektur. Aber nicht nur in den offiziellen Ausstellungen fehlte der Platz für die Werke der angewandten Kunst, selbst die Salons der Jungen, derselben Leute, die in der Malerei und Bild-

hauerei so revolutionär wie nur möglich vorgingen, verrieten dieselbe Gleichgültigkeit gegen das der Vergessenheit überlassene Gebiet. Wohl gab es in Brüssel eine Société des Arts décoratifs, aber die war nichts als ein Ableger Pariser Tapeziere. Man findet keinen Künstler von Bedeutung in ihren Katalogen, und ihre Werke verrieten nichts als die bewusste schlechte Nachahmung alter Formen gemäss den Wünschen der Kunden, für die sie gemacht wurden.

Woher die plötzliche Veränderung? Woher kommt es, dass sich jetzt in Belgien keine Ausstellung öffnet, die nicht den angewandten Künsten besondere Abteilungen anweist? Woher der plötzliche Umschwung in den Werken der gewerblichen Künste und im Publikum, das ihnen die grösste Aufmerksamkeit zuwendet? Woher diese neuen Bedürfnisse und dieser neue Geschmack?

England, das nicht nur da, wo der Sinn für das Milieu noch vorhanden war, erfrischend gewirkt hat, sondern auch den Ländern, wo jenes Gefühl für die Schönheit des Milieus ganz erstorben war, neues Leben gegeben hat, das England der BURNE JONES und MORRIS war auch bei uns der Befruchter. Seine Eroberung wurde für uns zur grössten Wohlthat; der grosse Erfolg seiner Werke hob nicht nur den Geschmack im Publikum, sein grösster Erfolg lag bei den Künstlern, denen es die Rückkehr zur Anwendung der Kunst lehrte.

Natürlich hatte auch bei uns der englische Einfall seine schlimme Seite; wie bei jeder Kunst, die Mode geworden ist, so gab es auch bei uns Leute in Menge, die sich nicht be-

gnügten, England zu studieren, sondern es einfach nachmachten und so eine Menge unbrauchbaren Materials zur Welt brachten. Aber der englische Einfluss traf auch auf tüchtige Künstler, ja er fand bei ihnen zu allererst fruchtbaren Boden, sie waren die ersten, die Englands Bedeutung anerkannten und oft verkündeten. Aber weil sie begabt

waren, nahmen sie von dem Fremden nur die Lehre an, die weit entfernt, ihnen zu schaden, nur dazu diente, ihre Persönlichkeiten zu entwickeln.

Unter ihnen befand sich der Künstler, von dessen Werken ich heute berichten will.

GEORGES LEMMEN debutierte, wenn ich mich recht erinnere, im Salon Brüssels vom Jahre 1884, und sein erstes Bild war ein Porträt. Es bleibt nur wenig Biographisches über ihn zu berichten. Er beteiligte sich nacheinander an zwei Brüsseler Malervereinigungen, dem ESSOR und den XX und beschickte, nachdem sich die XX aufgelöst hatten, regelmässig die Ausstellungen der LIBRE ESTHÉTIQUE. Seine

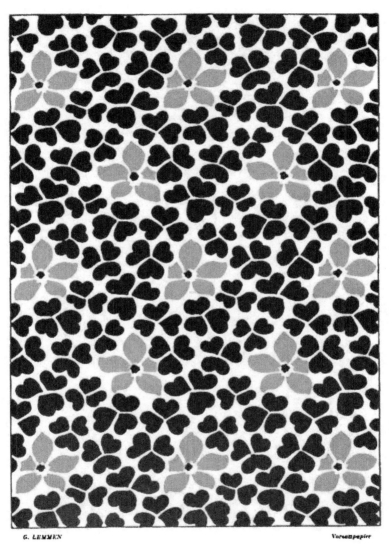

G. LEMMEN

Vorsatzpapier

107

r

G. LEMMEN   Entwurf für ein Kissen

Intérieurs hervor. Als in Brüssel und im Ausland die ersten Ausstellungen der angewandten Künste veranstaltet wurden, erschien er mit seinen Teppichen, seinen Kissen und Stickereien, seinen Kupferarbeiten, Fayencen und Glasmosaiken, Buchumschlägen und Vorsatzpapieren. Selbst in dieser Zeit, während er ganz von seinen gewerblichen Arbeiten beansprucht schien, vernachlässigte er nicht seine Porträtkunst und zuweilen geschah es, dass er auf derselben Ausstellung, in der seine Teppiche zu sehen waren, in der Abteilung Malerei mit Porträts vertreten war.

Diese künstlerische Doppelseele ist nicht ohne Interesse, weil in den Eigenheiten, die LEMMEN's Porträts auszeichnen, dieselben Vorzüge zur Geltung kommen, die den Wert seiner gewerblichen Arbeiten ausmachen.

Was verlangt ein Porträt, um sich von einem anderen Gemälde zu unterscheiden? — Grösste Gewissenhaftigkeit, skrupulöse Genauigkeit, Sicherheit in der Zeichnung, vollkommene Beherrschung

ersten Bildnisse zählten zu den besten der belgischen Schule; daneben trat er mit interessanten Studien des Nackten und feinen

G. LEMMEN   Vorsatzpapier

108

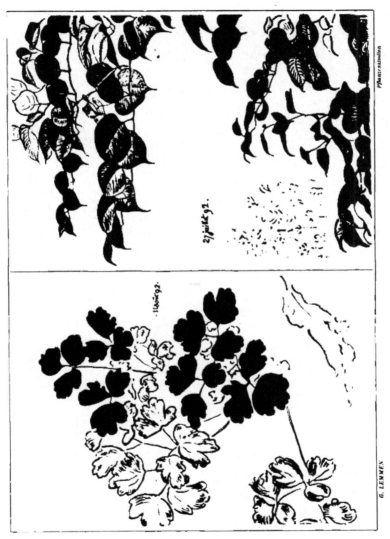

G. LEMMEN

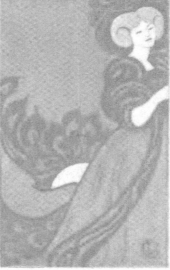

G. LEMMEN — Plakat

der Farbenharmonie. LEMMEN hat alles das. Er besitzt jene Gewissenhaftigkeit, die mit derselben Liebe das einzelne behandelt, mit der das ganze entworfen ist. Was bei seinen dekorativen Werken zuerst in die Augen springt, ist die bewundernswerte Festigkeit seiner Zeichnung. Er gehört nicht zu denen, die sich von ihrem Bleistift verführen lassen; nichts bleibt dem Zufall; er weiss, was er will, vorher und erreicht es auf Anhieb. Damit verbindet sich eine immer scharf umrissene Originalität, die stets derselben Person gehört und trotzdem sich nie in den verschiedenen Gebieten seines gewerblichen Schaffens wiederholt, sondern sich jedesmal ihren Gesetzen anpasst.

In den Motiven, die er zum Schmuck verwendet, zeigt sich seine Stärke am deutlichsten: es sind wirkliche, nicht nur dem Namen nach Schmuckmotive. Zu oft begegnet man heutzutage gewerblichen Dingen, die direkt aus der Malerei übertragen sind. Es sind keine Bucheinbände, Muster für Tapeten und Stoffe u. s. w., als die sie verzeichnet stehen, sondern Bilder, die sich hinter gewerblichen Namen verstecken. Anders bei LEMMEN. Er versteht jenen entscheidenden Gegensatz zwischen der Zeichnung des Bildes und der der reinen Dekoration, die vollkommene Verschiedenheit der Stil-

begriffe, die das Wesen dieses Gegensatzes ausmachen. Zur Fläche gehört das Ornament, keine modifizierte Blume, keine auf irgend etwas Körperhaftes schliessende Darstellung, sondern eine Linie, die aus der Fläche nichts anderes machen will, als sie ist und immer nur sein kann: Ebene.

LEMMEN ist in erster Linie Teppichkünstler; gerade beim Teppich springt die Notwendigkeit dieser klaren Vorstellung von der Bedeutung des Ornamentes in die Augen. LEMMEN setzt das selbst eingehend in seinem Aufsatz über Teppiche in diesem Heft auseinander.

Diese vorwiegende Befähigung für sein Spezialgebiet verrät sich bei LEMMEN auch da, wo er in anderen Gebieten auftritt; in seinen Plakaten, unter denen das für die DEKORATIVE KUNST das letzte ist — dem Princip entsprechend eine rein ornamentale Verwertung der Schrift — in seinen Vorsatzpapieren und Buchumschlägen, vielleicht selbst sogar in seinen Metallarbeiten: es sind immer möglichst breitflächige Motive, wie sie am besten zu Teppichmustern verwandt werden.

Das schmälert durchaus nicht den Wert dieser Arbeiten, im Gegenteil, es giebt ihnen stets eine eigenartige Nuance.

Was mir an LEMMEN's gewerblichen Arbeiten nicht am schlechtesten gefällt, ist das freiwillig Konventionelle

110

an ihnen. Ihre Originalität springt nie in die Augen, aber erobert sich um so sicherer den Liebhaber; sie steht immer im Bann einer gewissen Konvenienz, die mit jedem wirklich dekorativen Werk notwendigerweise verbunden erscheint. Wer dekorative Werke zu unmittelbaren Niederschlägen seiner Natureindrücke machen will, begreift nicht, worin das Wesen des Dekorativen besteht, dass die Natur stets das Leben will, während die

Kunst des Schmuckes stets die Bewegung des Lebens zu vermeiden sucht.

Ich hoffe, genug gesagt zu haben, um das Eigene in LEMMEN's Werken zu bestimmen. Die Abbildungen der von ihm gefertigten Gegenstände und die Ornamente auf Seite 106 werden das übrige thun, und hoffentlich erblickt dann der Leser mit mir in LEMMEN einen der begabtesten und tüchtigsten Kämpfer für unsere neue Kunst.

O. G. DESTRÉE

G. LEMMEN   Vorsatzpapier

KÜNSTLERISCHE VORSATZ-PAPIERE

Nur das ordentlich gebundene Buch verdient eigentlich Buch zu heissen. Der wirkliche Bücherfreund erkennt die anderen überhaupt nicht an.

JOHANNES TROJAN hat in seiner einfachen und geraden Weise sehr hübsch darüber geschrieben (in seinem Vers- und Prosabuch »Für gewöhnliche Leute« — Verlag von FREUND

& JECKEL, Berlin): »Es ist natürlich, dass, wer überhaupt Bücher liebt, auch auf ihr Äusseres Wert legt. Ungebundene Bücher sind für jeden derartigen Menschen ein Greuel. Sie stehen zwischen den ordentlich angezogenen umher wie Männer in Hemdsärmeln. Noch mehr Verdruss aber als die broschierten bereiten die sogenannten kartonierten Bücher, welche den Anspruch erheben, ordentlich gekleidet zu sein und es doch nicht sind, sondern den Eindruck von Leuten machen, die mit

111

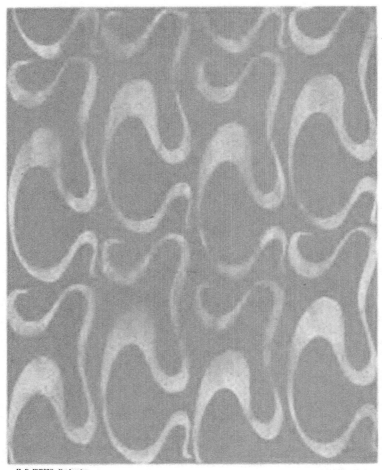

E. R. WEISS, Karlsruhe   Vorsatzpapier

112

KÜNSTLERISCHE VORSATZPAPIERE

G. LEMMEN   Kissen

Papierwäsche und in karriertem baumwollenem Sommeranzug in eine anständig gekleidete Gesellschaft hineingeraten sind. Aber von allem das Greulichste sind die Bücher in den modernen, fabrikmässig hergestellten Kattun-Einbänden, welche nach etwas aussehen, aber möglichst wenig kosten sollen. Dabei kommt alles zu Tage, was Geschmacklosigkeit in Verbindung mit Armseligkeit leisten kann.

Zum ordentlich gebundenen Buche gehört aber nicht bloss saubere und dauerhafte Ausführung des Einbandes und ein geschmackvoll überzogener oder sonstwie geschmückter Deckel aus entsprechendem Stoffe, sondern auch ein schönes Vorsatzpapier, wenn der Vorsatz nicht gar mit Seide oder Leder zu beziehen ist, wie es bei ganz prächtigen und vornehm ausstaffierten Büchern geschieht.

Den Vorsatz eines Buches kann man als das Verbindungsglied zwischen dem Buchblock und dem Buchdeckel bezeichnen. Der weisse Vorsatz ist einfach ein Bogen Papier, den der Buchbinder vor den Titel und hinter den Schlussbogen des Buches klebt. Von ihm ist nichts weiter zu verlangen, als dass er genau von der Farbe des Textpapieres sei. Ursprünglich liess man sich wohl an diesem weissen Vorsatz genügen, bald aber fühlte man, dass zwischen Deckel und Buchblock eine Überleitung statthaben müsse. Gleich nach einem gepressten dunklen Lederdeckel mochte man nicht gerne auf leeres helles Papier stossen. So kam man darauf, auch den inneren Deckel zu schmücken,

und, indem man dies that, ergab sich sofort die Notwendigkeit des entsprechenden Schmuckes für die Seite des Vorsatzes, die sich an den inneren Deckel anschliesst. Das Ganze aber, die Bekleidung des inneren Deckels und der ihm folgenden Vorsatzseite, ist nun der bunte Vorsatz, den man noch als Spiegel und fliegendes Blatt gesondert bezeichnet, indem unter Spiegel die Bekleidung auf der Deckelseite verstanden wird, unter dem fliegenden Blatt aber die der eigentlichen Vorsatzseite.

Aus dem Wesen des bunten Vorsatzes als einer Überleitung vom Buchdeckel zum Buchblock ergeben sich die Grundforderungen, die man an die Art seines Schmuckes zu stellen hat. Es ist klar, dass der Schmuck des Vorsatzes in einem gewissen Verhältnis zu dem des Deckels stehen muss. Ist dieser reich, bunt, von einem ausgeprägten Stile, so muss auch der bunte Vorsatz entsprechend sein; auf einen etwa mit Ledermosaik vielfarbig ausgelegten Deckel von orientalischem Geschmacke kann unmöglich ein graues Vorsatzmuster in stilisierender Linienführung folgen. Indessen darf der bunte Vorsatz doch auch nicht mit dem Deckel rivalisieren wollen. Er soll den Charakter, den Stil mit ihm gemeinsam haben, aber es muss ein Gradunterschied zwischen beiden bestehen; der Vorsatz muss diskret etwas zurücktreten.

Dies sind die allgemeinen Grundforderungen, die natürlich ebensowohl dann gelten, wenn ein bestimmter Künstler den Gesamtschmuck eines bestimmten Buches übernimmt, wie dann.

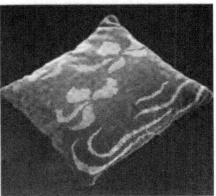

G. LEMMEN   Kissen

123

wenn der Buchbinder aus der Menge des vorliegenden, nicht für einen bestimmten Fall hergestellten Materials seine Auswahl für die Ausstattung irgend eines Buches trifft.

Für den Künstler, der sich mit der Aufgabe beschäftigt, ein bestimmtes Buch in seiner Gesamtheit schmückend auszustatten, ergeben sich noch folgende weitere Fragen. Zuerst die Technik. Radierung und Stich wird ohne weiteres entfallen, nicht allein, weil der Kupferdruck für diesen Zweck zu kostspielig ist, sondern vornehmlich deshalb, weil der dekorative Zweck hier mit den Mitteln der

der Vorsatz nicht zum Textteile des Buches selber gehört, sondern ein Gebiet für sich ist, auf dem alle anderen Techniken dem Holzschnitte ebenbürtig sind. Gerade auch die Lithographie mit ihren verschwimmenden Tönen wird hier häufig besonders glückliche Anwendung finden, sie, die dem Eindrucke jener mit Vorliebe und mit Recht gerne zu Vorsatzzwecken verwandten Marmorier- und Kammpapiere am nächsten kommt. Natürlich bleiben auch für die Wahl der Technik die bereits festgestellten Grundforderungen der Ästhetik des Vorsatzpapieres bestehen.

Eine weitere Frage für den Künstler, der ein bestimmtes Buch zu schmücken hat, ist die, ob er auf den Inhalt des Buches Rücksicht nehmen soll oder nicht. So gestellt, ist die Frage eigentlich müssig, denn es versteht

anderen graphischen Künste und Buntpapiertechniken leichter und schöner zu erreichen ist. Dass Reliefdrucktechniken und Prägungen gleichfalls nicht in Betracht kommen, versteht sich von selbst, denn diese Techniken sind im Inneren eines Buches immer unangebracht. Es bleiben also in der Hauptsache der Holzschnitt, die Steinzeichnung und jene spezifischen Buntpapiertechniken übrig, mit denen die marmorierten und Kammpapiere hergestellt werden. Von den mechanischen Reproduktionsarten kann nur der Behelf für den Holzschnitt: die Strichätzung in Betracht kommen, denn die Autotypie mit ihrem Netzhintergrund verbietet sich wegen ihrer Stilwidrigkeit von selbst, ganz abgesehen davon, dass sie unter allen Umständen ein glattes Papier verlangt. Im übrigen besteht kein Grund, irgendwelche Technik als schlechthin ungeeignet zu bezeichnen. Man möchte vielleicht anfangs geneigt sein, dem Holzschnitt vor allen anderen den Vorzug zu geben, indem man von der zweifellos richtigen Anschauung ausgeht, dass der Konturenholzschnitt, als von welchem hier natürlich immer nur die Rede ist, wegen seiner Stilverwandtschaft mit dem Schnitte der Buchdruckertypen die eigentliche Buchschmucktechnik ist und bleibt, indessen man vergisst dabei, dass

sich ohne weiteres von selbst, dass Inhalt und Schmuck im Einklange stehen müssen. Fasst man die Frage aber in der Richtung, inwieweit sich der Künstler dem Inhalte anzuschmiegen habe, so ergeben sich Gesichtspunkte von wesentlicher Bedeutung für dieses ganze Gebiet überhaupt.

Nichts liegt näher (weil nichts einfacher ist), als dass der Künstler versucht, mit seinem Schmucke auch ausserhalb des Textes den Inhalt zu illustrieren. Aber wie wir es heute schon nicht mehr gerne sehen, wenn im Text dem Leser jene üblichen Illustrationen stehen, die dem Leser die Freiheit der eigenen Vorstellung nehmen und sich doch nur in den allerseltensten Fällen mit den Vorstellungen so des Verfassers wie des Lesers decken, so wollen wir auch und erst recht keine Illustrationen ausserhalb des Textes. Und in diesem Falle nicht

*bloss aus den eben angedeuteten Gründen, son-
dern aus einem sehr berechtigten Stilgefühl, das
auch hier Zweckmässigkeitsgefühl ist. Dekoration soll nicht illustrieren, der Aussenschmuck
soll den Inhalt nicht vorwegnehmen; er soll
höchstens andeuten, hinleiten, vorbereiten.
Daraus ergiebt sich in erster Linie der Grundsatz, dass alles illustrativ Figürliche möglichst
zu vermeiden ist, und dass das rein Ornamentale, die ausdrucksvolle Schmucklinie oder
die stimmungentsprechende Farbe, beides vielleicht vereint, das günstigste Mittel ist, ästhetischen Reiz mit Stimmungsvorbereitung zu
verbinden. Das Vorsatzpapier ist gewissermassen die Tapete des Buches, wie der Deckel
seine Façadendekoration ist. Wie es aber geschmacklos wäre, wenn eine Tapete etwa das
Porträt des Zimmerinhabers zum Motiv hätte
oder seine Lebensgeschichte erzählte, so ist es
stilwidrig und geschmacklos, wenn der Vorsatzschmuck den Inhalt des Buches deutlich
illustriert. Im günstigsten Falle hört es dann
direkt auf, Vorsatz zu sein und wird ein
Illustrationsblatt, das sinnloserweise einmal
vor und einmal hinter dem Text steht. In
den allermeisten Fällen aber wird es ein un-
erquickliches Zwitterding sein. Man kann
sagen: völlige Neutralität, die, ohne jeden auch
nur andeutungsweisen Bezug auf den Inhalt,
sich darauf beschränkt, bezuglos zu schmücken,
ist immer noch sehr viel besser, als plumpe
Illustrationstendenz. Auch vor der billigen
Verwertung von Emblemen aus dem Bereiche
des Inhalts wird sich ein Künstler von Geschmack hüten, und, wenn er es nicht thut,
wie z. B. WALTER CRANE in der Vorsatz-*

G. LEMMEN

*zeichnung zu seinen Pan-Pipes, wird er von
dem Vorwurf nicht frei bleiben, dass er es*

G. LEMMEN

KÜNSTLERISCHE VORSATZPAPIERE

VAN DE VELDE

Buchbindern nur jene fabrikmässig hergestellte Marktware zur Verfügung steht,
die mit ganz wenigen Ausnahmen jedes
wirklich ästhetischen Reizes entbehrt, weil
sie kein künstlerisches Gepräge hat. Selbst die
heutigen Kammpapiere stehen nicht mehr auf
der Höhe des Geschmackes wie die aus früheren
Zeiten, doch muss man ihnen immer noch den
Vorzug vor den zeichnerisch gemusterten geben,
die, abgesehen von der Trivialität und Klein-
lichkeit in ihren Linien, auch farbig von einer
vollkommenen Nüchternheit oder Geschmacklosigkeit zu sein pflegen. Hier ist also wieder
ein Gebiet, das geradezu auf die Künstler wartet.
Die Fabrikanten von Buntpapieren werden
zweifellos gern nach dem offensichtlich besseren
greifen, wenn es ihnen nur angeboten wird
und in jenem Sinne ästhetisch ist, der die
Zweckmässigkeit als Grundbedingung achtet.
Aber nicht bloss die Buntpapierfabrikanten
werden es den Künstlern Dank wissen, die sich
auf dieses Gebiet wagen, sondern es werden
sich bald auch die unter den Bücherfreunden
als Auftraggeber einfinden, die ihren Büchern
gerne eine persönliche, einheitliche Ausstattung
geben und ihnen nicht bloss durch ihr Ex
libris ein Eigentumszeichen verleihen wollen.

sich leichter gemacht hat, als
es seiner würdig ist. Hat der
Künstler Geist genug, dass er es
wagen kann, im rein Dekorativen
gleichzeitig einen Wesensabschein
des Buchinhaltes zu geben, so wird
er, eben als Künstler von Geist, alle
billigen und plumpen Mittel, die
als Anleihen aus der Requisiten-
kammer des Textes wirken können,
verschmähen und den inneren Einklang mit dem Inhalte durch Mittel
erreichen, die lediglich seiner
Kunst angehören.

In den allermeisten Fällen wird
der Künstler, der sich auch mit
diesem Gebiete des Buchschmuckes
beschäftigt, gar nicht in die Ver-
suchung kommen, illustrieren zu
wollen, denn es wird meistens so
sein, dass er nicht das Vorsatzblatt für ein bestimmtes Buch,
sondern Vorsatzpapiere überhaupt
macht, die dann zur beliebigen Verwendung durch den Buchbinder
in den Handel gebracht werden.
Leider beschäftigen sich jetzt nur
noch sehr wenige Künstler mit
Arbeiten dieser Art, und ganz besonders wenige in Deutschland.
Die Folge davon ist, dass den

CHARLES RICKETTS, London

116

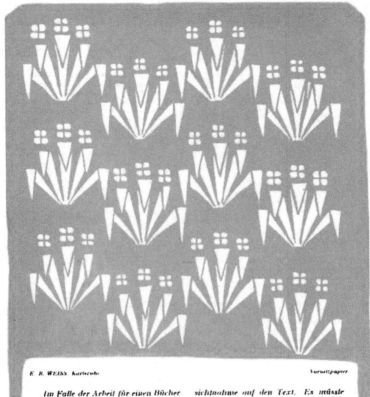

E. R. WEISS, Karlsruhe   Vorsatzpapier

Im Falle der Arbeit für einen Bücher
freund wird sich alles einzelne aus dem
Zusammengehen der Wünsche des Auf-
traggebers mit dem Geschmacke und den Fähigkeiten des Künstlers ergeben. Hier kann z. B.
auch eine Vereinigung des Vorsatzschmuckes
mit dem Ex libris stattfinden, und hier nähert
sich die Aufgabe des Künstlers überhaupt wieder
der vorhin betrachteten, wo ein bestimmtes Buch
in Frage stand. Denn natürlich würde ein
verständiger Bibliophile dem Künstler, der ihm
die Vorsatzpapiere macht, auch den Deckelschmuck der Bücher seiner Bibliothek an-
vertrauen, und es entfiele nur völlig die Rück-
sichtnahme auf den Text. Es müsste
durchaus neutraler Schmuck geschaffen
werden.

Dieser Punkt ist in erster Linie massgebend für die Arbeit zu Fabrikationszwecken.
Das Ornamentale wird hier völlig zur Bedingung, es sei denn, dass der Künstler von
vornherein nur eine bestimmte Art von Büchern
im Auge hätte, z. B. Kinderbilderbücher, wo
entsprechend Figürliches wohl angebracht sein
könnte; aber derlei wird eine seltene Ausnahme sein. Im allgemeinen bleibt die rein
dekorative Linie, das Muster in einer oder
mehreren Farben, das empfehlenswerteste. Im

117

KÜNSTLERISCHE VORSATZPAPIERE

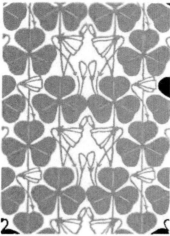

LUCIEN PISSARRO

einzelnen entscheidet des weiteren alles der künstlerische Geschmack. Dass dieser dann willkommener sein wird, wenn er dem Wunsche der Zeit nach eigenem Ausdrucke entspricht, als wenn er überkommene Formen ohne Selbständigkeit wiederholt, braucht nicht betont zu werden.

Aus dem Zweckwesen des Vorsatzpapieres ergeben sich nun noch folgende Punkte: Zuerst ist das Format und damit die Grösse der Linienführung zu bedenken. Es wird sich empfehlen, hierin einige Beschränkung wollten zu lassen und das Durchschnittsformat unserer Bücher im Auge zu behalten. Ein Vorsatzpapier ist keine Zimmertapete, und nicht alle Bücher haben Lexikonformat. Dagegen wird auch von vortrefflichen Künstlern, wie sich später bei der Betrachtung der hier wiedergegebenen Muster zeigen wird, zuweilen verstossen. Eine allzu grosszügige Linienführung wird, auf kleinere Formate zugeschnitten, immer verhältnislos wirken. Es geht das verloren, was ein gutes Vorsatzmuster mit in erster Linie haben muss: eine in sich geschlossene Flächenwirkung. Auch die Zeichnung eines Vorsatzpapieres, mag dieses auch ohne Rücksicht auf den Abschluss der Linien beschnitten werden, muss gut im Raume stehen. Das richtige wäre, wenn der Künstler bei jeder Zeichnung

eines Vorsatzblattes genau an das Buchformat, ob Quart, Oktav u. s. f., dächte, auf das es zugeschnitten werden darf. Auf die gedrückte Winzigkeit der heute üblichen Muster wird ein wirklicher Künstler dabei auch beim Hinblick auf die kleinsten Formate nicht verfallen.

Mit der Frage des Formates hängt die der Berandung zusammen. Im allgemeinen werden auslaufende Muster vorzuziehen sein, die zu grossen Blättern zusammengefügt werden können und die nicht an Wirkung verlieren, wenn sie beschnitten werden. Blätter mit strenger Umrandung wird man in der Hauptsache nur im Hinblick auf ein bestimmtes Buch herstellen.

Für die Farbe der Vorsatzblätter, die nicht im Anschluss an einen bestimmten Buchdeckel gemacht werden, muss der Grundsatz gelten, dass sie eher diskret, als zu lebhaft sein darf. Denn man muss im Auge behalten, dass unsere Bucheinbände in der Mehrzahl dunkel sind, und von diesen dunklen Einbänden

E. R. WEISS, Karlsruhe

118

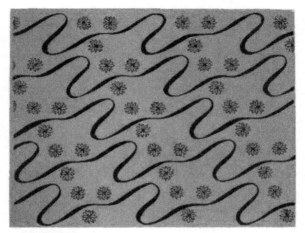

E. R. WEISS, Karlsruhe

TURBAYNE, London

soll ja der Vorsatz auf das helle Papier des Textes überleiten. Indessen will das nicht besagen, dass die farbige Ausdruckslosigkeit der unkünstlerischen Vorsatzpapiere das richtige träfe. Ein künstlerisches Vorsatzblatt wird auf eine Flächenwirkung ausgehen, an der Farbe und Linie gleichmässig beteiligt sind. Dabei ist aber zu bedenken, dass diese Flächenwirkung nicht wie bei der Tapete einen verhältnismässig entfernten Standpunkt des Beschauers zur Voraussetzung hat, sondern dass sie bei Betrachtung aus nächster Nähe eintreten soll. Alles Unruhige, Fleckige wirkt hier doppelt fatal.

Es wurde eben darauf hingewiesen, dass die Rücksicht auf die meist dunklen Einbände unserer Bücher dazu zwingt, allzu lebhafte Farben zu vermeiden. Dieser Zwang wird wohl noch eine Weile fortbestehen, indessen darf gehofft werden, dass, wenn in den Vorsatzschmuck doch mehr und mehr die Lust des künstlerischen Sinnes an lebhafter Farbigkeit eindringt, auf diesem Wege auch der Buchdeckelschmuck farbig beeinflusst werden wird. Der Schmuck des Buchdeckels und des Buchvorsatzes bedingen einander, aber dabei muss der Deckel nicht immer der ausschlaggebende Teil sein. Es ist auch das umgekehrte Verhältnis denkbar, und bei der Thatsache, dass sich bei uns immerhin noch mehr Künstler mit dem Vorsatzschmuck beschäftigen als mit der Deckelausstattung, ist es sogar wahrscheinlich, dass das künstlerische Gepräge der Vorsatzpapiere den Geschmack der Deckeldekoration beeinflussen wird. Die Frage des Buchdeckelschmuckes soll in späteren Heften eingehender behandelt werden; in diesem Zusammenhange gebührt nur dem Umstande Erwähnung, dass in manchen Fällen dasselbe Muster, das für den Vorsatz verwendet wird, auch den Schmuck des Deckels ausmacht, hier nur noch durch eine besondere Rückendekoration gehoben. Diese Kombination findet man zuweilen bei modernen englischen Pappbänden, wo es aber auch vorkommt, dass ein vorsatzartiges Muster den Deckel schmückt, während der Vorsatz selber weiss bleibt.

Ein Hinweis darauf, dass der auf diesem Gebiete thätige Künstler gut thut, auch den Stoff nicht ausser zu lassen, auf dem, und die Farbart, mit der sein Muster gedruckt werden soll, ist zuguterletzt deshalb nicht unnötig, weil die Künstler meist an kostbareres Material zu denken pflegen als die von Natur praktischeren Fabrikanten.

* \
* * \
*

Nach diesen Betrachtungen allgemeiner Natur mögen einige Bemerkungen zu den hier ent-

KONGSTAD RASMUSSEN

weder im Original oder in verkleinerten ein-
farbigen Abbildungen wiedergegebenen Vor-
satzmustern am Platze sein.

Die schönen japanischen Muster (s. Beilage),
die wir dem Inhaber der WAGNER'schen Kunsthandlung in Berlin, Herrn HERMANN PACHTER
verdanken, sind ursprünglich nicht als Vorsatzpapiere gedacht, können aber sehr wohl
zu Vorsatzzwecken benutzt werden. Herr
PACHTER hat sie in einem japanischen Muster-
buche für Stoffdruck entdeckt und in Japan
neu für sich schneiden und auf Papier drucken
lassen. Einige unter ihnen, so die auf grau-
blauem Grunde liegenden blauen, grünen, vio-
letten und rosafarbenen Chrysanthemen und
auch die weissen Margeriten mit grünen
Blättern auf schwarzem Grunde (es war nicht
möglich, jedem Hefte alle Muster beizukleben,

da das freundlichst zur Verfügung gestellte
Material nicht für die Auflage der »D. K.« aus-
reichte; von den zehn verschiedenen Mustern
konnte jedes einzelne Heft nur vier erhalten)
sind nur für Bücher grösseren Formates, lebhaften Deckelschmuck vorausgesetzt, verwendbar. Von den übrigen verdient das mit den
weissen Wasservögeln auf rosa Grund besondere Erwähnung. Hier ist Figürliches mit
erlesenstem künstlerischem Geschmack flächig
so verteilt, dass das Ganze trotz der reiz-
vollsten Mannigfaltigkeit feiner Details in Linie
und Farbe entzückend zusammengeht. Unsere
Ausschnitte geben nur ein Sechzehntel des köstlichen Blattes, auf dem sich nicht ein einziges
Detail wiederholt. Dieses Blatt wirkt, wie der
Verfasser ausprobiert hat, als Vorsatz vorzüglich. Ebenso das amüsante Muster mit
den schwarzen Fröschen auf
dem blauen, bunt mit Blättern überstreuten Wasser.
Es ist schlechthin musterhaft, wie hier aus vielen
Farben ein einheitlicher Ton
gewonnen ist. Das charak-
teristische der japanischen
Kunst, die Verbindung von
feinster Naturbeobachtung
mit der Fähigkeit, dekorativ
anzuordnen und stilistisch
zuzuspitzen, zeigt sich auch
in diesen schönen Blättern,
aus denen wohl einiges gelernt werden kann.

Die eigentlichen japani-
schen Vorsatzpapiere sind
für uns kaum verwendbar,
da sie auf ganz andere Formate berechnet sind und
auch sonst unserem Ge-
schmacke für diesen Zweck
nicht entsprechen. Es sind
meist Golddrucke und als
solche moderne Surrogate
für die alten Goldpuder-
papiere, wie sie, ausser zu
Vorsatzzwecken hauptsäch-
lich zum Bekleben der
Schiebethüren verwandt
warden.

Die Vorsatzpapiere von
LEMMEN bewähren die
bekannten Vorzüge dieses
Meisters der ausdrucksvoll
dekorativen Linie. Ihre
Muster sind auf Anein-
anderfügung zu grossen
Blättern berechnet, die in

DE BAZEL, Amsterdam

122

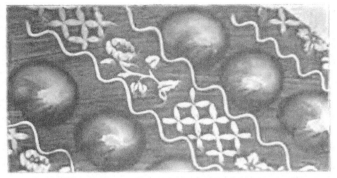

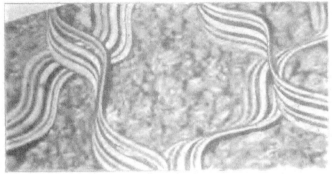

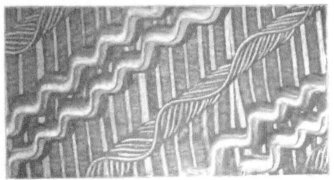

Altdänische Vorsatzpapiere

4*

Altdänisches Vorsatzpapier

später in einem Hefte veröffentlicht werden,
das ausschliesslich seinem reichen Schaffen
gewidmet sein soll.

Während diese belgischen Blätter dadurch
erhöhten praktischen Wert haben, dass sie
in grossen Bogen vorliegen, in denen sich
das Grundmuster fortlaufend wiederholt, so
dass sie nach dem jeweiligen Bedürfnis auf
entsprechende Formate zugeschnitten werden
können, stellen die beiden holländischen Blätter
in sich abgeschlossene Muster dar, die nur als
Einzelblätter in dem Formate, wie sie vorliegen, benutzt werden müssen. Das eine von
ihnen, im Originale von DIJSSELHOF in
Amsterdam in Holz geschnitten (Seite 121),
ist übrigens für ein bestimmtes Buch (»Kunst
en Samenleving«) hergestellt. Bemerkenswert
an diesem schönen Blatte ist, dass sich der
Schmuck des Spiegels und der des fliegenden
Blattes symmetrisch genau entsprechen. Der
Zwischenraum zwischen beiden kommt in den
Falz. Für gewöhnlich und zumal bei Blättern,
die nicht für ein bestimmtes Buch gemacht
werden, wird man auf diese genaue Symmetrie zwischen Spiegel und fliegendem Blatte
nicht Bedacht zu nehmen haben. Für die
Fälle aber, wo es geschieht, kann dieses
DIJSSELHOF'sche Blatt als musterhaft gelten.

der Farbe durchweg sehr zurückhaltend sind.
Immer nur zwei verwandte Töne, die nie grell
von einander abstechen. So wird die scharfe
Linienführung im Interesse des Gesamttones
durch die Farbe gemildert. Dadurch wird auch
das beträchtlich grosse Format in der Zeichnung
einiger dieser Blätter gewissermassen verdeckt,
und nicht ohne Absicht hat LEMMEN gerade
das grösste Muster einmal ganz blass gedruckt.
Immerhin werden die grossmustrigen Blätter
nur bei Büchern ausgedehnteren Formates zur
vollen Geltung kommen.

VAN DE VELDE's Muster (Seite 116) ist von
verwandter Art. Man kann ja überhaupt
bereits von einem modernen belgischen Orna-
mentalstil reden. Doch zeigt auch hier VAN
DE VELDE weicheren Duktus. Das Muster
liegt in zwei Drucken vor, einmal Gold auf
weiss, und einmal ganz zart gelbgrau auf
weiss. Die übrigen Vorsatzblätter dieses auf
allen Gebieten der dekorativen Kunst thätigen
Künstlers von vorbildlicher Bedeutung werden

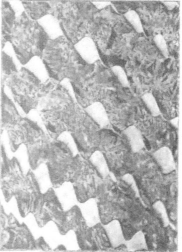

ANKER KYSTER, Kopenhagen

124

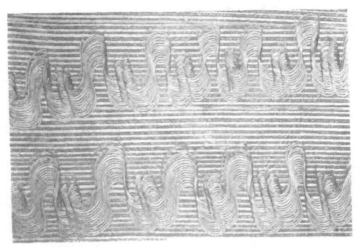

ANKER KYSTER, Kopenhagen

Altdänisches Vorsatzpapier

125

F. STUCK, München

Eine Stellung für sich nehmen die Papiere von ANKER KYSTER in Kopenhagen ein (s. Abbild.), Marmorier- und Kammpapiere, die dadurch künstlerischen Wertes sind, dass in ihnen eine gewöhnlich handwerksmässig geübte Technik (über die Herr A. K. in diesen Blättern selber berichten wird) durch Zuziehung eines Künstlers von Rang (BINDESBØLL) künstlerisch ausgenutzt erscheint. Leider lässt sich der Reiz dieser Blätter in Ätzungen auch nicht annähernd wiedergeben, da er noch mehr der Farbe als dem Schwung der Flächenformen angehört.

Immerhin aber lässt sich aus unseren Reproduktionen der grosse Unterschied erkennen, der zwischen diesen künstlerischen Blättern und den entsprechenden handwerksmässigen besteht. An welche Muster früherer Zeiten sie sich anlehnen, zeigen die Ätzungen auf Seite 123, 124 und 125, die nach alten dänischen Papieren dieser Art gemacht worden sind.

Für die ECKMANN'schen Blätter der gleichen Technik gilt dasselbe. Man kann auch bei ihnen aus den Reproduktionen keinen vollen Begriff ihres Reizes gewinnen, aber man wird doch mit Vergnügen sehen, wie selbst aus einer Technik, die viel mit Zufalls-

Es ist graucrème auf weiss gedruckt. — Das andere holländische Blatt, das von DE BAZEL in Amsterdam ist, (Seite 122) interessiert vornehmlich wegen seines Ornamentenstils, der deutlich kolonialen Einfluss zeigt. Da es in sich selber symmetrisch angelegt ist, erfordert es eigentlich ein Gegenblatt, in dem sich sein Muster in umgekehrter Reihenfolge wiederholt, so dass sich also dann wie bei dem DIJSSEL-HOF'schen Blatte der Schmuck des Spiegels und des fliegenden Blattes symmetrisch entsprächen. Man kann daraus ersehen, dass es nicht eigentlich praktisch ist, feste in sich symmetrisch geschlossene Muster zu zeichnen, die nur die eine Seite des Vorsatzes decken.

In sich streng symmetrisch, aber zur Deckung beider Vorsatzseiten bestimmt, ist das Blatt, das TURBAYNE in London für die Luxusausgabe der bei BLADES, EAST & BLADES erschienenen »Masterpieces of Art« gezeichnet hat (Seite 119). Bei ihm ist auf den Falz nicht durch einen freien Zwischenraum Bedacht genommen. Es ist im Originale in Gold auf weiss gedruckt.

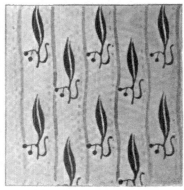

BASTARD, Paris

126

CHR. NEUREUTHER, Schlierbach b. W.

deutsamen Einklang zu bringen. PETER BEH-
RENS hatte in diesem Falle eine symbolisch
gehaltene Bühnendichtung lyrisch-phantasti-
scher Natur vor sich, von deren drei Bildern
jedes für sich ein eigenes Stimmungsgepräge
hat, das sich auf der Bühne auch äusserlich
durch eine beherrschende Farbe ausdrücken
soll. Der erste Akt, der die Stimmung des
müden Schmerzes, der Hingabe an ein allgemeines Wehegefühl hat, wird in allen Äusserlichkeiten von der grauen Farbe beherrscht; der
zweite Akt, der einen jachen Umschlag in den
äussersten Gegensatz dazu bringt, in die heisse,
herrische Begierde, mit allen Sinnen rücksichtslos in das stürmische Leben zu greifen, hat
als Grundfarbe gelb und gold; der dritte Akt,
der die schlichte Harmonie des unverbildet
natürlichen Menschen zeigen will, welcher
von der Verdrossenheit des Weltschmerzes
soweit entfernt ist wie von der leeren Genuss-
wut der seelenlosen Sinnlichkeit, zeigt blau
als Hauptfarbe. Man vergleiche mit dieser
andeutungsweisen Inhaltsangabe der Dichtung
das Vorsatzblatt, das PETER BEHRENS dazu
in Holz geschnitten hat, und man wird gestehen
müssen, dass ein vollerer und feinerer Ein-

erscheinungen zu rechnen hat, die Hand und
der Geschmack eines Künstlers Formenspiele
zu gewinnen weiss, die den künstlerischen
Sinn ihres Urhebers verraten.

Die Blumenleiste von KONGSTAD RAS-
MUSSEN (Seite 120) scheint nicht so sehr
für Vorsatzpapiere des gebundenen Buches,
als zum Schmucke jener schmalen Falzstreifen
bestimmt zu sein, die wir bei französischen
Broschüren zwischen dem Umschlagpapier
und dem Text finden. Diese Streifen, die
beim Einbinden des Buches natürlich fort-
fallen, mit Schmuck zu versehen, erscheint
eigentlich vom Überfluss, und nur bei Zeitschriften, deren Hefte längere Zeit ungebunden
aufbewahrt werden, bis ein Band vollständig
ist, wäre diese Falzstreifzierde verständlich.

Das schöne Holzschnittblatt von PETER
BEHRENS, das wir in Beilage wiedergeben,
verdient besondere Hervorhebung, und zwar
nicht allein seines ästhetischen Wertes,
seiner Geschmackseigenschaften wegen, sondern vornehmlich auch deshalb, weil es
in ganz ausgezeichneter Weise zeigt, wie ein
Künstler von Geist bei voller Einhaltung des
rein dekorativen Zweckes und ohne die leiseste
Abirrung in plumpe Illustrationssucht doch
im stande sein kann, ein Vorsatzblatt, das er
für ein bestimmtes Buch anfertigt, mit dem
Stoff und Wesensgehalte dieses Buches in be-

O. ECKMANN

127

KÜNSTLERISCHE VORSATZPAPIERE

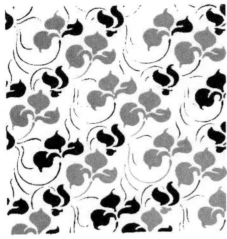

G. LEMMEN

und gesunden Zweckverstand. In den Originalzeichnungen steht das Muster mit den stilisierten Hunden schwarz auf rot, das mit den Wasservögeln schwarz auf braungrau, das mit den Bändern und Blumensternen schwarz auf weiss und die beiden übrigen schwarz auf hellblau.

Das FRANZ STUCK'sche Vorsatzblatt, von dem wir auf Seite 126 eine Hälfte wiedergeben und das dem bei DR. E. ALBERT & CO. in Münchenerschienenen STUCK-Werk entnommen ist, verdient unser besonderes Interesse einmal deshalb, weil wir in ihm die erste derartige Arbeit eines modernen deutschen Künstlers vor uns haben, und dann wegen der glücklichen Idee, das Verlagszeichen auf dem Vorsatz anzubringen. Diese Manier verdient Nachahmung, doch sollte dann auch immer, wie bei dem STUCK-Werk, Vorsatz und Deckelschmuck genau zu einander passen. Der ganz ungewöhnliche Sinn STUCK's

klang zwischen Text und Dekoration nicht zu denken ist. Linie und Farbe sind an diesem herrlichen Ergebnis gleich beteiligt. Die von der Hand des Künstlers selber hergestellten Abzüge zeigen seine farbigen Absichten natürlich noch vollkommener, als die in der Maschine hergestellten.

Die auf den Seiten 112, 117, 118 und 119 wiedergegebenen Zeichnungen sind die Arbeiten eines jungen deutschen Künstlers, E. R. WEISS, der auch sonst schon hervorragende Begabung für den künstlerischen Buchschmuck (Couvertüren, Zierstücke u. s. f.) an den Tag gelegt hat. Auch diese Zeichnungen für Vorsatzblätter, die billig auf mechanischem Wege vervielfältigt und zu grösseren Bogen zusammengesetzt werden können, verdienen es, praktische Verwendung zu finden. Wie alle Arbeiten dieses in immer aufsteigender Entwickelung begriffenen Talentes, dessen Namen sich alle Unternehmer auf dekorativem Gebiete merken sollten, zeigen auch sie feinen Sinn für den Geist der Linie, anmutige Erfindung

E. LAMMERT, München   Vorsatzpapier für eine Mappe

128

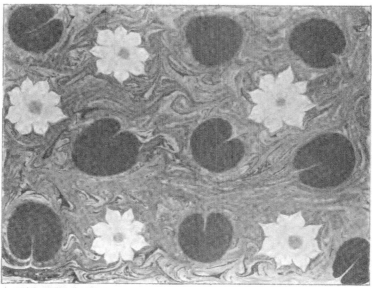

ANKER KYSTER, Kopenhagen

für den Stil der lateinischen Renaissancetype und seine geschmackvolle Sicherheit, Typographisches anzubringen, bewährt sich auf diesem Blatte bestens, wo Typen und Ornament organisch so schön zusammengehen, wie man es bei modernen Arbeiten nur ganz selten findet. Auf die Arbeiten von PISSARRO, RICKETTS, BASTARD, LAMMERT, NEUREUTHER, kommen wir gelegentlich in anderem Zusammenhange zurück.

OTTO JULIUS BIERBAUM

GRABMALSKUNST

Auf dem Gebiete der Kunstgeschichte sind wir längst gewöhnt, als einen wesentlichen Faktor zur Charakterisierung eines Volkes und seiner Kunstentwickelung die Art zu betrachten, wie es seine Toten begräbt. Neben dem Bedürfnis der Gottheitsverehrung weckt der Drang, das Gedächtnis eines Verstorbenen festzuhalten, zuerst die edleren Gestaltungstriebe der Menschheit, und so erzählen uns die Felsengräber der Phönizier, die Terrassenmonumente der Perser und die Pyramiden der Ägypter vielleicht am meisten vom Fühlen und Wollen ihrer Erbauer und deren Zeitepoche.

Je komplizierter die Kulturverhältnisse werden, umso mehr andere Kunstfaktoren treten gleichwertig neben die Grabmalskunst in die Schranken, aber eine spezielle Bedeutung bleibt ihr doch in allen Zeiten erhalten: sie beschäftigt sich im Gegensatz zur Kunst der Kirche und des Staates mit dem Individuum; keine andere Kunstbethätigung kann so deutlich zu uns reden vom Gemütsleben des Einzelwesens, sei es nun, dass derjenige, der ein Denkmal errichtet, wirklich den Toten damit zu charakterisieren versucht, sei es, dass er eigentlich sich selber damit zur Geltung bringen will.

140

richten, aus üppigem Grün hervortauchend, von einem vergangenen Geschlecht, das seine Empfindungen mit einer gewissen Absichtlichkeit zum Ausdruck brachte, aber es waren doch Empfindungen. Der zweite Garten ist schon gemessener; das Material ist ärmlicher geworden und die Bildhauer-Arbeiten sind kärglicher, aber noch immer treten uns persönliche Züge trotz aller Unbeholfenheit entgegen. Der dritte Garten reicht in unsere Tage herein: das Material ist reicher geworden, es blinkt uns oftmals glänzend poliert entgegen, aber die Bildhauer-Arbeit ist durchweg verschwunden; derselbe Stein kehrt wieder einmal, zweimal, zehnmal, und streckenweise gleicht die Gräberreihe nichts anderem, als einem steingewordenen Adressbuch. Die Zeit der Fabrikarbeit ist angebrochen; das Individuum des ausführenden Arbeiters ist verschwunden, und mit ihm ist auch das Individuum des Toten, dem seine Arbeit gilt, verloren gegangen.

Wir dürfen das historische Bild, das einst die Grabmalskunst unserer Zeit bieten wird, gerechterweise nicht nach dieser Schilderung bemessen. Auch in den historischen Epochen, auf die wir jetzt bewundernd blicken, ist das

Diese Bedeutung hat die Grabmalskunst auch heute nicht verloren, und wenn wir uns bemühen, das steinerne Kapitel unserer modernen Kulturgeschichte zu lesen, das auf unseren Friedhöfen geschrieben steht, so können wir manch ernstes Wort daraus vernehmen.

Wie sehr der Friedhof auch heute ein Volk charakterisiert, wird man am deutlichsten gemerkt haben, wenn man in fremdem Lande den Gottesacker betreten hat. Wer hätte nicht im Camposanto zu Genua etwas vom ruhmredigen Pathos des Italieners, auf dem Père-Lachaise etwas von der konventionellen Wohlanständigkeit der Franzosen und auf dem Friedhof in Wien etwas von der koketten Eleganz des Österreichers gespürt? — Weit schwerer ist es, im eigenen Vaterlande die Runen richtig zu lesen.

In Leipzig liegt, von wenigen beachtet, mitten in dem vom Verkehr entstelltesten Teile der Stadt der alte Johannisfriedhof. Er zerfällt in drei aneinander gereihte, hofartig abgeschlossene Gärten, deren jeder gleichsam eine Generation repräsentiert. Der erste Garten ist ein Stück unverfälschter Poesie; liebevoll, oftmals phantastisch ausgebildete Steine be-

130

Mittelgut durchweg verschwunden, und wir
mustern vor allem die Höhen, die aus dem
Sand der Zeit hervorragend bestehen bleiben.
So wird es unserer Zeit auch dereinst ergehen,
und da werden sich manche schöne Einzel-
werke echter Künstler auf unseren Friedhöfen
finden. Was aber unsere Verwunderung hervorrufen muss, das ist die Thatsache, dass
der Prozentsatz, den diese echte Kunst der
niedrigsten Massenware gegenüber ausmacht,
so gering ist, und dass all jene Zwischen-
stufen fehlen, die den Einzelwert des Kunstwerkes gar nicht beanspruchen und doch
einen Hauch von Kunst in ihrer Gestaltung
zeigen.

Bescheidene Gräber mit einfachen Tafeln
wird es immer geben, sie können durch die
liebevolle Innigkeit, mit der sie geschmückt
sind, oftmals die besten Trostpunkte auf einem
modernen Friedhof ausmachen; von ihnen
sprechen wir nicht, wir sprechen von jenen
zahlreichen Grabmonumenten, die einen reichen

Aufwand von Mitteln zeigen und jeden Funken
von Gefühl dabei vermissen lassen. Wäre
dem Beschauer nur das Bewusstsein dieses
Aufwandes erspart, die Sache würde weit
weniger schlimm sein. Hier aber liegt einer
der Hauptschäden unserer Friedhofskunst:
was sie an Gemüt nicht besitzt, sucht sie
durch Material zu ersetzen, — ihr schlimmster
Feind ist der polierte Granit, der das
Charakteristikum des modernen Friedhofs
anderen Zeiten gegenüber ausmacht. Gäbe
es keinen polierten Granit auf der Welt,
unsere Kirchhöfe würden weit erträglicher
aussehen. — Nicht nur, dass das Material
an sich der zarteren künstlerischen Behandlung
widerstrebt und dadurch eine Phantasielosigkeit der Form von selber heranzieht, nein,
selbst geschickt behandelt ist es einer wärmeren
intimen Wirkung kaum fähig, sondern gesellt
zur Phantasielosigkeit meist den Ausdruck
des Ruhmredigen und Gefühllosen. Niemals
kann solch ein Monument im Lauf der Zeit
mit der Natur zusammenwachsen, was selbst
dem ärmlichsten Stein seinen Reiz verleiht,
unantastbar und naturfremd bleibt es in seinem

F. SCHUMACHER, Leipzig

auf unseren Gräbern, aber auf diese kostspielige Art von Gebilden, die man meistens auch vom eigentlichen Grabmal loslösen und in ein Museum stellen könnte, kommt es nicht in erster Linie an; der Künstler muss ein Schaffen lernen, das eng und untrennbar mit der architektonischen Gestaltung des Grabmals verbunden ist, ein Schaffen, das dekorativ wirken will.

Eine schöne kunstvolle Schrift, ein eigenartig behandeltes Wappen, ein ornamentales Friesband, eine stilisierte Blume, das sind Dinge, die auch einfachen Gräbern einen künstlerischen Reiz und ein eigenes Gepräge geben können, aber es gibt nicht viele, die diesen Reiz beherrschen; die unbeeinflusste Behandlung einer komplizierten Figur gelingt manchem Bildhauer leichter, als das feinfühlige Anpassen an einen bestimmten Gesamtwillen, das selbst das bescheidene Ornament erfordert, wenn es gut wirken soll.

Zu dieser ornamentalen Plastik muss weit mehr echter Künstlergeist herangezogen werden. Wenn uns aber dieser Geist zum Schmuck unserer Friedhöfe zur Verfügung steht, dann wird sich auch ganz von selber eine grössere

F. SCHUMACHER, Leipzig

hohlen Glanze und so stehen sie denn da auf unseren Gräbern, die Obelisken, Kreuze und Sarkophage, die Sarkophage, Kreuze und Obelisken und bisweilen schaut eine antikisierende Ädicula dazwischen heraus oder eine Blüte auf reinlich poliertem Sockel. — Wenn man das Geld, das hier zum geistlosen Polieren des Steines verwandt wird, anwenden wollte, um Stein mit künstlerischen Gedanken zu beleben, ein wie reiches Feld für das Schaffen unserer Künstler würde eröffnet werden.

Gerade hier, wo ein nie versiegendes, wirkliches Bedürfnis der Kunst entgegenkommt, ein Bedürfnis, das man nicht erst erzieherisch zu wecken braucht, steht ein Gebiet für die dekorative Kunst offen, wie es kaum ein zweites gibt. Der Künstler wird es sich allerdings nie in grossem Umfang erobern, wenn sein Streben nur darauf geht, Grabfiguren zu machen. Es gibt ja sehr schöne Engel, Genien, Porträts und allegorische Gestalten

132

143

GRABMALSKUNST

F. SCHUMACHER, Leipzig

fühl hat er auch der Grabmalskunst gegenüber. Gehen wir deshalb auf die hergebrachten religiösen Symbolformen nur dann zurück, wenn wirklich im eigenen Geist oder im Reflex der Persönlichkeit, der das Grabmal gilt, etwas liegt, was diese Religionssprache nicht zur blossen Phrase werden lässt. — Es gibt so viel Ausdrucksnüancen in der Kunst, die einem Grabmal den Stempel des Heiligen und Weihevollen geben können, die vom Mystischen des Todes, von der Liebe der Mitmenschen und der Hoffnung jedes Menschenherzens reden, dass wir nicht jener Ausdrucksmittel bedürfen, falls wir nichts bei ihnen empfinden.

Hier jeweilig die Form zu finden, die dem dunklen Gefühl entspricht, das ist die Aufgabe des Künstlers, und diese Aufgabe ist gross und verlockend, weil vielleicht nirgends sonst so eindrucksvoll wie in der Grabmalskunst das philosophische Bedürfnis, das jedem fühlenden Menschen innewohnt, mit dem künstlerischen Ausdruck zu ringen vermag.

Und es ist seltsam, oftmals kann die Architektur eine verständlichere Sprache zu uns reden als die illustrierende Plastik, ebenso wie die Musik oft mehr zu sagen versteht, als die Philosophie.

FRITZ SCHUMACHER

Mannigfaltigkeit in der Gesamtgestaltung unserer Denkmäler entwickeln. Wir werden schon im Entwurf freier werden in der Art des Ornamentierens, wir werden uns loslösen von der Schablone der schulgerechten Gesimsformen, die so ertötend auf die künstlerische Phantasie wirkt, wir werden lernen, auch ohne Gesimse und ohne grossen Statuen-Aufwand dem Ausdruck zu geben, was wir darstellen wollen. Dann wird die Sprache des Gemütes, die uns jetzt nur so selten auf dem Friedhof entgegentönt, weil allgemeiner wiedergefunden werden. Und darauf allein kommt es an.

Der menschliche Instinkt hat in der Baukunst ein gar feines Empfinden für das, was wirklich aus dem Gemüt hervorgegangen ist. Er fühlt es deutlich, ob beispielsweise ein Gotteshaus aus einem frommen, gläubigen Sinn erstanden ist, oder aus dem Geist religiöser Gleichgültigkeit, der aus den meisten modernen Kirchenbauten so ertötend herausschaut, — und dasselbe fein scheidende Ge-

KORRESPONDENZEN

NÜRNBERG — Das Bayerische Gewerbemuseum eröffnet eine Sonderausstellung von Erzeugnissen des modernen Kunstgewerbes, welche bis Mitte Dezember den Nürnbergern eine willkommene Gelegenheit bietet, durch zahlreiche Ankäufe ihr Interesse für diese Arbeiten zu bethätigen. Sendungen, die für diese Ausstellung bestimmt sind, sind zu frankieren und für Platzmiete der Betrag von M. 10.— pro Quadratmeter zu entrichten. Das hat leider eine Anzahl Künstler abgehalten, sich zu beteiligen, andere wiederum, wie ECKMANN, VON GOSEN, KORNHAS, WILHELM sind vertreten. Herr DR. PAUL RÉE, der Bibliothekar des Bayerischen Gewerbemuseums, wird an der Hand dieser Ausstellung eine Serie von öffentlichen Vorträgen auf dem Gebiete des Kunstgewerbes halten.

133

Wir können die Beteiligung an dieser Ausstellung bestens empfehlen und sind gern bereit, Anmeldungen und dergl. zu vermitteln.

PARIS — *In dem Salon des ›Figaro‹ ist am 15. November von A. MARTY, dem Direktor des Artisan Moderne, eine Ausstellung eröffnet worden, die sich besonders der Weihnachtsbedürfnisse annimmt oder vielmehr der Étrennes, der Neujahrsgeschenke. Wenn man an die Geschmacklosigkeiten denkt, die die Fabrikation der Bonbonnièren u. s. w., all der kleinen Artikel, in die zur Weihnachtszeit eine Unsumme Geld angelegt wird, hervorbringt, kann man sich nur freuen, dass auch in dieses Gebiet künstlerischer Geist einzudringen beginnt. Die Ausstellung, die übrigens am 1. Dezember nach Berlin — in den Kunstsalon von KELLER & REINER — gelangt, enthält reizende Bonbonschachteln nach Zeichnungen von VALLOTTON und BELVILLE, Schreibmappen und Buchhalter von den beiden Nancyer Künstlern MARTIN und PROUVÉ, Photographiesländer in gehämmertem Kupfer von JACQUIN, Blumentöpfe von DELAHERCHE, ein Schreibzeug von NOCQ, eine Vase von CHARPENTIER-BIGOT, Rauchkasten von BELVILLE und vieles andere. Es sind keine Gegenstände von grossen Prätentionen, es ist mehr oder weniger Spielerei, aber es ist wenigstens Geschmack dabei, künstlerischer Sinn und gediegene Ausführung. Wir bilden einen Deckel eines Bonbonkastens von VALLOTTON ab. Die Zeichnung ist vollkommen in Einlage-Technik mit hübsch zu einander getönten Hölzern ausgeführt, also ohne jede Malerei. In derselben Technik ist der in der Zeichnung ebenfalls von VALLOTTON stammende Buchaufschneider hergestellt, den wir gleichfalls abbilden. — MARTY gab früher die Estampe-Originale heraus, die berühmte Sammlung moderner Originaldrucke; jetzt macht er es ebenso mit modernen gewerblichen Dingen ein Zeichen der Zeit. Wie die Gravüren werden auch diese gewerblichen Gegenstände nur in 100 Exemplaren hergestellt. ● In der rue Caumartin wird demnächst*

VALLOTTON
Papiermesser

134

die diesjährige Ausstellung PLUMET's und seiner Freunde eröffnet, auf die wir zurückkommen werden. ● In der École Normale d'Enseignement du Dessin der rue Vavin, einer bisher von der Stadt unterstützten Privatzeichenschule unter Direktion des Architekten GUÉRINS, in der GRASSET seine Vorträge hält und MERSON seine Schüler zu sentimentalen Banalitäten, die dekorativ sein sollen, abrichtet, sind gegenwärtig Arbeiten der Schüler GRASSET's ausgestellt. Man konstatiert mit Unbehagen das Umsichgreifen dieses Stils, der noch keiner ist, erst einer werden will und zu nichts weniger geeignet ist, als zu Schüler zu machen. Was bei GRASSET talentvoll und interessant, ja relativ wertvoll erscheint, insofern als man mit Recht oder Unrecht hoffen kann, dass er aus der gegenwärtigen Halbheit — zwischen Malerei und Ornament — herauskommt, wird bei den Schülern, die diese Phase als das einzig Erstrebenswerte ansehen, unerträglich. Es gehört gar zu wenig dazu, die nun einmal festgesetzte Methode derber Stilisierung natürlicher Dinge zu erlernen, und so sammelt sich denn eine Herde von Künstlern beiderlei Geschlechts um den Mann, der etwas Besseres verdiente, als diese Art Schule zu machen, die eine fleischgewordene ewige Kompromittierung bedeutet. Diese Leutchen machen Einbände, keramische Sachen, Holzarbeiten, Lederarbeiten, wer weiss was alles, d. h. immer wohlverstanden nur die Zeichnung dazu, was den Wert dieser Vielseitigkeit ungemein reduziert. Denn es handelt sich ihnen nur darum, die einmal sanktionierte Methode auf alle möglichen und unmöglichen Gebiete zu übertragen, dieselbe Blume auf dem Buch, auf dem Topf, an der Wand, am Möbel anzubringen. Von irgend einer zweckentsprechenden Differenzierung des Ornamentes war nur bei den Arbeiten eines Fräulein WINTERWERBER etwas zu entdecken, die Talent zu haben scheint. ● Das Maupassant-Denkmal ist jetzt im Parc Monceau aufgestellt und neulich enthüllt worden und sieht dort besser aus, als im Champs de Mars, freilich ohne besser geworden zu sein. -γ-

NANCY — *Die Nancyer Künstlergruppe, mit Ausnahme EMILE GALLÉS, hat hier eine gewerbliche Ausstellung eröffnet, über die wir eingehend berichten werden.* -γ-

WIEN — *Unsere Kunstgewerbeschule, oder wie der volle Titel dieser Anstalt lautet, die SCHULE DES ÖSTERREICHISCHEN MUSEUMS FÜR KUNST UND INDUSTRIE hat im Laufe dieses Monats die Ausstellung der Schülerarbeiten abgehalten. Zu loben waren nur die Arbeiten des Spitzenkurses und die der Ciseleurschule, alles übrige stand tief unter der holdesten Mittelmässigkeit. Aller Augen sind nun auf den neuernannten Direktor des Museums, Hofrat A. V. SCALA, gerichtet und man hofft von ihm, dass unter seiner Ägide neues Leben am Stubbenring erwachen wird. Hofrat V. SCALA war noch vor kurzem Direktor des Handelsmuseums, das er zurhohen Blüte gebracht hat. War doch für uns dieses Museum eine Art L'ART NOUVEAU und SCALA unser BING. Ein guter Anfang ist bereits zu verzeichnen: an Stelle der vom Museum herausgegebenen Mitteilungen tritt vom Januar 1898 an eine reichillustrierte Monatsschrift in Folio, betitelt: »Kunst und Kunsthandwerk« in die Öffentlichkeit. Leiter und Herausgeber ist A. V. SCALA selbst. Eine Probenummer gelangt schon im November zur Ausgabe. - Die erste Veranstaltung des neuen Direktors war eine Ausstellung von Werken LOUIS C. TIFFANY's. Sie stammen aus den Glashütten dieser Kunstanstalt und geben Zeugnis von einer ausserordentlichen Technik und von der Höhe des amerikanischen Kunstgeschmackes. Bemerkenswert ist, dass unsere Presse es nicht der Mühe wert findet, auf die Wichtigkeit dieser Arbeiten hinzuweisen und so geht diese Ausstellung im Publikum spurlos vorüber. Was ist uns TIFFANY! Und dabei kommt dieser Reformator der Glastechnik zum erstenmale in das Bereich der schwarzgelben Grenzpfähle. Österreich hätte*

allen Grund, die Sache nicht auf die leichte Achsel zu nehmen, sondern angesichts der hochentwickelten, aber leider im Stillstand befindlichen Glasindustrie Nordböhmens den Konkurrenten von der andern Seite der grossen Pfütze scharf zu beobachten. Einmal aus dem Sattel gehoben, kommen wir nicht sobald wieder hinein. Die Direktion hat es leider verabsäumt, die Preise zu den einzelnen Stücken hinzuzufügen, die doch zur Wertschätzung dieser Kunst von grosser Bedeutung sind. Das Bewusstsein, dass diese Objekte einen ausserordentlichen Geldwert besitzen, soll in das Volk dringen, um auf diese Weise

VALLOTTON, Paris   Deckel einer Bonbonnière

dem ausübenden Kunsthandwerker Lust zur Arbeit und dem Käufer Freude am Besitz zu machen. Denn bei TIFFANY ist nicht nur die Kunst imponierend, sondern auch die Preise sind es. — Der rührige Kunstsalon ARTIN hat gelegentlich seiner SLEVOGT-Ausstellung, die er im Gartenbaupavillon veranstaltete, den Wienern zum erstenmale keramische Objekte der Künstlerfamilie V. HEIDER vorgeführt. Die Exposition vollzieht sich unter enormer Beteiligung des Publikums, welcher Erfolg nicht zum mindesten auf das Conto des ALFRED ROLLER'schen Plakates zu setzen ist, das sogar eine Zeitungskontroverse hervorgerufen hat. Für die Plakatkunst sicher ein grosser Erfolg. — Unsere Secession, die Vereinigung bildender Künstler

135

Österreichs, giebt von Mitte Januar n. Jahres ein Organ heraus, das sich »VER SACRUM« betitelt. Das neue Blatt wird unter anderem unsere angewandte Kunst vom modernsten Standpunkt vertreten. A. L.

HOKUSAI   Die Welle

DRESDEN — *Eine höchst interessante Darbietung im Dresdner Kunstleben war in diesen Wochen die von der* ERNST ARNOLD'*schen Hofkunsthandlung veranstaltete japanische Ausstellung, welche einer solchen von 1895 folgte und weil mannigfacher und lehrreicher war als jene. Mit grosser Sorgfalt und Sachkenntnis war eine Fülle ausgewählter Kunstwerke in Holzschnitt, Thon, Porzellan, Bronze, Eisen, Holz, Elfenbein, Lack u. s. w. zusammengebracht, die in der Art der Aufstellung auch sehr zu eingehenden Betrachtungen einlud. Die Perlen unter den Holzschnitten waren u. a. 6 Blatt von* MARONOBU, — *eine Kurtisane von* SHUNSHO, *eingehüllt in ein einfaches aber in kraftvollen schönen Linien stilisiertes Gewand, ferner zwei markante Schauspieler-Bildnisse von* SHARAKU, *die durch kräftige flotte Zeichnung besonders auffielen. Den grössten Gegensatz hierzu bildete die Darstellung einer jugendlichen Japanerin in kostbarem Gewande von* YEIRI. - - MASANOBU, HOKUSAI *und* UTAMARO *waren auch gut vertreten. Von dem letzteren eine Folge von der Seidenkultur in wundervollen Exemplaren komplett.* HIROSHIGE *zeigte seine Kunst in der Darstellung der Landschaft, seinen Vogelstudien u. s. w. Eine köstliche Sammlung von* SURIMONOS — *meist Metalldrucke (aus Dresdner Privatbesitz) — sowie 12* KAKEMONOS *vervollständigten das Bild der Japan-Drucke. Hervorzuheben ist hierbei, dass in der That sowohl im Sujet, wie in der Erhaltung gute Blätter ausgewählt waren. Sehr fein war die Sammlung des* JNROS *(Medizinbücher) in der je ein Exemplar eine besondere Technik charakterisierte. Das schönste der* NETZKE's, *ein kleines Nixchen, zeigen wir hier in einer Abbildung. Grosses Interesse bot sodann die Kollektion der Stichblätter und Messergriffe, die dank des Entgegenkommens eines Dresdner Sammlers ungemein reich ausgefallen war. Die ältesten Sägearbeiten in Eisen waren bis zu den verziertesten Exemplaren in Gold, Silber und*

Shakudo *(ein stahlblauschimmerndes, feines, goldhaltiges Metall) alle vertreten.* ● *Im königl. Kupferstich-Kabinett sind neben den Gravüren der drei Böcklin - Werke von Bruckmann neue Plakate ausgestellt, unter denen eigentlich nur die Anzeige eines Brüsseler Einrahmers von* THEO VAN RYSSELBERGHE, *sowie einige* »Harpers Magazine« *von E.* PENFIELD *Anspruch auf künstlerische Eigenart machen können. Das Weberplakat (für E. Hauptmanns Dichtung) von* EMIL ORLIK, *Prag, ist kraftvoll und von mächtiger Wirkung.* ● *Zwei von den grossen monumentalen Wandgemälden, die Professor* HERMANN PRELL *im Auftrage Sr. Majestät des Kaisers für den Thronsaal der deutschen Botschaft im Caffarellischen Palaste zu Rom gemalt hat, sind im grossen Saale des Sächsischen Kunstvereins ausgestellt. Die Motive zu diesen Gemälden hat Professor* PRELL, *der besonderen Vorliebe des Kaisers entsprechend, der altdeutschen Göttersage (Edda) entnommen.— Abbildungen, sowie eine ausführliche Besprechung von* DR. P. SCHUMANN *soll in der* »Kunst für Alle« *erscheinen, da hierbei doch mehr künstlerische als dekorative Interessen in Frage kommen.* ● *Das grosse Geschäftshaus des Apothekers* ILGEN, *erbaut von den Baumeistern* SCHILLING *und* GRÄBNER, *ist fertig und bildet nicht nur einen Schmuck des Pirnaischen Platzes, sondern der ganzen Stadt. Die Raumverteilung ist so modern wie möglich, die Kombination eines Cafés und Café Chantants mit Wohnräumen im selben Hause ist denkbar glücklich gelöst. In der Konstruktion überwiegt glücklicherweise das Eisen. In der rein künstlerischen Ausstattung aber, also in dem Schmuck, vermisst man das Moderne nur allzusehr. Dass die beiden Architekten auf den in Dresden typischen Stil Rücksicht genommen haben, vermag nicht darüber hinwegzuhelfen, dass Barock und*

HIROSHIGE   *Der Strudel*

Eisenkonstruktion zwei unvereinbare Begriffe
sind. Der von dem Bauherrn gewählte Name
•Kaiserhaus« kommt dieser falschen Prätention
nur allzusehr zu Hülfe.   G.

TOYOKUNI   *Krieger*

BERLIN — Die Gründung der Berliner
Kunsthandlung KELLER & REINER
schafft der modernen gewerblichen
Kunst eine neue und wichtige Stelle in unserer
Reichshauptstadt. Wohl hat schon das Hohenzollern-Kaufhaus, dank der umsichtigen
Leitung seines Gründers HIRSCHWALD, der
an der englischen Invasion in Deutschland
keinen geringen Anteil hat, die besten gewerblichen Gegenstände des Auslandes bei uns eingeführt, aber es fehlte bisher in Berlin an
einer Stätte, die diese Tendenz mit lediglich
künstlerischen Absichten durchführt, nicht
unter vielen schlechten Sachen wenig gute
verbirgt, sondern konsequent bestrebt ist, nur
das Beste zu zeigen und zwar nicht nur das
fremdländische, sondern auch das Werk des
eigenen Landes. Das versprechen uns KELLER
& REINER. Namentlich ihre Absicht, Kunst
und Gewerbe in geschlossenen Interieurs zu
vereinigen, verdient regstes Interesse. Der
neue Salon bringt gegenwärtig die MEUNIER-
Kollektion der Dresdener Ausstellung und ein
Zimmer VAN DE VELDE's; ausserdem am
1. Dezember eine Sonderausstellung des Pariser
Zinnkünstlers A. CHARPENTIER.

[Das Hohenzollernkaufhaus hat eine grosse Anzahl neuer moderner Möbel und Schmuckgegenstände — u. a. interessante belgische Sachen
— und keramische Arbeiten ausgestellt.

J. SATTLER, Berlin   Vignetten

YEIRI   Junges Mädchen

NEUE BÜCHER — Es liegen uns zwei interessante Werke vor, die zur gemeinsamen Betrachtung anregen, das eine: OUDE HOLLANDSCHE STEDEN AAN DE ZUIDERSEE bei DE ERVEN F. BOHN, dem tüchtigen Verleger des Gysbrecht von Aemstel von Derkinderen; das andere bei einem nicht weniger gut beleumdeten Berliner Verleger ähnlicher Richtung: J. A. STARGARDT, nämlich der II. Band des im Auftrage Heyls, von Boos geschriebenen und Sattler gezeichneten Werkes »DIE KULTUR DER RHEINISCHEN STÄDTE«, dessen I. Band in so kurzer Zeit vergriffen wurde, dass man sich zu einer zweiten Auflage entschlossen hat.

Beide Werke interessieren uns hier durch die Art ihrer Illustration. Sie haben ein

ähnliches künstlerisches Ziel: eine vergangene Zeit durch die Hand eines Künstlers unserer Tage neu zu beleben, oder sagen wir, für uns interessant zu gestalten. Beiden gelingt es. Das holländische Buch — eine moderne Illustration alter Stadtchroniken — hält sich lediglich an die Architektur, das deutsche zieht auch andere Faktoren der Zeit, vor allem die Menschen in seinen Gesichtskreis. Die Zeit ist bei beiden im wesentlichen dieselbe — die Gotik. — Hier fand Sattler sein Feld. Was so oft bei seinen Illustrationen moderner Bücher stört, seine bis zum Archaismus getriebene Vorliebe für die stolzeste Epoche unserer Vergangenheit, wird in diesem Werke zu einem geradezu einzigen Wertfaktor. Nur er konnte dies Werk, für dessen Veranstaltung man dem materiellen Veranstalter, Herrn v. Heyl, nie genug danken kann, vollbringen, hier hat seine Lust am Gotischen sich einmal ausgetobt. Man fühlt bei jeder Kleinigkeit, bei den Initialen, bei den reizenden kleinen Kopfstücken dieselbe Liebe, die er auf seine Vollbilder verwendet, Bilder, die seinen allerbesten Sachen gleichkommen, eben weil sie hier natürlich sind. Und es ist doch viel mehr als blosser Archaismus, was aus diesen Schwarz-Weiss-Bildern spricht. Man betrachte diesen Tod auf dem Floss in der weiten, weiten Ebene. Solche Weite hat keiner anno dazumal besessen, so hat niemand den Tod gesehen; diese künstlerische und geistige Perspektive ist modernes Werk. Was dem Werk den scheinbar wunderbar echten Lokalton giebt, ist die gotische Konvenienz, in der das Ganze verläuft, ein künstlerischer Wille, der sich dem alten Mittel unterordnet, um neuen Geist zu verbreiten, der, wie ein glänzender Schauspieler, neue Gefühle aus alten Tragödien zu zaubern weiss, den Wert des Alten umformend verdoppelt.

Ganz anders die jungen Holländer, Nieuwenkamp und Veldheer, die das Bohn'sche Buch gemacht haben. Sie sind modernerer Art. Auch sie verdanken dem Alten viel, vor allem

J. G. VELDHEER

Aus ·Oude Hollandsche Steden·

die Anregung für das Neue, aber sie stehen dem Alten objektiv gegenüber. Die Architekturen Nieuwenkamp's sind Eindrücke ganz moderner Augen, sie sehen nicht mit der Exaktheit, mit der Sattler empfindet, sie sehen auch nichts Altes hinein, sie geben lediglich den malerischen Effekt dieses köstlichen alten Gerümpels und möchten am liebsten etwas ganz anderes daraus machen; die Biegungen, Winkel, die Linien, die sie sehen, möchten sie anders biegen, anders winden; was gerad ist, krumm, was krumm ist, gerade machen. Worauf sie hinausmöchten, zeigen die rein ornamentalen Sachen des Buches von Veldheer. Das ist gar keine Gotik und gar nichts von dem reizenden Barock, das man in ein paar von den Architekturen findet; es sind haarscharfe, rein dekorative Arabesken, in erster Instanz überseeischer Herkunft wie die ganze moderne Ornamentik Hollands, aber so verarbeitet, dass sie wie ein Ausdruck unserer modernsten Bedürfnisse erscheinen.

Eines haben beide Bücher gemein, sie sind buchgewerblichen Ansichten entsprungen, zunftgemäss gemacht in gutem Sinne. Beide enthalten keine Gemälde als Illustrationen, sondern typographischen Schmuck und die Vollbilder in einer dem Buchdruck entsprechenden Technik, so dass sie auch nur wie grössere typographische Zeichen erscheinen. Der Holländer hat vor dem Deutschen voraus, dass der grösste Teil seines Bildwerkes — wie übrigens bei fast allen jungholländischen guten Druckwerken — in Holz geschnitten ist, während sich der Deutsche mit dem Zinkklischee begnügt. Man kann ungestraft die Liebe zu den Alten so weit treiben, sich ihrer Technik — des Holzschnittes — zu bedienen, der nie von dem mechanischen Verfahren erreicht werden wird.

oeben erhalten wir noch zwei neue deutsche Bücher, die, obwohl sie keinen Schmuck, keine Illustration enthalten, mindestens ebenso interessant sind. Zwei Bücher von ALFRED LICHTWARK in Hamburg; das eine: HAMBURG-NIEDERSACHSEN, das andere: BLUMENKULTUS — WILDE BLUMEN betitelt (Verlag von G. KÜHTMANN, Dresden, à M. 1.80). Sie repräsentieren sich nicht in dem bewussten flatterigen Papierumschlag, sondern im ge-

schmackvollen, rostfarbenen Leinenband, mit schwarzaufgedruckter Blumenvignette — von Eckmann vermutlich —, die den goldgedruckten Titel einschliesst. Endlich mal ein Autor, der seinen Verleger zu dem bringt, was sich in England und Amerika von selbst versteht: einem anständigen Buch dauerhafte Hülle zu geben! — Und man hat recht gethan; diese Bändchen verdienen häufiger als einmal ge-

lesen zu werden, man kann auf sie die vertraute Phrase unserer Weihnachtslitteraturkritiker anwenden: »sie sollten auf keinem Familientische fehlen!« — Dafür sind sie geschrieben; keine gelehrten Bücher, wie sie sonst wohl ein Museumsdirektor von sich giebt, sondern höchst einfache, höchst gediegene, höchst verständige und verständliche Worte. Das eine enthält Hausrezepte, nicht für den Magen, sondern für die Augen; es ergänzt des Verfassers reizendes Buch: MAKART-BOUQUET UND BLUMENSTRAUSS (Verlags-Anstalt F. Bruckmann A.-G.). Es handelt von den Blumen; was man mit ihnen machen soll, und was man nicht mit ihnen machen soll; Regeln für die Blumen am Fenster und im Garten, im Boden, im Topf und im Glase; Regeln, die sich für den verständigen Geschmacksmenschen von selbst verstehen, denen aber leider bei jeder Gelegenheit noch so oft unbewusst widersprochen wird, dass es sich wohl gelohnt hat, sie mal niederzuschreiben. Lichtwark verschweigt, dass die amerikanische Gartenkunst schon einen enormen Schritt über den Hamburger sogenannten englischen Stil hinausgethan hat, dass es (in Vasen und Gläsern in Belgien und England schon musterhafte, ganz billige Sachen giebt [für Vasen die Poterien von Finch — man kann Wasser hineingiessen! · für Gläser die Powell'schen und andere in London]). Der Autor, der diese Sachen so gut kennt wie wir, übergeht sie mit Absicht. Er sieht das Heil nicht im Ausland; der eigene Boden soll das Mittel bringen, das er braucht. Dieser streng nationale Standpunkt beherrscht die ganze Wirksamkeit Lichtwarks. Wir leiten

W. O. J. NIEUWENKAMP   Aus »Oude Hollandsche Steden«

141

ihn nicht; wir glauben, dass die nationalen Grenzen in künstlerischen Dingen heute andere sind als die politischen, dass ein gegenseitiges, intensives Durchdringen der speziell angewandt-künstlerischen Tendenzen dem Nationaleigentum des einen wie des anderen Volkes zum mindesten zum Vorteil gereichen kann, ja, dass hier bis zum gewissen Grade der Internationalismus nötig werden kann, der sich im Gewerbe und Industrie, die ihn direkt bedingen, als selbstverständlich erwiesen hat.

Aber wir achten diesen Standpunkt. Und relativ gedacht, ist bei der deutschen Sucht, das Ausland nachzuahmen — eine Tendenz, die in künstlerischen Dingen schlimmer ist, als das entgegengesetzte Prinzip — ein Mann doppelt wert, der selbst bis zur Einseitigkeit den nationalen Standpunkt nicht nur vertritt, sondern alle Mittel thatkräftig wirksam zu machen sucht, die ihn unterstützen können. Diese Wirksamkeit ist bei weitem schwieriger als immer auf das Ausland zu verweisen, wo die gebratenen Tauben herumfliegen, und bedingt, wenn sie nicht in Thorheit umschlagen soll, einen ganzen Mann.

In dem anderen Buche Lichtwarks beschränkt sich derselbe Standpunkt auf das dem Autor liebste Gebiet, sein Hamburg. Es

142

ist eine Art Kulturgeschichte Hamburgs, die er darin skizziert, wie man sie in den gelehrten Fachwerken, die von Städtegeschichte handeln, vergeblich suchen wird.

Aus den volkspsychologischen Elementen, aus den politischen und ökonomischen Faktoren analysiert oder synthetisiert er die gegenwärtigen Kunstverhältnisse Hamburgs, die, was das Vereins- und Museumswesen und alles das, was Staat und Publikum dazu thun können, anlangt, in Deutschland auf einsamer Höhe stehen. Man kann die Essenz des Buches auf den Autor selbst anwenden. Solche Einzelkräfte wie Lichtwark, denen eine freiere Staatsform grösste Wirksamkeit erlaubt, können in Hamburg mehr thun als ganze Ministerien anderswo. Hamburg ist zu gratulieren, dass es solche Menschen wie Lichtwark und Brinckmann zu finden — und zu halten versteht. Dies Buch sollte auf keinem Regierungstische fehlen.

Wir möchten dem Wunsche nach gedeihlicher Entwickelung, mit dem das Buch schliesst, die Überzeugung hinzufügen, dass eine Republik, die nur durch die praktische Einsicht und die Intelligenz ihrer freien Unterthanen zu dem Ehrenplatz •gleich nach den Königreichen• in der Ökonomie der Nation gelangt ist, auch im modernen Gewerbe, das vor allem schärfste Einsicht in den praktischen Wert der Dinge verlangt, nicht zurückbleiben wird. —Y-

DIREKTOR: C. R. ASHBEE

MOBILIAR — BELEUCHTUNGSKÖRPER — METALLGEGENSTÄNDE — SCHMUCK.

DIE GILDE VERANSTALTET IM DEZEMBER EINE AUSSTELLUNG IHRER ERZEUGNISSE BEI KELLER & REINER IN BERLIN W. 35, POTSDAMERSTRASSE 122.

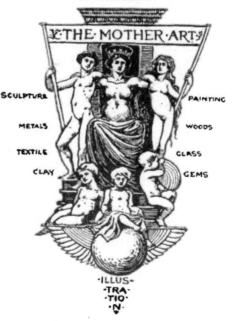

Für die Redaktion verantwortlich H. BRUCKMANN, München.
Verlagsanstalt F. Bruckmann A.-G., München, Kaulbachstr. 22. Druck der Bruckmann'schen Buchdruckerei, München.

DIE KÖNIGLICHE PORZELLAN-FABRIK IN KOPENHAGEN

VON
C. NYROP

Neues und Altes ringen gegenwärtig in wunderlicher Weise miteinander auf dem Gebiete der Kunst und der Kunstindustrie. »Die Kunst sinkt Tag für Tag«, ruft man von der einen Seite. »Jetzt erwacht die Kunst, eine neue, grosse Kunst«, so tönt es mit Begeisterung von der andern. Die ganze Bewegung ist merkwürdig plötzlich gekommen. Als BLANQUI im Jahre 1851 seine vortrefflichen Briefe über die erste Weltausstellung schrieb, sah er in Russland, Amerika und Australien die Zukunft, in Indien, China und der Türkei die Vergangenheit. Von Japan spricht er gar nicht, und doch lag ein bedeutendes Stück Zukunft in diesem damals so fernen Lande. Nicht zwanzig Jahre später entdeckte man erst mit Erstaunen, dann mit Bewunderung Japans feine, fesselnde Kunstarbeiten. Japan ward nachgeahmt. Dieser Japanismus war aber nur ein Übergangsglied. Die Liebe zur Natur, die aus der japanischen Kunst atmet, verbreitete sich wie ein befreiender Hauch. Das Naturstudium erweckte die Phantasie unserer Künstler, so dass sie anfingen, nach freier, grosser Schönheit zu streben. Man drehte den alten Stilarten den Rücken.

Der frische Strom war jedoch nicht lauter Harmonie. Es fanden sich darin wunder-

liche, ja wilde Einfälle. Es bildeten sich Urteile für und wider, die leidenschaftlich gegen einander kämpften. In der dänischen Kunstindustrie kam dieses auf der nordischen Ausstellung in Kopenhagen 1888 zum Vorschein.

Der Mann, der bei dieser Gelegenheit als Leiter auftrat, der jetzige Etatsrat PHILIP SCHOU, sah die Zukunft der dänischen Industrie in der Entwickelung der dänischen Kunstindustrie; es ist daher natürlich, dass man auf dieser Ausstellung diejenigen dänischen Künstler, die von den neuen Strömungen berührt waren, auch als Aussteller in der Abteilung für die Industrie findet. Die Ausstellung hatte sie veranlasst, sich zusammenzuschliessen, und sie stellten gemeinschaftlich unter dem Namen »der Dekorationsverein« aus. Die von ihnen ausgestellten Arbeiten verursachten einen überaus hitzigen Kampf, der sogar seine Spuren in grossen europäischen fachlichen Zeitschriften hinterliess. Während ein französischer Kritiker in der »Gazette des beaux arts« von »dieser jungen, vergnüglichen Kunst« spricht, braucht BRUNO BUCHER einen so starken Ausdruck wie »Schauderkammer«, wenn er die Ausstellung des Vereins erwähnt.

Unter den in dem Dekorationsverein ausstellenden Künstlern befand sich eine ziemlich grosse Anzahl Keramiker, wie THORVALD BINDESBÖLL, NIELS SKOVGAARD, JOACHIM SKOVGAARD u. a., von deren Hand man jetzt eine Reihe vorzüglicher Arbeiten in dem Kopenhagener Kunstindustriemuseum sehen kann. Solche Arbeiten, wo der Künstler der einzige Schaffende ist, können nicht hoch genug geschätzt werden. Die neue Richtung strebt ja unter anderm danach, die Kunst und das Handwerk auf das innigste mit einander zu verbinden; nach diesem Ziele hin arbeitete auch PHILIP SCHOU eifrig als Direktor der königlichen Porzellanfabrik in Kopenhagen. Das, was die Künstler des Dekorationsvereins erstrebten, danach trachtete auch die königliche Porzellanfabrik, nämlich freie, frische Schönheit; deshalb spielt die Ausstellung dieser Fabrik im Jahre 1888, die erste unter der Leitung PHILIP SCHOU's, eine so grosse Rolle in der Geschichte der dänischen Kunstindustrie.

Vom Anfange des Jahrhunderts an hatte die dänische Kunstindustrie, eine Zeitlang in römische Empirekleidung, zuletzt in verhältnismässig reiche Renaissancegewänder gehüllt, auf sogenanntem klassischen Boden gearbeitet.

jedoch stets in antikisierender Richtung. Noch bei der Pariser Weltausstellung 1878 konstatiert JULIUS LESSING in der dänischen Kunstindustrie: »die uneingeschränkte Herrschaft des hellenischen Stils. Dieser Stil«, sagt er, »ist die einzig angesehene und geachtete Richtung in Kopenhagen«. Irrtümlich schreibt er diesen Stil dem Einflusse THORWALDSEN's zu. Die antikisierende Richtung der dänischen Industrie stammt aus einer Zeit, da THORWALDSEN noch ein junger, unbekannter Anfänger war; sie wurde ausgebildet, bevor seine Kunstwerke den langen Weg von seinem Atelier in Rom bis Kopenhagen zurücklegten, und sie besitzt auch nicht die reine, ideale Schönheit seiner Kunst.

Wie aus obigem hervorgeht, war die dänische Kunstindustrie durchaus konservativ. Die Gotik, das Rokoko, sowie die altnordischen Formen hatten dann und wann versucht, die Übermacht zu erlangen, waren jedoch nicht durchgedrungen. Es wurde daher der Stadt Kopenhagen eine grosse Überraschung bereitet, als die königliche Porzellanfabrik auf der Ausstellung von 1888 in ganz neuen Kleidern auftrat, denn auch diese Fabrik hatte bisher selbstverständlich den antikisierenden Stilarten gehuldigt.

146

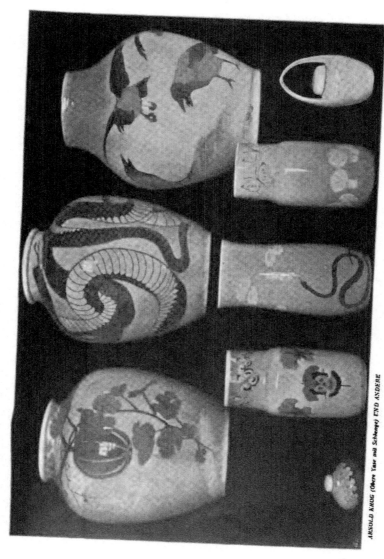

ARNOLD KROG (Obere Vase mit Schleppe) UND ANDERE

158

DIE KÖNIGLICHE PORZELLAN-FABRIK IN KOPENHAGEN

Die Fabrik wurde im Jahre 1775 von dem dänischen Chemiker FRANTZ HEINRICH MÜLLER geschaffen. Er hatte selbständig herausgefunden, hartes Porzellan herzustellen. Es gelang ihm, eine Gesellschaft zu bilden, die seine Erfindung ausnützen sollte, und er verstand es, den dänischen Hof dafür zu interessieren. So geschah es, dass die Fabrik im Jahre 1779 an den dänischen Staat überging. Müller wurde königlicher Beamter und die Fabrik sollte nun wesentlich nützlich sein. Um möglichst viel Geld im Lande zu behalten, sollte sie hauptsächlich blaugemaltes Porzellan zum Gebrauch herstellen. Selbstverständlich aber machte sie nicht wenige Abstecher in das Reich der Kunst. Es sind noch die niedlichsten kleinen Figuren aus der ersten Zeit der Fabrik vorhanden, Statuetten, Gruppen, wie auch Vasen etc., die jetzt zu hohen Preisen gesucht werden und davon zeugen, dass der Fabrik tüchtige künstlerische Kräfte zu Gebote standen.

Damals herrschte das Rokoko. Was diese Stilart geschaffen hatte, musste jedoch verschwinden, als die antikisierende Richtung ihren Anfang nahm, und Dänemark hatte im Jahre 1815 in dem Württemberger G. F. HETSCH einen Sohn erworben, der mit seiner ganzen Energie unablässig einschärfte, dass ein Kunstwerk nur auf dem Boden der Klassizität geschaffen werden könne. Ungefähr vom Jahre 1820 an übte er Einfluss auf die königliche Porzellanfabrik aus, und die von

ARNOLD KROG

ihm hervorgerufenen »reinen« Formen mit ihren geraden Linien, »klassischen« Ornamenten und der starken Vergoldung wurden als ein Triumph des guten Geschmackes begrüsst. Mit einiger Modifikation stand die Fabrik noch auf dieser Grundlage, als der Japonismus anfing; damals aber war sie bereits nicht mehr eine Staatsinstitution.

Nachdem die Fabrik eine geraume Zeit hindurch für den dänischen Staat ein zehrendes Aktiv gewesen war, wurde sie im Jahre 1867 an einen Privatmann, den Grosshändler G. A. FALCK verkauft, dem es gestattet wurde, sie auch ferner »KÖNIGLICHE PORZELLANFABRIK« zu nennen. Er machte indessen nur die Veränderung, dass er die alten Rokokoformen aufs neue aufnahm; die Freude aber, womit diese Formen begrüsst wurden, zeigte, dass die Mitwelt begann, der pseudo-klassischen Einförmigkeit müde zu werden; bald sollte eine noch grössere Veränderung eintreten. Im Jahre 1882 verkaufte FALCK die Fabrik an die Aktiengesellschaft Aluminia; so kam sie unter die Leitung des Mannes, der ihr im Laufe weniger Jahre einen Weltruf verschaffen sollte.

C. LIISBERG

148

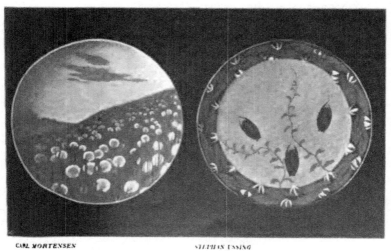

159

C. LIISBERG

Die ursprünglich nur kleine Fayencefabrik Aluminia nahm einen schnellen Aufschwung, als der polytechnische Kandidat PHILIP SCHOU im Jahre 1868 mit ihr verknüpft wurde. Er bildete sie zu einer Aktiengesellschaft um und sein energischer Eifer, der darauf hinausging, Leben und Bewegung in die dänische Kunstindustrie zu bringen, führte ihn von der Fayence zum Porzellan. Die Fabrik Aluminia stellte — jedoch nur in geringem Umfange — Porzellan her, dessen Dekoration nicht jene »Hinneigung zu den antiken Formen« zeigte, die deutsche Weltausstellungs-Kritiker als eigentümlich dänisch nachgewiesen hatten. Auf SCHOU's Anregung kaufte die Aktien-Gesellschaft die königliche Porzellanfabrik, und nachdem die erforderlichen neuen Öfen aufgeführt worden waren, gewann er im Jahre 1885 den Architekten ARNOLD KROG, der zugleich ausübender Maler war, als Künstler an die Fabrik. Alles, was dekorativ schön war, mochte es da oder dort zu finden sein, interessierte KROG, während der Japonismus und die Natur seine Liebe besassen. Hiermit hatte die neue Aera der Fabrik ihren Anfang genommen. Unter SCHOU's und KROG's Leitung bereitete die Fabrik sich mit aller Kraft zu der nordischen Ausstellung in Kopenhagen vor.

Diese Vorbereitung bedeutete in technischer Beziehung die Einführung der Unterglasur-

malerei und in künstlerischer Beziehung den Bruch mit der bisher in Dänemark gebräuchlichen kunstindustriellen Tradition. Man brach nicht allein mit der antikisierenden Stilart, sondern auch überhaupt mit dem Satze, dass alte Stilarten für neue Kunstindustrie massgebend sein sollten. Als die Fabrik im vorigen Jahrhundert, dem Gebote des Staates Folge leistend, mit der Blaumalerei anfing, fand sie, ein glücklicher Aladdin, ein sogenanntes »Muschelmuster«, das sich bis zum heutigen Tage erhalten hat und sogleich eine gesuchte Ware wurde. Es ist ein stark stilisierter, chinesischer blühender Pflaumenzweig; die Blaumaler der Fabrik aber, die es tausend und abertausendmal malten, haben kaum eine Ahnung davon gehabt, dass ein Vorbild aus dem fernen Osten die Grundlage ihrer Arbeit bildete; jetzt weiss die Fabrik mit völliger Gewissheit, dass es das ferne Japan ist, welches zur Erreichung eines Resultates beigetragen hat, das selbst in Frankreich von Männern wie MARIUS VACHON, EDOUARD GARNIER, LUCIEN FALIZE und ROGER MARX mit Bewunderung begrüsst worden ist.

Wie es sich erwarten liess, stand das besonnene dänische Publikum der Frontveränderung der Fabrik im Jahre 1888 kühl gegenüber. Was sie hervorbrachte, war ihm zu neu, zu fremd. Anders aber ging es, als die Fabrik

DIE KÖNIGLICHE PORZELLAN-FABRIK IN KOPENHAGEN

im folgenden Jahre in Paris ausstellte. Hier fand sie volles Verständnis. Ihre Ausstellung nannte man »eine unerwartete Offenbarung, welche die Kunst, Porzellan zu machen, gleichsam mit einem neuen Charakter hervortreten läßt«, und dieser Eindruck war dauernd. Mehrere Jahre nachher schreibt der Direktor des Museums in Sèvres, EDOUARD GARNIER, dass alle Freunde der Keramik sich noch stets der vortrefflichen Ausstellung der Fabrik im Jahre 1889 erinnern. Er sagt: »Von allen Seiten hörte man einstimmiges, wohlverdientes Lob. Die Masse, aus der die ausgestellten Gegenstände bestanden, war schön, die Töne fein und delikat, die Glasur rein und die Formen vornehm. Die Dekoration war möglichst einfach. Auf den weissen Stücken eine niedliche Maus oder ein Frosch in Relief, auf den dekorierten Stücken eine Blume, ein Zweig, ein Schmetterling oder eine Libelle in blauer, anmutiger Farbe. Dies war das ganze, der dadurch erreichte Erfolg war jedoch gross und berechtigt; und später hat die Fabrik neue Fortschritte gemacht.« Dass es sich so verhält, ersieht man u. a. aus dem offiziellen Berichte Deutschlands über die Ausstellung in Chicago 1893. Diesem Berichte gemäss standen

die Kunstarbeiten der Fabrik mit ihren weichen, tiefen Unterglasurfarben als »unübertroffen« auf der ganzen Ausstellung.

Neben einer vollendeten Technik ist es die die japanische Kunst durchdringende Liebe zur Natur, die hier aufs neue gewirkt hat. Von der heimischen Natur inspiriert, schufen die Künstler der Fabrik die in ihrem Wesen dänischen, zu gleicher Zeit aber auch durchaus freien Kunstwerke, die einen so grossen Erfolg gewonnen haben, Unika, von denen jedes einzelne den Namen des betreffenden Künstlers trägt. Denn ARNOLD KROG ist nicht der einzige Name, den die Fabrik aufzuweisen hat. Neben diesem Künstler, der 1891 Mildirektor an der Fabrik wurde, können viele andere, wie z. B. G. ROHDE, TH. FISCHER, C. LIISBERG, GERHARD HEILMANN, CARL MORTENSEN und ST. USSING, sowie die Damen M. HOST, A. SCHMIDT, J. MEYER und B. NATHANIELSEN genannt werden.

Es ist Thatsache, dass die königliche Porzellanfabrik in hohem Grade befruchtend gewirkt hat. Die Siege, die sie im Auslande gewann, verschafften ihr nach und nach Verständnis auch innerhalb der Grenzen Dänemarks, dergestalt, dass die Entwicklung der

151

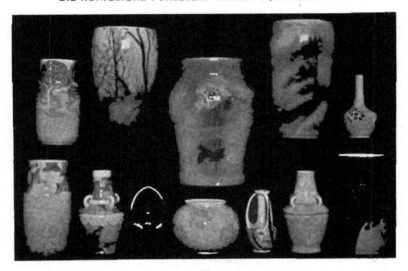

dänischen Keramik mehr oder minder selbständig wesentlich in dieselbe Richtung gegangen ist. Die königliche Porzellanfabrik oder vielmehr die von ihrem Direktor PHILIP SCHOU vor ungefähr 15 Jahren hervorgerufene Bewegung zum besten der dänischen Kunstindustrie hat aber auch über das keramische Fach hinaus gewirkt. Die in dem »Dekorationsverein« 1888 ausstellenden Künstler, die nach wie vor wirksam sind, haben Nachfolger bekommen; endlich muss auch erwähnt werden, dass der Verein für das Buchhandwerk, dessen Wirksamkeit unter seinem ausgezeichneten Leiter, dem Xylographen F. HENDRIKSEN, von den ersten Bücherfreunden der ganzen Welt geschätzt wird, in dem Jahre gestiftet wurde, in welchem die königliche Porzellanfabrik und zwar auf der Kopenhagener Ausstellung 1888 — sich in ihrer neuen Gestalt zeigte. Die dänische Kunstindustrie beschränkt sich auf zwei Gebiete: die Keramik und das Buchhandwerk.

Der Kampf für die neue Kunst besteht auch heute noch und wird noch eine geraume Zeit bestehen. Jede natürliche Entwicklung schreitet ruhig vorwärts. Wenn es schon jetzt in Dänemark vielen klar ist, dass man schöne Kunst schaffen kann, ohne ihr die alten Stilarten zu Grunde zu legen, so hat die königliche Porzellanfabrik in Kopenhagen in hohem Grade dazu beigetragen.

Es lag in dem von PHILIP SCHOU seiner Zeit entwickelten Plane, dass in Kopenhagen ein dänisches Kunstindustriemuseum errichtet werden sollte. Ein solches besteht jetzt. Es wurde im Jahre 1895 eröffnet und mit dem Professor PIETRO KROHN als Direktor hat es die Flagge der neuen Kunst gehisst. Die Zukunft wird hoffentlich zeigen, dass hier ein neuer Ausgangspunkt geschaffen ist, der von Bedeutung sein wird.

$$\text{@} \; \text{@} \; \text{@} \; \text{@} \; \text{@} \; \text{@} \; \text{@} \; \text{@} \; \text{@} \; \text{@}$$

T. J. COBDEN-SANDERSON

In dem anmutigsten Teil des vorstädtischen Londons, in Hammersmith, ebenso weit von dem Tumult der City wie den feierlichen Palästen des Hyde Parks, zwischen den bescheidenen Villen des Themse-Ufers Upper Mall

152

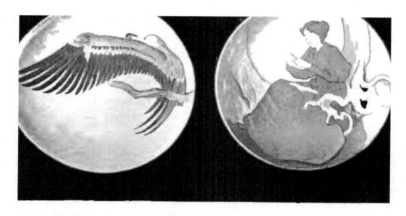

STEPHAN USSING

G. ROHDE

164

liegt *Kelmscott House, wo* MORRIS *so manches vollendete Druckwerk zu Tage förderte. Hier wohnte er, hier war er am liebsten. Wenn auch seine Bücher nur einen geringen Teil seiner ungeheuren Thätigkeit absorbierten, sie waren seine Lieblinge, er hat einen grossen Teil von ihnen selbst geschrieben, war an allen mehr oder weniger geistig beteiligt, es war nur natürlich, dass er seine zärtlichste Sorgfalt auf sie verwandte.*

Die kleine Handpresse im Parterre, die zu Lebzeiten ihres Besitzers nie ruhte, liegt still. Man hat vor einigen Wochen die letzten von MORRIS *komponierten Seiten als Bruchstück (specimen of Froissart) ausgedruckt, bald wird nichts mehr zu thun sein, und das altmodische, gemütliche Haus, in dem so viel gedacht und geschafft worden ist, wird nur noch der Pietät der Hinterbliebenen dienen.*

Aber der Geist, der hier stark war, lebt weiter. Er ist von dem kleinen Gartenhaus an der Themse in die ganze Welt gedrungen, überall befruchtend, überall erweckend und das Vorhandene fördernd.

Eine der ersten Stellen, auf die er traf, war das Häuschen schräg gegenüber der Kelmscott Press; noch einfacher, winziger als das MORRIS'*sche; The Doves Bindery steht daran, hier arbeitet* COBDEN-SANDERSON, *der erste Bindermeister Englands.*

Der Berührungspunkt mit MORRIS *war bei ihm wie bei vielen anderen nicht ein künst-* lerischer Standpunkt, sondern ein philosophischer. Der Sozialismus, dem MORRIS so viele Mittel und Zeit opferte, der bei ihm der Erreger war, und die treibende Kraft blieb, entzündete auch in seinem Freunde COBDEN-SANDERSON die gleiche Begeisterung. Er war ursprünglich Advokat und gab diesen Stand auf, um Handwerker zu werden, um sich so in Einklang mit seinem sozialen Ideal zu bringen.*

Man hat oft genug die Aufrichtigkeit dieser Leute in Frage gezogen, weil man zwischen ihrem Sozialismus und der Thätigkeit, die Bücher für mehrere Hunderte das Exemplar druckt oder Einbände fertigt, die noch teurer sind, nicht die logische Brücke fand. Uns kann es an sich gleichgültig sein, welche Gedanken den Schöpfer eines Werkes beseelen, das uns zur Beurteilung vorliegt. Die angeregte Frage spielt aber zu sehr in die ganze Bewegung hinein und berührt auch künstlerische Momente, sodass wir sie nicht ganz umgehen können.

Der scheinbare Widerspruch zwischen den Anschauungen und den Werken dieser Sozialisten löst sich sehr leicht. Es versteht sich von selbst, dass ästhetische Menschen, die gleichzeitig künstlerisch produktiv sind, nicht das Heil der Welt im kunstlosen Barbarentum zu erblicken vermögen. Ihr Sozialismus empörte sich vor dem Unrat des Unternehmertums, das billig und schlecht arbeitet und

dabei reich wird, das Volk verroht und die Untreue wachruft. Sie wollten rechtschaffen arbeiten, vor allem Dinge herstellen, die moralisch waren, weil bei ihrer Herstellung keine täuschenden Fabrikationsmittel angewendet wurden, sondern gutes Material und gute Technik. So kamen sie zur Handarbeit. Das ist zweifellos in unserem Zeitalter der Maschine ein Rückschritt, aber er war notgedrungen. Diese Künstler waren durchaus keine Gegner der Maschine, nur erbitterte Feinde der Leute, in deren Besitz die Maschinen arbeiteten, und da sie selbst nicht als Fabrikbesitzer zur Welt kamen, sannen sie auf ein Mittel, sich von der Maschine zu befreien, und das konnte nur die Handarbeit sein. Das Ideal des alten MORRIS war, tausend Mitarbeiter zu finden, Leute, gleichgesinnt wie er; er sagte: »die Menschen haben die Pflicht und es ist ihre Bestimmung, mit ihren Händen zu arbeiten; die Arbeit muss ihrer würdig sein und keine moralischen oder physischen Übel für sie zur Folge haben.« Das Ideal VAN DE VELDE's ist, Fabriken zu treiben, das Gute so en masse herzustellen, wie jetzt die Schleuderware gemacht wird, dem gering Bemittelten, der in unserem Zeitalter, wo man alles für nichts haben kann, schlimmer daran ist als in den Zeiten ohne Maschinen, Schönes zu geben, zum mindesten nichts Hässliches.

Man sieht, dieser Sozialismus hat nichts mit jenem zu thun, der sich in unseren Parlamenten breit macht. Ja, MORRIS, COBDEN-SANDERSON, CRANE, VAN DE VELDE weisen ausdrücklich jede Beziehung zu jenem zurück; eine Kluft liegt zwischen beiden: die Politik. Diese Leute sind keine Politiker, sondern Arbeiter, und ihre einzige Propaganda ist die Arbeit ihrer Hände.

Die schlimmste Begleiterscheinung dieser Reaktion war der unvermeidlich hohe Preis der Handarbeit. Der war nicht zu umgehen.

Aber die Reaktion hatte auch andere missliche Folgen. Die bewusste Umgehung der Maschine musste, wenn nicht zum Archaismus, so jedenfalls zu Entwürfen treiben, denen ein wichtiges Zeitelement fehlte. Es ist klar, dass ein für Ausführung in Handarbeit bestimmter Vorwurf anders ist als ein für die Maschinentechnik gemachter. Selbstverständlich wünscht der Künstler, wenn er einmal auf Handarbeit angewiesen ist, diese auszunützen und kommt so dazu, Dinge herzustellen, die sich der Maschinentechnik direkt widersetzen.

Das ist der wundeste Punkt unserer modernen Nutzkunst, dieser circulus viciosus. Keine Frage: soll sie unserer Zeit wirklich nützen, so darf sie nicht die Maschine ausser Spiel setzen. Wo aber sind die Künstler, die heute für maschinelle Fabrikation zu arbeiten vermögen. Wir sind heute so weit, dass die Künstler Handwerker werden; es ist sehr viel, ungeheuer viel, dass sie »Sozialisten« genug sind, um die so ipso nur den Begüterten zu gut kommende Staffeleikunst mit dem Handwerk zu vertauschen; aber hierbei erleichterte ihnen der Nimbus der Renaissancetradition den kecken Schritt. Wir dürfen uns nicht allzuviel darauf einbilden; freilich wir waren so tief unten, dank der bodenlosen Vernachlässigung des Handwerks, dass uns schon dieser erste Schritt so gross erscheint. Aber, wir sind — diesen Schritt vorausgesetzt! — noch um kein Haar breit weiter als man in der Renaissance war; der Schritt der heute gethan werden muss, ist der zum Maschinisten. die Künstler müssen Fabrikanten werden. Und vor diesem Schritt wird sich noch gar mancher Ateliersozialist besinnen.

Diese zweischneidige Erwägung darf man bei Betrachtung so ausserordentlich tüchtiger Künstler wie COBDEN-SANDERSON nicht ausser acht lassen. Bei ihm giebt sie - - im Gegen-

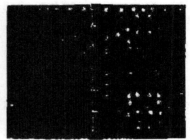

satz zu vielen anderen — keinen Anlass zur Schmälerung seines persönlichen Verdienstes. Denn die Art, wie er die Handarbeit treibt, hält sich von jener gefährlichen Verschärfung des erwähnten Gegensatzes möglichst frei, wie wir sogleich sehen werden.

Man unterscheidet bei der Binderei zwei völlig getrennte Manipulationen, die eine rein technisch: die Vorbereitung des Bundes — im englischen ›Forwarding‹ — d.h. also die unter Umständen höchst schwierige Arbeit, die dem Buch den Körper giebt, so dass es regelrecht in seiner Schale sitzt. Über diese Regeln sind die Fachansichten verschieden. COBDEN-SANDERSON verlangt von einem gut gebundenen Buche, dass es sich an jeder Stelle ohne Schwierigkeit öffnet, die überwiegende Mehrzahl der Binder verzichtet darauf. Für uns scheint die Entscheidung ausser Frage. Es ist das mindeste, dass man von einem Buche verlangen kann, dass es sich öffnet, und die dies vernachlässigende Theorie, die am meisten in Paris zu Hause ist, kennzeichnet dadurch nur ihren von Grund aus verkehrten Standpunkt, in dem Buch ein objet d'art zu sehen, das nur seines köstlichen Einbandes wegen da ist. — Eine andere Frage ist es, ob es möglich ist, jedes Buch dieser Anforderung gemäss zu binden, da es hierbei nicht lediglich auf den Binder ankommt, sondern auf den Zustand, in dem ihm das Buch geliefert wird — Papierstärke etc. — Wir verweisen für diese Frage auf das Interview bei COBDEN-SANDERSON, das The Studio im Novemberheft 1893 veröffentlichte, in dem COBDEN-SANDERSON's, nach unserer Meinung einzig richtige, Anschauungen über das Forwarding ausführlich dargelegt sind.

Die zweite Manipulation beschränkt sich auf den Schmuck des Deckels, d. h. der

Aussen- und Innenseite — ›Finishing‹. Die geborene Technik dafür, wenn es einmal Handarbeit sein soll, ist die Prägung mit kleinen Eisen (à petits fers — tools), die einzige, der sich zu den klassischen Zeiten des Einbandes die Relieurs Frankreichs und der anderen Länder bei ihren Vergoldungen bedienten, das beste Leder dafür: Maroquin. COBDEN-SANDERSON legt nun auf die vollendete Ausnutzung der Technik der Alten grösstes Gewicht, er hält auf die tadellose Vergoldung, die der Stolz der französischen Doreurs war und ist; aber während diese sich lediglich darauf beschränken und während des grössten

T. J. COBDEN-SANDERSON

Teils unseres Jahrhunderts als Vorlagen für ihre Dekorationen die Einbände der Alten mit geringen Modifikationen benutzten, hat COBDEN-SANDERSON nicht nur seinen streng-eigenen Stil, sondern sucht auch technisch zu erneuern, indem er die grosse Kompliziertheit der alten Vorlagen möglichst vermeidet. Die Alten wandten Hunderte von Eisen zur Fertigung eines Einbandes an. COBDEN-SANDERSON begnügt sich mit einem Dutzend etwa, er wählt seine Zeichnung so, dass dieselben Formen geschickt plaziert immer wieder vorkommen. Man ist seit ihm in anderen Ländern in dieser Vereinfachung noch sehr viel weiter gegangen; er hat den Anfang gemacht. Er legt nicht das Gewicht auf möglichst viel prunkendes Goldgewirr, sondern sucht dem Deckel durch die Wahl des Leders — wo er Mosaik verwendet, bei der Wahl der verschiedenen Ledersorten — und durch die dem Format streng angepasste Zeichnung, die immer ganz individuell ist, besonderen Reiz zu verleihen. Er betont also die Elemente, die nicht lediglich von der Handarbeit abhängen. Dem Reiz seiner Zeichnung wird selbst der geschworene Feind englischer Dekoration nicht widerstehen können. Hier scheidet sich COBDEN-SANDERSON energisch von MORRIS. Man kann ihm nie den Vorwurf des Archaismus machen, den man MORRIS nur selten ersparen kann. Die Motive sind immer der Flora entnommen, aber es sind keine Rosen, Tulpen, Maiglöckchen mehr, sondern Ornamente, schon an sich eigene Schöpfung und geradezu einzig durch ihre geschickte Verteilung. Hier wird die bei anderer Verwendung zuweilen gar zu leichtfässige englische Ornamentik zur vornehmsten Grazie. Wunderbar schliesst sich der netzartige, zuweilen spinnwebenfeine Charakter der Dekoration dem Leder an, die goldenen Linien scheinen den feinen natürlichen Runen des Leders nachzulaufen, es ist hier eine ideale Zusammenstimmung von Material und Technik erreicht, die sich nicht mehr mit den einfachen Gesetzen des Gewerbes finden lässt, sondern nur der Eingabe einer genialen Hand gelingt!

Wir werden demnächst die übrige englische Bindekunst Englands betrachten, und im Lauf der Zeit auch die gleichen Bestrebungen in

anderen Ländern verfolgen. Viel ist seit den ersten Bänden COBDEN-SANDERSON's geschehen, die Dänen und Belgier haben Gleichartiges auf eigenen Wegen gefunden. In einem Punkt bleibt der englische Meister aber auch heute noch vollkommen unerreicht: in der Verteilung der Schrift. Er behandelt die Schrift wie ein Ornament: mit der grössten Leichtigkeit plaziert er jede Buchstaben zwischen die zartesten Blumenornamente; sei es an die Ränder, oder in die Mitte, oder gar in mehreren Querstreifen über die ganze Fläche des Deckels hinweg. Es liegt nicht nur an der Zeichnung der Buchstaben selbst, von denen eine grosse Anzahl der geschickten Hand der Frau MORRIS entstammt, sondern vor allem an der Verteilung, der Einfassung, an tausend unmerklichen Dingen, die gefühlt, nicht konstruiert werden können.

Viele der Bände — die gelungensten sind die im kleinen Format — zieren Werke der

BURNE-JONES   Aus ·The Builder·

KELMSCOTT PRESS, und die starre Gotik des Innern wird durch die uns viel verwandtere Formensprache dieser Einbände gemildert. Sie heben gerade in dieser Verwendung das Verdienst COBDEN-SANDERSON's hervor, der trotz der nächsten Nähe seines grossen Freundes sich nicht abhalten liess, seine eigenen Wege zu gehen. — Wir bilden eine Anzahl bisher unveröffentlichter Einbände ab ; bei den meisten steht die Goldprägung auf farbigem Maroquin, bei einigen auf weissem Pergament, das dem blanken Gold zur schönsten Frische verhilft.

〰 -Υ-

FARBIGE GLASFENSTER

Man hat in unserem Jahrhundert die im 17. unterbrochene Entwickelung der Glasmalerei wieder aufgenommen. Man fand das verloren gegangene technische Geheimnis wieder, die Farbentechnologie entdeckte koloristische Effekte, an die die Alten nie gedacht haben, und man lernte, die schönsten Farben auf Glas auf chemischem Wege haftbar zu machen. Aber die Fortschritte der Technik allein können nicht den ungeheuren Aufschwung erklären, der von England ausging und sich mit grosser Geschwindigkeit aller an der neuen dekorativen Kunst beteiligten Länder bemächtigte. Der Grund liegt in der eigentümlichen Entwickelung der Malerei in den letzten Jahrzehnten. Das Beispiel der Engländer, vor allem DANTE ROSSETTI's, MADOX BROWN's und BURNE-JONES', der im Ausland der populärste wurde, drängte in allen Ländern die Jungen, immer mehr ihrer Malerei jenen dekorativen Linienschwung zu geben, den die Engländer sich aus Italien geholt hatten, für den jedes Land neue Quellen ausfindig zu machen wusste und der sich in den grellsten Gegensatz zu der typischen Malrichtung unseres Jahrhunderts, dem Realismus, setzte. Die Engländer merkten bald, dass diese Tendenz den abstrakten Charakter der Malerei immer mehr veränderte, dass sie ihr immer mehr die Berechtigung des Staffeleibildes nahm, und sie zogen alsbald die Konsequenz, ihren immer mehr zu Kartons werdenden, farbigen Kompositionen eine bis zum gewissen Grade praktische Verwendung zu geben. Der Begriff Karton wurde die Entschuldigung für die Befriedigung jenes dekorativen Gelüstes, den der Realismus der Franzosen und Holländer zu hartnäckig unterdrückt hatte, als dass sich nicht die Jungen wieder nach seinem Rhythmus zu sehnen beginnen sollten. Er blieb in den meisten Fällen ein platonischer Begriff. Nicht ein Zehntel der vielen Kartons wird heute ausgeführt, ja die meisten Maler denken überhaupt nicht ernstlich an die Ausführung : sie stecken noch viel zu tief in der Malertradition und bilden sich unbewusst ein, dass ein solches Werk ebensogut wie ein Staffeleibild verkauft werden könnte, nachdem es etwas ganz anderes geworden ist. Sie merken ihren Irrtum kaum, da sich ihre Staffeleibilder ebensowenig verkaufen . . .

BURNE-JONES, Glasfenster f. St. Philip's Church, Birmingham
nach Phot. von F. HOLLYER, London

171

SELWYN IMAGE

172

FARBIGE GLASFENSTER

Dieser Staffeleicharakter bestimmt die Art der modernen farbigen Glasfenster, die bis heute vorliegen. Es ist ein Übergangsprodukt wie so viele halbgewerblichen Erscheinungen der nächsten Gegenwart — mit rudimentären Spuren der vergangenen Malerei, die immer mehr verbleichen, mit hoffnungsvollen Andeutungen für die Zukunft, die sich immer

BURNE-JONES, Glasfenster f. Trinity Church, Boston nach Phot. von F. HOLLYER, London

sicherer ausgestalten. Diese Entwickelung macht eigentlich von vornherein jede Kritik überflüssig; die Schwächen des heutigen Glasfensters springen so in die Augen, man ist noch so weit von einem Definitivum entfernt, dass man kaum davon reden dürfte. Die Kritik ist zu einfach, als dass sie helfen könnte. Was wir sagen können, sagt sich jeder Maler selbst; es sind grosse positive Werte nötig, die aus dem Übergangsstadium zur Vollkommenheit führen können — und diese Werte fallen nicht vom Himmel, sondern müssen langsam ausgereift werden. Wir vermögen nur anzudeuten, welcher Art sie sind.

Heute entspringt das Glasfenster einem Karton, der ebenso gut oder schlecht ein Teppich hätte werden können oder ein Plakat, oder eine Wanddekoration, kurz eins der vielen vagen Produkte, die sich die Moderne hervorgesucht hat, eigentlich nur um Namen zu haben. Nur ganz ungewisse Erwägungen treiben den Maler post festum zur Bestimmung seines Kartons. Die wenigsten denken an technische Bedingungen. Dem Ausführenden bleibt überlassen, das in Glas überzusetzen, was sich übertragen lässt. So werden zwei Individualitäten an demselben Werke zugelassen, die sich natürlicherweise entgegengesetzt sind.

Betrachten wir die in ihrer Art glänzendsten Werke BURNE-JONES unter den Engländern, GRASSET's unter den Franzosen, oder gelungene deutsche Sachen, wie sie M. LECHTER in Berlin und andere fertig gebracht haben.

Immer sind es figürliche Darstellungen; die wesentlichen Linien der Umrisse, die wesentlichen Flächen werden in die Glastechnik übersetzt. Die Sachen müssen primitiv wirken, es ist unmöglich, ein Porträt WHISTLER's mit allen seinen Schattierungen, eine Landschaft MONET's mit ihren punktierten Lichteffekten, einen LEIBL oder MENZEL zu einem Glasfenster zu verwenden.

Und doch stellen diese Leute die spezifische Kunst unserer Zeit dar, haben lange Zeit genug gebraucht, um sich durchzudrücken, haben uns mit ihren Augen sehen gelehrt, und wir sind stolz darauf geworden, sie zu besitzen. Alles das sollen wir auf einmal vor diesen Glasfenstern vergessen!

Denn dass wir es hier nicht mit einem Gemälde, sondern einem Glasfenster zu thun haben, kann uns doch nicht darüber hinweghelfen, dass diese Darstellungen in rohster Form Dinge andeuten, die jene Maler uns mit unvergleichlicher Vollkommenheit entdeckt haben.

Und ganz abgesehen von unserer künstlerischen Überlieferung: giebt es etwas weniger Zeitgemässes als in unseren Tagen, wo alles

*der Erkenntnis geopfert wird, unsere Sinne mit
bewusst primitiven Darstellungen zu täuschen
zu suchen.*

*Der Versuch hat sein Recht, wenn die Täu-
schung gelingt. Die gläubigen Beter in den
romanischen und gotischen Kirchen, deren
herrliche Glasgemälde ein mächtiges archi-
tektonisches Gefühl widerspiegeln, denselben
Geist, der in dem Raum und in dem Gemüt
der Gemeinde schlummerte, sie legten sich,
wenn ihr Blick die flüssigen Farben der
Fenster traf, nicht die Frage vor, ob jene
Gestalten ihrer Zeichnung nach möglich
waren.*

*Wir haben auch heute diesen Dingen gegen-
über nicht den verstandesmässig kontrol-
lierenden Standpunkt, weil auch uns noch
die Macht jenes Geistes packt, der damals in
den Kirchen wach war, und deshalb gehen
wir auch heute noch am leichtesten da mit,
wo sich das moderne Primitive des Archaismus
bedient, also an die Formen erinnert, die wir
von den Alten her kennen.*

*Aber anders ist es, wenn wir in diesem
Primitiven Elemente entdecken, die der Kunst
unseres Jahrhunderts, gerade der, die sich die
grösste Annäherung an die Natur zum Ziel
gesetzt hat, eigen sind, wenn z. B. die scharfe Be-
obachtungskunst eines FORAIN oder LAUTREC
auf diese Weise verwandt wird. Dann wirkt
das Primitive wie Verstümmelung, und wir
vermögen nicht der Skepsis Schweigen zu ver-
bieten, die nach der Existenzberechtigung
solcher Werke fragt.*

*Und trotzdem gewinnen diese anfangs so
abstossenden Sachen, wenn man sie wieder-
sieht. Die Persönlichkeit, die in den Bildern
dieser Maler enthalten ist, kann sich auch
hier nicht verleugnen. Sie ist hier anders,
man möchte sagen, nackt, es fehlt ihr viel
von dem geistreichen Charme, der die Bilder,
Lithographien und Plakate derselben Künstler
umhüllt, aber man findet dafür etwas Neues,
was man früher nicht gesehen hat: den dekorativen Wert ihrer Linien. Es gelingt bei
vielen, sich über das, was diese Zeichnungen
darstellen sollen, hinwegzusetzen und sich nur
an dem Spiel der Linien und dem Kontrast
der Farben zu freuen. Man kommt dann
auf einen rein künstlerischen Extrakt, der
den für rein ästhetische Empfindungen zugänglichen Beschauer wohl zu befriedigen
vermag.*

*Nur: warum, wenn so weit gegangen wird,
nicht die letzte folgerichtigste Konsequenz
ziehen und jede Beziehung zu der Natur bewusst abbrechen? Warum dann nicht das reine
Ornament, das den Verstand in Frieden lässt*

BURNE-JONES, Glasfenster f. Trinity Church, Boston
nach Phot. von F. HOLLYER, London

*und nur das Schönheitsgefühl erquickt, warum
nicht die an keinen Stoff gebundene freie Linie?*

*Keine Frage, es steckt eine grosse Kunst
in BURNE-JONES' Kartons, vielleicht das beste,
was er je gemacht hat, auf das wir nie verzichten möchten. Aber nicht darum handelt
es sich, sondern: kommt diese Kunst nur in
dem Glasfenster zur Geltung? Passt sie dafür*

besser als für ein anderes Gewerbe? Hat sie überhaupt etwas mit Gewerbe zu thun?

Und wie viel Impotenz versteckt sich bei anderen dahinter? Man denke an die Rolle, die ein L. O. MERSON in Paris erlangt hat! Seine faden Sentimentalitäten des ärgsten Epigonentums gelten in der Stadt der höchsten künstlerischen Ansprüche für modern, nur weil er auf den geschickten Einfall kam, sie auf Glas übertragen zu lassen. Neben diesem Nichts erscheint GRASSET wie ein Genie. Bei ihm findet man zum mindesten eine stark dekorative Linie, ja man kann so weit gehen, zu sagen, dass seine Art am besten im Glasfenster vor allen anderen Verwendungen zur Geltung kommt. Von seinem starken Stilgefühl zeugt seine grosse Serie Jeanne d'Arc für die Kathedrale von Orléans, die mit seltenem Verständnis dem Stil der Kirche angepasst und trotzdem ein persönliches Werk ist. Aber auch da, wo er ganz

frei ist, sind seine Kartons Bilder, nie Ornamente.

Man könnte einwerfen, dass ja auch die Alten stets figürliche Darstellungen verwandten, thatsächlich bestätigen aber die Schätze der Alten nur unser Prinzip. Der um das Jahr 1000 lebende THEOPHILUS, dessen Vorschriften wie für die Malerei, so auch für die Glasmalerei bis zum 14. Jahrhundert befolgt wurden, spricht allerdings nur von Figuren mit Gewändern in seinem Kapitel über Kirchenfenster; aber wirken diese Figuren figürlich? Man betrachte die glänzenden Werke des 12. Jahrhunderts. In der Regel sind, wie in Chartres, die Figuren relativ so klein, dass schon aus diesem Grunde von selbständiger Wirkung keine Rede sein kann. In Chartres sind auf einer Fläche von 9 m etwa zehn Gruppen mit zahlreichen Figuren übereinandergestellt. Wo grössere Dimensionen angewandt werden, wie in der wundervollen Passion in Poitiers, tritt nur noch deutlicher das bewusste oder unbewusste Bestreben der Kunst jener Zeit hervor, mit ihren Figuren rein ornamental zu wirken. Man hat längst die starke Beziehung zwischen den italienischen Mosaiken und den frühen Glasfenstern des Nordens gefunden. Einer der feinsten Kenner der französischen Glasmalereien, der verdiente Pariser Architekt L. MAGNE, von dem man u. a. in den beiden ersten Heften der »Art et Décoration« einen vortrefflichen Aufsatz »Le Vitrail« findet, führt den Christ in Poitiers auf den im Mosaik der Markuskirche zurück.

Worauf es diesen Leuten, mag man die französischen Kirchen durchgehen oder die wenigen, die wir aus der besten Zeit haben, ankam, das waren Ensemblewirkungen, sie wollten die Architektur auf die Fläche übertragen, in der Linie den Rhythmus wiedergeben, der in dem Raum ruhte und vor allem einheitliche Farbenwirkungen hineinbringen. Das schönste Beispiel dafür ist wohl die St. Chapelle in Paris, dieses aus Säulen und Fenstern bestehende Schmuckkästchen französischer Gotik, dessen sämtliche Fenster bis auf die Rosette, die leider später und nicht in derselben Farbe komponiert ist, einem künstlerischen Willen entstammen. Wer

Miss MARY NEWILL

175

A. BÖCKLIN   Flora, Karton für ein Glasfenster

M. v. SCHWIND   Karton f. Glasfenster in Glasgow

jemals darin war, wird sich über die Aufgabe der Glasmalerei ein für allemal klar sein. Nie wird man den zauberhaften Eindruck beim Eintritt in der ersten Minute vergessen, das flutende Rot, das in tausend Zickzackwindungen in den kleinen Raum dringt.

Selbst hier, wo man den Fenstern so nahe ist, bedarf es erst genauen Hinschauens, bis man erkennt, dass diese Zickzacklinien die Konturen menschlicher Figuren darstellen, und wenn man eingehend studiert, wird man sogar die Darstellung des alten und neuen Testamentes in den beiden Fensterreihen herausfinden. Aber dies Studium hat nichts mehr mit dem ästhetischen Genuss zu thun. Für den sind die Bleifassungen nur ein köstliches Gitter, durch das der Zauber hereinbricht.

Sobald die Glaskünstler anfingen, zeichnerische Ambitionen zu hegen und die Glasmosaik immer mehr zur Malerei wurde, ging diese Kunst zu Ende. Wir können heute diesen Ehrgeiz nicht zurückdämmen und mutwillig etwas verleugnen, dessen Besitz uns mit Stolz erfüllt. Nur das reine Ornament bietet hier den Ausweg. Es zwingt uns nicht, uns selbst zu vergessen und gewährt, was wir brauchen.

Das ist's, was sich bei Betrachtung all der modernen stilisierten Landschaften und Figuren aufdrängt, die uns nachher als Glasfenster begegnen, mögen sie von dem Archaismus oder von den thatsächlich in der modernen Kunst liegenden dekorativen Elementen herkommen. Sie verletzen das, was uns die beste Kunst unserer Zeit geschenkt hat und geben nur die Andeutung eines Ersatzes, den die Zukunft bringen soll. Es hilft nichts dagegen zu murren, der Übergang muss durchgemacht werden, und wir alle, die wir teilnehmen, werden ein kleines Verdienst dabei haben, wenn wir dem Übergang fördernd beistehen und zum mindesten die Künstler nicht abhalten, den schweren Weg zu gehen, den sie selbst finden müssen. Eine sprungweise Entwickelung giebt es nicht und hat es nie gegeben. Zweifellos hat BURNE-JONES erst, nachdem er an seinen Kartons die Festigkeit seiner Linie erprobt hatte — eine Eigenschaft, die man nie in seinen Gemälden oder Zeichnungen findet — reine Ornamente gemacht. Er hatte in MORRIS, der sich mit der Ausführung der Kartons befasste, einen unschätzbaren Helfer, den man verkennt, wenn man ihm nur technische Seiten zuspricht. MORRIS war für BURNE-JONES und die anderen alle, mit deren Arbeiten er sich beschäftigte, das Stilbewusstsein, das ihnen selbst abging. Er brachte dies zur Geltung und unterdrückte möglichst das störende Beiwerk; auf diese Weise erwarb er sich ein Recht, als Mitschöpfer so wundervoller Werke wie der Glasfenster von Oxford oder Cambridge zu gelten, auch wenn er sie nicht entworfen hat.

Freilich, MORRIS hat kein einziges modernes Glasfenster geschaffen, modern im Stil, modern in der Technik. Viel verdanken wir ihm hier wie auf jedem anderen Gebiete, er hat uns wieder Aufgaben gezeigt. Aber wir können nichts besseres thun, als den Weg, den er zur Lösung dieser Aufgaben wenigstens im vorliegenden Gebiete einschlug, schleunigst zu verlassen; er führt in die Vergangenheit, nicht in die Zukunft.

Es ist auffallend, dass dieser auf das Ornament zielende Standpunkt noch in keinem der Fachwerke über moderne Glasmalerei betont wurde, und es erklärt sich nur dadurch, dass die Autoren der bisher vorliegenden Werke gewöhnlich selbst Glasmaler sind. Wir wollen von diesen Fachschriften nur die zwei neuesten flüchtig betrachten, eine Broschüre von J. GAUDIN, dem Inhaber der besten Pariser Werkstätte für Glasmalerei, betitelt »Propos d'Art et de Technique« (Selbstverlag, 6 rue de la Grande Chaumière, Paris) und das glänzend ausgestattete Werk des in ähnlicher Stellung in London thätigen Engländers H. HOLIDAY »Stained Glass as an Art« (bei MACMILLAN & CO., Ltd., London), beide Ende vorigen Jahres erschienen. Zumal das englische Werk enthält alle einschlägigen technischen Fragen mit dankenswerter Exaktheit, ermüdend ausführlich wird der künstlerische Teil der Bemalung behandelt. Beide Bücher kommen nach langen Umwegen zu der Offenbarung, dass die Zeichnung stilisiert sein müsse, beide versagen sich den Schluss auf das reine Ornament.

Man kann ihnen das nicht verdenken; es ist von keinem Menschen zu verlangen, dass er sich in das eigene Fleisch schneide. Mit dem Moment, da sich das Ornament des Glases bemächtigt, hört die Rolle der heutigen Glasmaler auf, resp. sie modifiziert sich in denkbar wesentlichster Art. Heute ist der Glasmaler »Künstler«, er steht in engster Beziehung zur Malerei, sei es, dass er sich seine Kartons machen lässt oder selbst macht. Dieser Nimbus ist es wohl, von dem er sich am schwersten trennt. Vollzieht sich der Umschwung, so wird die Kunst nicht geringer — denn es ist wahrhaftig nicht leichter, in einem rein ornamentalen Karton persönlich zu sein, als in einer gemalten Episode — wohl aber wird die Übertragung des Kartons leichter, zum mindesten einfacher und befreit sich von der manuellen Malgeschicklichkeit der gegenwärtigen Glaskünstler. Sie wird wieder, was sie in ihrer ersten Zeit war, Mosaik.

Aber diese Entwickelung lässt sich nicht aufhalten. Sie erhielt eine unerwartete Hilfe

M. v. SCHWIND   Karton f. Glasfenster in Glasgow

167

C. ULE, München

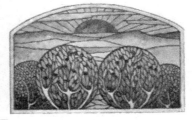

verwandte. TIFFANY u. a. leiteten diese Verwendung in breitere Bahnen.

Die Ästhetik des Materials fusst auf der Erfahrung, dass das, was den gotischen Gläsern den ausserordentlichen Reiz giebt und ihrer koloristischen Qualität zu Hilfe kommt, in der unebenen Oberfläche des Glasflusses besteht, deren Zufälligkeiten die alten Glasmosaikisten zu benutzen verstanden. Das amerikanische Glas erreicht zuweilen die Stärke des alten Materials, aber es verzehnfacht den Farbeneffekt; es enthält in demselben Stück beliebig viele Nuancen gemischt, die durch Übereinandergiessen von farbigen Glasplatten entstehen, sich willkürlich durchdringen und so ein Material geben, das an sich schon Bild ist.

— wieder einmal nicht durch die Kunst, sondern die Technik — von Amerika, wo man eine neue Glasart erfand, die unter der Bezeichnung »amerikanisches Glas« sich langsam aber stetig, in letzter Zeit rapid den alten Kontinent erobert, ein Material, das alle Schätze der Vergangenheit in den Schatten stellt.

Von wem die Erfindung eigentlich stammt, ist uns unbekannt, die Fachwerke des Kontinents reden von den Amerikanern so wenig wie möglich; die ersten Proben tauchten vor ca. 20 Jahren in Amerika auf, die ersten Fabriken waren die von HENRI — die nicht mehr existiert — von HEIDT, die heute noch die erste ist; diese in Brooklyn, mehrere andere in Kokomo im Indiana-Staat, wo man aus der Erde strömende Gase als natürliche Wärmequelle zur Fabrikation benutzt.

Fest steht, dass der hochbegabte Maler JOHN LA FARGE zuerst das neue Material künstlerisch zu Mosaiken und Glasfenstern

C. ULE, München

168

Aus solchem Material ist es nicht schwer, Glasgemälde zu machen. Der Karton verhält sich hier zur Ausführung wie die Puppe zum Schmetterling.

Wir bilden einige der Glasfenster ab, die BING vor einigen Jahren nach Kartons französischer Künstler durch TIFFANY ausführen liess. TIFFANY hat seine ganze Kunst eingesetzt, um die lustigen Einfälle LAUTREC's und seiner Genossen festzuhalten. Der Jardin des Tuileries nach K. X. ROUSSEL ist eine Harmonie in braungelb und blau; die Mutter mit Kind nach P. VUILLARD ist namentlich in hellbraun und gränblau gehalten.

Wir erwähnten schon im ersten Heft bei Würdigung der Lampen TIFFANY's, dass das von ihm verwandte Glasmaterial jetzt bereits stückweise in der ganzen Welt zu haben ist und hoben an anderer Stelle den Hamburger ENGELBRECHT hervor, der ein grosses Lager der Gläser unterhält und sich ihrer mit grossem Geschick bedient. Wir bilden eine Anzahl seiner Fenster ab, von deren Entwürfen im übrigen das gilt, was wir von der ganzen Gattung gesagt haben.

R. EVALDRE, Brüssel

An figürlichen Glasfenster-Kartons besitzt auch die ältere deutsche Kunst unseres Jahrhunderts kostbare Werke, die sich getrost neben den englischen Präraphaeliten sehen lassen können. Wenn wir nur den einen Grossen — MORITZ VON SCHWIND — hätten, könnten wir schon stolz sein. Seine wunderbare, einfache Ausdrucksfähigkeit, sein sicherer Geschmack prädestinierten ihn zum Kartonkünstler. Die beiden abgebildeten befinden sich in Glasgow.

Weniger bekannt dürfte sein, dass sich auch unser grosser BÖCKLIN auf dem gleichen Gebiete versucht hat. Auf der Basler BÖCKLIN-Ausstellung hing gleich am Eingange eine blumenstreuende Flora, die zur Ausführung in Glasgemälde bestimmt war, aber nie dazu

gelangte. Im anderen Saale hing das Gemälde gleichen Namens, nach dem BÖCKLIN mit grösstem Geschick den Karton entworfen hat mit Weglassung aller Details und stilisierender Veränderung des Landschaftlichen; die Figur ist ziemlich dieselbe geblieben. Man kann an diesem Karton sehen, welch dekorative Grösse in der BÖCKLIN'schen Linie steckt.

Die Amerikaner haben durch ihr wundervolles Material indirekt einen enormen und zwar wohlthätigen Einfluss auf die Entwickelung des Kartons gewonnen: es zwingt den Künstler zur Vereinfachung, indem es für die Ausführung des Kartons nur Mosaik zulässt. Denn es braucht nicht erst auf den geradezu bodenlosen Irrtum hingewiesen zu werden, der das herrliche amerikanische

180

Material mit der Hand bemalt, um gewisse
Details des Kartons zur Darstellung zu
bringen. Wir erwähnen ihn, weil wir ihn
thatsächlich in Deutschland bemerkt haben.
In das Glasfenster gehört keine Schattierung;
umso weniger, wenn es sich um Ausführung
in einem Material handelt, das an sich über
die schönsten Schattierungen verfügt. Man
sieht an den Bäumen in dem ROUSSEL'schen
Karton und dem Kleid der Frau in dem
VUILLARD'schen Vorwurf, zu welch natürlichen Variationen das Material Raum lässt.

Einen Fehler hat das amerikanische Glas.
Es lässt seiner Stärke und der Konzentration

Entworfen u. ausgef. v. K. ENGELBRECHT. Hamburg

seiner Nuancen entsprechend das Licht ungleich weniger durch als das gewöhnliche
Glas. Das beschränkt, wenn auch nur in
gewissen Grade, seine Verwendbarkeit. Der
Architekt LA FARGE, ein Sohn des bekannten,
hat einmal gesagt, man müsse in den Kirchen
zweierlei Fenster verwenden, solche, die nur
der Dekoration wegen da sind, und solche,
die Licht geben. Jedenfalls giebt es in der
That Fenster, deren Anlage wesentlicher aus
Rücksicht auf Symmetrie u. dergl. als aus
Zweckmässigkeitsgründen geboten erscheint.
Im übrigen lassen sich aus den hellen Nuancen
der amerikanischen Gläser sehr wohl Fenster
herstellen, die den erwähnten Nachteil nur in
ganz geringfügigem Masse haben. Die Praxis
pflegt, diesem Umstande Rechnung tragend,
mit Vorliebe amerikanische Gläser mit anderen
zusammen zu benutzen; die Franzosen — bei
denen übrigens auch minderwertige inländische
Nachahmungen im Gebrauch sind — verwenden sie namentlich zu den Rahmen der
Glasgemälde u. s. w.

Die Technik der amerikanischen Glasfenster
werden wir demnächst bei der Specialarbeit
über TIFFANY eingehend behandeln.

Die Verwendung amerikanischen Glases
macht nun noch lange kein modernes Fenster.
Amerika ist, trotzdem es das neue Material

Entwurf von H. CHRISTIANSEN, Paris
Ausgeführt von K. ENGELBRECHT, Hamburg

R. EVALDRE, Brüssel

erfunden hat, im Karton durchaus nicht weiter als Europa. Gute Fenstermosaiken gehören auch dort noch zu den Raritäten. Die überwiegende Masse liegt in den Händen von Pseudomodernen vom Schlage MERSON's, so LAMB, LOW, um nur die besten zu nennen.

Moderne Fenstermosaiken findet man bisher nur in zwei Ländern, die überhaupt in mancherlei Beziehung gegenwärtig an der Spitze marschieren: Belgien und Holland. In beiden hat sich das zeichnerisch-dekorative Element bereits so weit entwickelt, um für rein dekorative Zwecke die richtige Vorlage zu geben. In beiden Ländern giebt es Glasfenster, deren Motive aus reinen Ornamenten bestehen.

FARBIGE GLASFENSTER

Der Zufall lässt den geduldig Suchenden wohl auch in anderen Ländern Ähnliches finden. Wir verweisen auf das Glasfenster in BONNIER's Arbeitszimmer und die ungarischen Arbeiten M. ROTH's. Auch in Deutschland lassen sich neben den in ihrer Art ausgezeichneten, stilisierten Glasbildern, wie z. B. denen M. LECHTER's, dessen beste Arbeiten das vom Kaiser subventionierte romanische Haus im Berliner Westen schmücken, Ansätze zu rein ornamentalen Arbeiten konstatieren. CARL ULE in München und R. HESSE in Leipzig haben einige ganz einfache hübsche Fensterornamente gemacht, Blumenornamente zwischen geometrischen Linien. Doch sind das immer nur Ausnahmen, während in Brüssel bereits von einer festen Tradition gesprochen werden kann, die sich nur des Ornaments zu dem gedachten Zwecke bedient. Nirgends gibt es soviel farbige Glasfenster wie in Brüssel; sie fallen dem Fremden gerade so auf, wie in Paris die Plakate. Man sieht kaum ein neues Haus, in dem diese farbige Kunst nicht ihr Fleckchen findet.

In erster Linie ist dies auf VAN DE VELDE, HORTA und LEMMEN zurückzuführen; SERRURIER in Lüttich, der dort, wo es so viele reiche Leute und bisher so wenig künstlerisches Interesse gab, schöpferisch wirkt, dann der

Brüsseler Architekt HANKAR und viele andere sind gefolgt. Sie fanden in dem vorzüglichen Techniker EVALDRE (OVERLUP) eine ausführende Kraft ersten Ranges.

EVALDRE verarbeitet nur die französischen Imitationen der amerikanischen Gläser; sein Material hat nicht den Reichtum der Amerikaner, dafür aber den Vorzug, den Absichten des Künstlers genau folgen zu können, da alle Mischfarben, der Reiz TIFFANY's, wegfallen. Während der Künstler, der mit amerikanischem Glase arbeitet, seinen Entwurf nach dem verfügbaren Glasflusse einrichten muss — kann er das einfachere Material sicherer beherrschen. Freilich vermag dieser Umstand nichts an der unübertrefflichen Pracht der Amerikaner zu ändern, und, wenn man Vorteile und Nachteile abwägt, kann man nur wünschen, dass auch die Brüsseler sich zu dem neuen Material bekehren. Die Belebung, die dem Ornament dadurch zu teil wird, kann ganz eigene Reize ergeben.

In Brüssel hat man denn auch die praktische Seite des farbigen Glasfensters begriffen.

172

*Hier ist es nicht mehr der Luxusgegenstand,
der Kunst macht, unbekümmert, ob sie am
Platz ist, sondern ein höchst wichtiger Teil
der Architektur, deren Gesetze allein über die
Verwendung entscheiden.*
*Diese Gesetze konzentrieren sich auf die
Lichtfrage; sie verbannen farbiges Glas aus
einer Fensteröffnung, die an sich nur eben
die für den Raum nötige Lichtmenge durch-
lässt, bestimmen den helleren oder dunkleren
Ton der Gläser, und fordern es da, wo der
Blick nicht hinausdringen soll. Gerade in
der Architektur unserer Grosstädte, die immer
mehr auf Ausnützung des Raums bedacht ist
und die Menschen in häufig allzu enge Berührung zueinander bringt, bei unseren prächtigen Vorderhäusern mit den hässlichen Rück-
gebäuden, gewinnt dieser Umstand grösste
Wichtigkeit. Man trägt ihm bereits auch in
Deutschland Rechnung, nur nicht auf künstlerische Art. Der fade Luxus unserer modernen
Riesenhäuser, der den Trompeter von Säckingen,
Wagner'sche Opern oder die reichstreue Gesinnung mit Vorliebe in den Treppenhäusern
illustriert, hat gerade in dem Glasfenster ein
willkommenes Opfer gefunden. Wenn sich
unsere Architekten doch ein wenig darauf besinnen wollten, dass auch ihr Gewerbe Kunst
ist, sozusagen; vielleicht würde dann der Umstand, dass es nicht einen Pfennig mehr kostet,
eine Sache geschmackvoll zu machen, als sie
der traurigen Indolenz der Fabrikanten zu
überlassen, sie bestimmen, sich nicht eine der
wenigen Gelegenheiten zu verschliessen, durch
die künstlerischer Geist in die moderne Wohnung zu dringen vermag.*
                  —·Y—

WOHIN TREIBEN WIR?
III

*In grossen Zeitkrisen, wenn plötzlich der
Verfall, in den man, ohne es zu merken,
geraten war, zum Bewusstsein kommt und
die Quelle des Übels, die die ursprüngliche
Kraft lahm legte, offenbar wird, entspriessen
in der Form von neuen Theorien Heilmittel,
die alsbald zu unumstösslichen Grundsätzen
werden. Nichts ist gefährlicher als eine über-
mässige Anwendung solcher Universalmittel.
In meinem Aufsatz des zweiten Heftes haben
wir bereits gesehen, wohin die missverstandene
Heillehre, unsere Kunst durch eine Rückkehr
zur Natur zu verjüngen, führte. Nicht weniger
gefährlich in den Folgen ist eine andere
Theorie geworden, die, von dem Grundsatz
ausgehend, dass alle künstlerischen Bethäti-*

Nach H. CHRISTIANSEN, Paris
Ausgeführt von K. ENGELBRECHT, Hamburg

173

gungen einer Familie angehören, die Teilung der Kunst in einzelne Gebiete verdammte und sich namentlich gegen die Anschauung wandte, die zwischen hohen und niederen Künsten unterscheidet.

Von dem Prinzip, dass alle Künste gleichwertig sind und zusammenhängen, folgerte man, dass sie alle nach einem und demselben Ziele zu streben hätten und ein gemeinsames Ideal besässen. Und schliesslich war von der Anschauung ab, dass die verschiedensten Anlagen allen künstlerischen Bethätigungen genügen, nur noch ein Schritt bis zu dem Übergriff einer Kunst in die andere.

Wir haben alle die Befreiung der Maler und Bildhauer von ihren hierarchischen Vorurteilen als glücklichen Fortschritt begrüsst und sind ihnen dankbar, dass sie ihren Einfluss zu Gunsten der Hebung des Gewerbes aufbieten und uns die Hand dazu reichen wollten, dasselbe vom Versinken zu bewahren.

Eine Schar von Künstlern, und zwar von den angesehensten, haben die abstrakte Richtung ihrer Anschauungen aufgegeben, nicht nur um Formen und Modelle zu schaffen, sondern auch selbst um mit eigener Hand Gegenstände, die dem Gebrauch dienen sollen, zu fertigen. Da nunmehr eine Anzahl von Jahren seit dem Anfang dieser Strömung verstrichen sind, und schon greifbare Resultate genug vorliegen, lässt sich die Art der Folgen dieser Richtung bereits erkennen.

Wir müssen gestehen, dass das Resultat weit hinter den ersten Erwartungen zurückgeblieben ist. Wohl hat die Strömung, die alle Herzen mit der Hoffnung auf eine aufsteigende Sonne erfüllte, dem vergnüglichen Sinn des Dilettantismus etwas gegeben; wohl verdankt man ihr Werke, die nach der Ästhetik der abstrakten Kunst beurteilt, grössten Wert besitzen, aber nur ganz wenige unter ihnen entsprechen dem ursprünglichen praktischen Programm. Suchen wir die Ursachen dieser Enttäuschung. Das Prinzip, das so einfach ist, dass man es kaum niederzuschreiben wagt, die Regel, dass die Struktur eines jeden Gegenstandes sich in erster Linie den strengen Gesetzen seines unmittelbaren Zweckes zu unterwerfen hat, scheint, gerade infolge seiner Einfachheit, dem immer komplizierten, auf das Ideal gerichteten künstlerischen Geiste zu entgehen. Die Notwendigkeit, bei der Schöpfung eines Gebrauchsgegenstandes die grundlegende Konstitution seiner Art zu schaffen, sich mit den Konstruktionsmethoden zu befassen, die für seine praktische Verwendung am förderlichsten scheinen, die Frage, ob der einmal hergestellte Gegenstand auf rationellem Wege reproduziert werden kann, alles das, was gelöst werden muss, bevor man an äusserliche Verschönerungen, an den künstlerischen Originalitätswert, an die symbolische oder litterarische Bedeutung denken kann, sind offenbar zu alltägige Bedenken, als dass es Geistern, welche gewohnt sind, in höheren Regionen

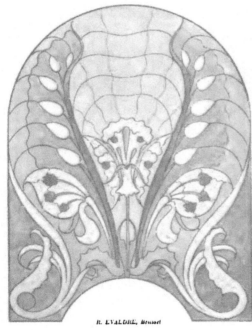

R. EVALDRE, Brussel

174

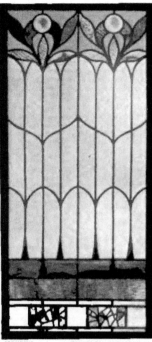

M. ROTH   Aus »Magyar Iparmüvészet«

*aber ohne den strengen Gehorsam vor der
Disziplin des Metiers an der Wiederbelebung
des Gewerbes arbeiten, werden ihre Kundschaft in dem engern Kreise der Liebhaber
finden, denen darin liegt, die einzigen Exemplare von höchst raffinierten Werken zu besitzen und die sich nicht darum bekümmern,
ob diese Werke zugleich Muster des Gebrauchswertes darstellen.*

*Es giebt gewiss Ausnahmen, die wir freudig
begrüssen, Fälle, wo ein Künstler sich bewusst
wird, dass die Art seiner Veranlagung ihn
in die neue Richtung treibt. Damit es ihm
gelingt, muss ein derartiger Künstler aber
das Feld seiner früheren Thätigkeit völlig
vergessen und sich mit Leib und Seele der
neuen Bestimmung
hingeben. Wie jede
menschliche Be-
thätigung, die
dauernde Spu-
ren hinterlas-
sen will, so
verlangt auch
diese, wenn
sie frucht-
bar werden
soll, eine
ungeteilte
Hingabe,
eine Ar-
beit.*

C. ULE, München

*zu schweben, zuzumuten sei, sich gründlich
mit denselben zu befassen, ohne ihrem
wahren Temperamente Abbruch zu thun.*

*Der Gegensatz zwischen den beiden Arten
von Qualitäten springt in die Augen. Wie
kann man von jenen Privilegierten, denen
die Natur die Gabe verlieh, mit ihrer Einbildungskraft jenem erhabeneren Sinne, jener
liefern Bedeutung, den sie den materiellen
Dingen beilegen, ideale Formen zu geben,
wie kann man von jenen Träumern das ab-
gewogene Verständnis für die genauen Bedingungen des praktischen Lebens verlangen?
In allem, was sie vornehmen, wird sich immer,
selbst gegen eignen Willen und Wissen, ihre
träumerische Art, der unvertilgbare Stempel
ihrer gewohnten Tradition offenbaren. Alle
solche Künstler, die mit wertvoller Findergabe,*

175

186

mit Freuden die Wiederbelebung einer Kunst
besonderer Art zu feiern, jener Kunst der
Prachtgegenstände, die in der Vergangenheit
der Stolz verschiedener grossen Kulturepochen
gewesen. Denn man hat für jede Bereiche-
rung des Gebietes des Schönen, das nie zu
reich werden kann, dankbar zu sein. Diese
Art Gegenstände kommt aber nicht vom
Standpunkte des Nutzwertes in Betracht und
darf nicht der Entwickelung des Gewerbes
zu Grunde gelegt werden.

Die Moral hiervon ist, dass man nicht
zurückschrecken soll, die alte Teilung der
Kunst in zwei genau abgegrenzte Gebiete aufrecht zu halten nur mit der Erwägung, dass
ein neuer Faktor dabei in Rechnung getreten
ist, der die Art der Klassifikation verändert.

Man nehme auf die eine Seite alles, was
das Prinzip L'ART POUR L'ART schafft,

E. GRASSET, Paris

R. HESSE, Leipzig

die um so schwieriger ist, als dem Künstler
die gründliche Erfahrung abgeht, die nur
eine lange praktische Lehre ergibt.

Ich möchte nicht, dass das eben Gesagte
missverstanden wird. Es ist eine wirkliche
Freude, wenn mancher Künstler, der vorher
nur mit dem Pinsel, dem Stift oder dem
Meissel arbeitete, jetzt seinen Äusserungen
ein grösseres Feld eröffnet und sich Quellen
erschliesst, die nur zu lange dem höhern
Kunstgebiete fremd geblieben sind. Diese Befreiung verdanken wir dem köstlichen Inhalt
unserer Vitrinen. Wenn diese neuen künstlerischen Bestrebungen uns auch nur Schöpfungen gebracht hätten von der Art der Gläser
KOEPPING'S — Meisterwerke voll grössten
Reizes für die Augen, aber ohne jede gewerbliche Prätention — oder von der Art einer
Bronzelampe VALLGREN'S, die allerdings für
den Gebrauch bestimmt ist, aber 1500 Frs.
kostet, so würde es schon genügen, um darin

176

187

Nach P. VUILLARD ausgeführt von TIFFANY für
ART NOUVEAU

jene Kunst, die nur das Auge oder den Geist
erfreuen will. Dahin gehört zuerst, der alten
Teilung entsprechend, die grosse Skulptur
und die Staffeleimalerei, und daran hat sich
das Gebiet aller und jeder Gegenstände zu
schliessen, die einer phantastischen oder poetischen Einbildungskraft entsprungen sind,
unter welchen Namen sie auch auftreten
mögen. Auf die andere Seite gehört als Gegensatz die NÜTZLICHE KUNST (gleichviel
ob man ihr diesen Namen oder den der
dekorativen oder angewandten Kunst zuerteilt),
die Kunst, die sich daran zu halten hat, ausschliesslich ornamentalen oder rein praktischen
Zwecken zu genügen und welche vernunft-
gemäss auch die Architektur einbegreifen sollte.
Mit dieser sauberen Verteilung jedes Dings
auf das Gebiet, wo es hingehört, wird Klarheit in die Gemäter einziehen und wenn jeder
Künstler sich genau darüber klar sein wird,
bevor er sein Werk anfängt, zu welchen
dieser beiden Gebiete es seiner Absicht nach
gehören soll, dann wird die Unzahl von
Irrtümern verschwinden, die die Zukunft ver-
dunkeln und der schönen Bewegung gefährlich werden, auf die das Ende unseres Jahrhunderts stolz ist.   S. BING

G. LEMMEN

MODERNE KUNST IN DER FRAN-
ZÖSISCHEN ARCHITEKTUR:
DAS PARISER HAUS

*Während fast sieben Jahrhunderten hat die
an wundervollen Elementen reiche französische
Architektur Werke von so unvergleichlicher
Vielseitigkeit und so mächtigem Charakter
geschaffen, dass der Einfluss des Genies unserer Rasse sich über ganz Europa ausgebreitet
hat. Die kräftige Blüte des Mittelalters war so
fruchtbar, die Pracht des 17. Jahrhunderts hat
einen solchen Glanz ausgestrahlt und die Eleganz
des 18. eine solche Anmut verbreitet, dass alle
Völker dem Reiz unserer monumentalen Kunst
unterlagen und aus ihr Anregung schöpften.
Allein die Kunst, die man unrechterweise Renaissance nennt, war eine vorübergehende
Verirrung, während der die gesunde, logische
Überlieferung der vorhergehenden Epochen*

Nach BOISSEL ausgeführt von TIFFANY
für ART NOUVEAU

*einen nicht immer glücklichen, aber am Ende
doch siegreichen Kampf gegen die aus dem
Studium der Antike hergeleiteten Formen und
gegen Italien auszufechten hatte, das in Frankreich alle Lügen jener Architektur einführte.
Diese glänzende Entwickelung versiegte am
Anfang unseres Jahrhunderts, zumal in den
dreissiger Jahren, und unsere Baukunst hat*

188

sich ihrer grossen Vergangenheit unwürdig
erwiesen. Sie wird heute verkannt, zuweilen
sogar verachtet und jedenfalls nicht jener Verjüngung für fähig gehalten, die sie früher
bei jedem Aufschwung des französischen Volkes
an sich vollzog. Man weigert ihr den Stil,
einen Sonderausdruck der Gedanken und Sitten
unserer Zeit und bleibt hartnäckig unempfäng-

E. VAUDREMER   Hof des Lycée Buffon

lich gegen die mutigen Versuche unserer Zeit,
die schon geraume Weile am Werk sind und
endlich immer mehr einen entscheidenden
Moment vorzubereiten scheinen. Man über-
treibt die Strenge gegen unsere heutige Architektur bis zur Ungerechtigkeit. Fraglos hat
das erste Kaiserreich uns einen bösen Stoss
versetzt und die Archäologie um 1850 unsere
Unabhängigkeit gefährdet. Aber es war doch
zu viel Energie in ihr, um ganz zu unterliegen. Trotz vieler, zum Teil auch heute noch
unbesiegter Hindernisse, erhebt sie wieder mutig

ihr Haupt, und wenn auch zur Stunde das
Ideal, dem sie zustrebt noch nicht deutlich
festzustellen ist, sicher wäre es Blindheit, dieses
Vorrücken zu leugnen und die durchaus deutlichen Bestrebungen zu übersehen, die ich hier
zu verfolgen gedenke.

Die bürgerliche Architektur ist eng mit dem
alltäglichen Leben verknüpft, sie ist sein Reflex.

Das Haus ist die prägnanteste Form
der Kunst, der unmittelbare Ausdruck menschlicher Bedürfnisse.
Ich werde mich vor allem mit
ihm beschäftigen, und zwar gedenke ich zunächst an dem Pariser
Haus den Fortschritt festzustellen,
ohne übrigens die Irrtümer zu ver-
schweigen, die ihm noch hindernd
im Wege stehen.

Von dem alten Paris ist nur
noch wenig übrig geblieben. Wohl
besitzt es noch eine ganze Anzahl
Achtung gebietender Gebäude von
alters her, aber seine Häuser sind
neu. Mehr als jede andere Stadt,
Luxuszentrum, geschaffen, um zu
gefallen und zu verführen, hat es
die alten, malerischen, aber un-
sauberen Strassen fast ausnahmslos geopfert und überall mit seinen
grünen Plätzen, seinen breiten, be-
schatteten Boulevards und Avenuen
Licht und Luft geschaffen. Sicher
kann man den meisten der Häuser
aus den letzten 25 Jahren, selbst
den neuesten, nicht den Vorwurf
einer allzu engen Konvenienz ersparen. Ihren Fassaden fehlen Bewegung und Abwechslung, überall
findet man dasselbe Modell. Lange-
weile im Äussern, falschen, billigen
und banalen Luxus im Innern.

Aber wenigstens ist dies Haus
gut konstruiert; aus vorzüglichem
Material und rationell in der Raumverteilung. Ein weites Vestibül führt
nach der breiten, hellen und in der
Regel mit Aufzug versehenen Treppe. Das Anti-
chambre wird durch einen breiten Flur ersetzt,
der alle Empfangsräume bedient und nach
der einen Seite in den Gang zu den Schlaf-,
Bade- und Toilettezimmern, nach der anderen
Seite in den Gang zur Küche, Speisekammer
und Dienerzimmer endigt, die stets eine besondere Treppe besitzen. Das Speisezimmer
geht nach vorn heraus und verlängert sich
zu einer Loggia, die reiche Fülle von Licht
in den Raum lässt.

Das ist die typische Raumverteilung. Ihre

in die Augen springenden Vorzüge werden durch alle modernen Hilfsmittel, die der Heizung und der Beleuchtung dienen, vermehrt. Die alten Kamine werden immer mehr durch Zentralheizung ersetzt; das elektrische Licht wird zur Regel, Wasser ist überall in Überfluss.

Man wird bei einem Vergleich dieses Hauses mit dem aus der Zeit Louis Philippe's ja selbst des zweiten Kaiserreichs den grossen Fortschritt in konstruktiver Beziehung nicht verkennen. Alles das macht das Haus aber noch nicht zum Werke künstlerischen Wertes. Seine dekorative Form entspricht durchaus nicht unserer Zeit. Daraufhin zielen nun die Bestrebungen einer ganzen Anzahl von Künstlern und zum Teil sind ihre Bestrebungen von Erfolg gekrönt. Leider werden sie aber nur von einer ganz kleinen Gruppe geschätzt, im Publikum sind sie so gut wie unbekannt. Zwischen

A. de BAUDOT — Vestibul eines Hauses

Publikum und den Architekten liegt eine Kluft. Diese erscheinen wie eine geschlossene Kasse, an die man nicht heran kann. Die Menge giebt sich wohl mit einem Bildhauer ab, mit einem Maler — sie versteht vielleicht auch diesen gegenüber nichts von der Sache, aber sie beschäftigt sich wenigstens damit. Der Architekt dagegen ist ihr ein Buch mit sieben Siegeln, sie hat keine Beziehung zu ihm und wenn sie sich mit ihm abgiebt, geschieht es, um Prozesse gegen ihn zu führen.

Dieser betrübende Zustand hat eine Anzahl intelligenter junger Leute nicht abgehalten, zu versuchen, dem Publikum näher zu kommen, es durch Belehrung, durch Schaustellung ihrer Leistungen für ihr Gebiet zu interessieren. Zu diesem Zweck wurde 1893 die Architektur-Abteilung im Marsfeldsalon eingerichtet. Diese und andere Äusserungen ähnlicher Art sind nicht unbemerkt geblieben. Der allgemeinen Kritik wurde dadurch die Aufgabe erleichtert. Anstatt dem Publikum Ensemblepläne hinzuhängen, die es in ihrer Kompliziertheit nie zu verstehen vermag, wählte man in die Augen springende Details, die man als Modelle in natürlicher Grösse aufbaute, und Einzeltheilen der Dekoration, Möbel, Teppiche, Stoffe u. s. w., selbst Fragmente von Zimmern. Auf diese Weise lehrte man das Publikum, das wirkliche Gebiet der Architektur zu erkennen und gab ihm einen Begriff von der engen Beziehung zwischen ihr und allen anderen, dem Nutzen und Schmuck des Heims dienenden Dingen.

A. de BAUDOT — Lycée Victor Hugo

179

5*

CHARLES PLUMET . Vestibul des Hauses 67, Av. Malakoff, Paris

Damit ist ein grosser Schritt zur gegenseitigen Annäherung geschehen. Aber es bleiben noch eine Menge grosser Hindernisse, vor allem die Allmacht der Tradition und der rückblickende Geist des öffentlichen Unterrichts. Merkwürdig! — Während man in den Wissenschaften und der Industrie alles von der Zukunft erwartet, denkt man nicht daran, auch in unserer Kunst die Augen nach vorwärts zu richten und wird nicht müde, die Vergangenheit nach unseren Wünschen zu fragen, sie, die den allgemeinen und besonderen Bedürfnissen unserer Gewohnheiten immer nur beziehungslos gegenüber bleiben kann. Der Romantismus hatte in unserem Gebiet nur ein krampfhaftes Zurückdrängen in die tiefste Finsternis des Mittelalters und der Renaissance zur Folge und brachte diesen unmöglichen Zwiespalt zwischen uns und den Formen unserer Baukunst hervor. Die sklavische Abhängigkeit von der Vergangenheit nahm den Durchschnittsbegabungen jeden Hauch von Persönlichkeit. Anstatt das Studium des Alten zum Zweck der Urteilsbildung und der

Reinigung des Geschmacks zu betreiben, anstatt die Gedanken, die die Werke der Vergangenheit hervorbrachten, mit unseren Ideen zu vergleichen und aus diesem Vergleich moderne Kunstprinzipien zu folgern, ergab man sich der erbärmlichsten Nachahmung. — Der öffentliche Unterricht thut alles, um dieser unglücklichen Tendenz noch Vorschub zu leisten. Die von der Ecole des Beaux-Arts ausgehende Baulehre vermeidet jedes Eingehen auf die notwendigen Beziehungen zwischen der Wissenschaft und der modernen Architektur, auf die vernünftige Anwendung der Materialien u. s. w. Ihr Grundgedanke ist der Klassizismus. Dem ist alles, was Neuerung bringen kann, logischerweise entgegengesetzt. Daraus folgt Unterdrückung der Persönlichkeit in den Schülern, deren vage Instinkte gerade der Förderung im entgegengesetzten Sinne bedürfen.

Der Unterricht soll frei machen, hat RUDE gesagt. Genau das Gegenteil ist bei uns der Fall, er macht unfrei und unfruchtbar; er ist ganz verderblich für die zögernden Talente, die, wenn nicht persönliche, doch mindestens harmonische Werke schaffen könnten, er unterjocht sie vollständig und ist höchst gefährlich für die besser Begabten, in denen er nur das Virtuosentum entwickelt.

Der Prix de Rome ist eine Einrichtung, die sich vielleicht in einer Zeit verteidigen liess, als die Reise nach Italien schwierig und kostspielig war, obwohl selbst damals ein Besuch Spaniens und vor allem die genaue Kenntnis unseres eigenen Landes grösseren Nutzen gebracht hätte. Diese berühmte Auszeichnung hat eine mit besonderen Vorrechten ausgestattete Klasse bei uns geschaffen, die nicht aufhört, mehr oder weniger geschickte Zusammenstellungen längst vorhandener architektonischer Teile in die Welt zu setzen. Natürlich hat man oft genug gegen diese Art von Erziehung protestiert und wiederholt Programme entworfen, die den Geist dieser Lehre moderner und vor allem mehr im Sinne französischer Art gestalten sollten. Diese Versuche sind bisher an der Macht der Vorurteile gescheitert. Mit warmer Überzeugung haben sich A. DE BAUDOT und PAUL GOUT zu Aposteln des neuen Geistes gemacht und wiederholt für die Reform unseres Studiengangs gestritten. Trotz ihrer grossen persön-

MODERNE KUNST IN DER FRANZÖSISCHEN ARCHITEKTUR

lichen Autorität und der Überzeugungskraft ihrer Beweisgründe haben sie bisher nur unwesentliche Veränderungen erreicht. Man hat wohl den pädagogischen Unterricht ein wenig erweitert, einen Lehrstuhl für französische Architektur, den DOESWISWALD *inne hat, geschaffen und einen für Geschichte der Architektur an* LUCIEN MAGNE *gegeben; Verbesserungen, deren Wert nicht zu leugnen ist. Aber der eigentliche Lehrkurs der Ecole des Beaux-Arts ist nichtsdestoweniger derselbe geblieben, der Schritt vorwärts ist unmerklich; statt der Modelle der Antike, die jetzt ein wenig vernachlässigt werden, hat man sich die schlechteste Epoche der Architektur, den Stil Louis XV. zum Muster genommen, der ebenso unausrottbar geworden zu sein scheint, wie vorher die Antike.*

Im ganzen ist von unserer Schule nichts zu erwarten, sie wird noch lange allen drängenden Zeitgedanken verschlossen bleiben.

Um so anerkennungswerter ist der Mut derer, die sich frei gemacht haben. Sie sind selten. Ausser den erwähnten Schwierigkeiten haben sie mit einer Menge besonderer Hindernisse zu kämpfen, und zwar solcher, die speziell bei uns mit der bürgerlichen Architektur, d. h. der Baukunst, die sich mit den Privat- und den Mietshäusern beschäftigt, verknüpft sind.

In Paris überwiegt das Mietshaus. Bis zum vorigen Jahrhundert behielt die Familie aus der Mittelschicht der Bevölkerung die Gewohnheit, allein in einem Hause zu wohnen. Heute teilen Arme und Reiche dasselbe Haus; die Wohnungen sind dem Vermögen ihrer Insassen entsprechend bescheiden, elegant oder prächtig. Die Mieter sind Nomaden und wechseln unaufhörlich. Das Privathaus wird immer seltener. Auf diese Weise verliert das Haus seinen persönlichen Charakter, es behält ihn nur in den kleinen Städten oder auf dem Lande. Die Pariser Bevölkerung hat in so hohem Grade zugenommen, die Grundstückspreise sind damit so gestiegen,

dass man durch die Höhe der Häuser gewinnen musste, was die Breite versagte. Die Häuser sind zu reinen Spekulationsobjekten geworden.

Die Schwierigkeit für den Architekten, Häuser zu bauen, die dem Geschmacke der verschiedensten Mieter zusagen, bedarf keiner Erklärung. Was jedermann gefallen soll, muss banal sein. Daher die Ähnlichkeit der Pariser Mietshäuser, daher überall derselbe Luxus, zumal in den prächtigsten Wohnungen. Es ist für uns ein schlechter Trost, dass es in anderen Weltstädten nicht besser ist, dass die Fehler, die bei uns abstossen, in Berlin z. B. in noch viel höherem Grade hervortreten, dass die Berliner in schlechtem Material ihren noch schlechteren Geschmack äussern und der Luxus bei ihnen noch tiefer steht als bei uns. Es sind geringe Grad-

A. de BAUDOT   Haus in Paris

*unterschiede; von der Kunst ist man dort
wie bei uns gleich weit entfernt.*

*Bei uns vermehren sich noch die Schwierig-
keiten, die diese grossstädtischen Verhältnisse
ergeben, infolge der unvernünftig strengen Vorschriften unserer Stadtverwaltung, die alte
Vorsprünge an den Häusern, alles was ihnen
also in dieser Richtung Bewegung und Originalität geben kann, verbietet. Es ist ganz
in der Ordnung, dass in Paris kein Haus
gebaut werden darf ohne die Kontrolle der
Seinepräfektur; aber wenn sie ein Recht
hat, auf das Erfüllen aller hygienischen Bedingungen beim Bau zu achten, woher stammt
ihre moralische Befugnis, jede Phantasie der
Architekten, die in den Fassaden sich geltend
machen könnte, zu unterbinden?*

*Gegenwärtig arbeitet man an einem Projekt,
das diesen Misständen abhelfen soll. Die Kommission, die sich zu diesem Zwecke vereint
hat, zählt LOUIS BONNIER, über dessen Werke
wir demnächst berichten werden, zu ihren
eifrigsten Mitgliedern. BONNIER hat mittels
äusserst geschickter Zeichnungen, in denen
die geschmeidige Findergabe seines Talentes
hervortritt, die Vorteile festgestellt, die die
Architektur aus einer Milderung jener Vorschriften zu ziehen vermöchte, und die un-
gemeinen Verschönerungen angedeutet, die dadurch dem Strassenbild zu teil werden könnten.
Hoffentlich haben diese äusserst dankenswerten
Bemühungen Erfolg.*

*Bei den Privathäusern stellt natürlich der
Eigentümer das Hemmnis dar. Hier tritt
eine weitere Konsequenz
unseres Archaismus zu
Tage. Unsere reichen Leute
sind gewohnt, sich mit
mehr oder weniger echten
alten Bibelots zu umgeben.
Aus diesem sehr disku-
tablen Geschmack schöpfen
sie die Vorstellung, ihr Haus
könne nur dann ein Kunst-
werk werden, wenn es den
Alten nachgeahmt sei.*

*Solche Ideen haben
jüngst einem mächtigen
Hause im Stile Louis XII.
auf der Place Malesherbes
ins Leben geholfen, das
vielleicht an den Ufern der
Loire, in der Nachbar-
schaft des Schloss von
Amboise oder des von Blois
am Platze gewesen wäre.
Die Vorliebe für eine an-
dere Geschichtsepoche hat
ein grosses Haus auf der
Place d'Jéna im plumpsten
aber echtesten Stil des
18. Jahrhunderts verschul-
det. Lange Zeit konnte
man mitten auf der Avenue
Montaigne ein fürstliches
Wohnhaus pompejani-
schen Ursprungs bewun-
dern. Ein anderer Millionär
kaufte die Ruinen der
Tuilerieen, liess sie mit
ungeheuren Kosten nach
Korsika bringen und baute
auf einer der Anhöhen bei
Ajaccio das Werk PHILI-
BERT DE L'ORMES und*

CHARLES PLUMET   Strassenfront des Hauses 67, Av. Malakoff, Paris

JEAN BULLANT's wieder auf. Eine weniger kostspielige aber ebenso thörichte Laune befriedigte neulich ein reich gewordener Kaufmann, indem er sich eine richtige chinesische Pagode in seinem Garten als Festsaal bauen liess. Gegenwärtig errichtet man auf der Avenue du Bois de Boulogne eine getreue Kopie des Grand Trianon. Und so könnte ich endlos weiter aufzählen.

Aber es giebt noch schlimmere Dinge. Wie erträglich erscheinen diese Anachronismen im Vergleich mit der Salat-Architektur, die sich nicht mit einem Stil begnügt, sondern an demselben Hause Griechenland mit Rom, Henri II. mit Louis XIV. und dazu noch mit dem Directoire zu vereinigen weiss!

Bei solchen Machwerken sinkt die Stelle des Architekten zu der eines verächtlichen Dieners herab, der, um seinen Posten zu behalten, die tollsten Befehle seines Herrn ausführt. Zu bedauern ist, wer sich dazu hergiebt.

In einem ausgezeichneten Bericht über die bürgerliche Architektur, der

CHARLES PLUMET   Hofseite des Hauses 67, Av. Malakoff, Paris

auf dem diesjährigen Kongress der Société Centrale des Architectes français vorgelesen wurde, waren die schwersten Verbrechen aufgezählt, »die im Namen der Archäologie mit Würde begangen worden sind«. Der Verfasser des Berichtes ist durchaus kein wütender Revolutionär, sondern ein feiner, geschmackvoller Künstler: GUSTAVE RAULIN.

Man begreift nach alledem die Schwierigkeit der Aufgabe unserer Architekten, und umsomehr verdienen die Wenigen Anerkennung, die sich und ihre Kunst hoch genug achten, um sich energisch von diesem Gang der Dinge weg und gegen den Strom neuen Zielen zuzuwenden. Sie fordern nicht, dass man die alte Überlieferung, soweit sie gesund ist, mit Füssen tritt, betonen aber in erster Linie die Gesetze, die das Leben und der Geist unserer

Zeit vorschreiben. Sie sind es, auf denen die Hoffnung auf bessere Entwicklung beruht. Die beiden Meister zuerst: EMILE VAUDREMER, der abgeklärteste unter den Neuen, dessen ganzes umfassendes Werk von seltener Einheit und Harmonie durchdrungen ist, ein Dokument, aus dem man die besten Lehren zu schöpfen vermag, vor allem die Wahrheit von der unbedingten Notwendigkeit des Zusammenhangs zwischen Zweck und Form; — A. DE BAUDOT, ein Kämpfer vor allem, der mutigste Verteidiger alles Kühnen, der Entschlossenste und Stärkste in seinen Überzeugungen, der unerbittliche Feind des Klassizismus.

Um diese beiden schliesst sich eine immer zunehmende Zahl von jungen und unabhängigen

183

Pfadfindern, die sich im übrigen beziehungslos gegenüberstehen und von denen jeder seine Eigenart zum Ausdruck zu bringen sucht: PAUL SÉDILLE, dem die Einführung der ornamentalen Polychromie verdankt wird: -- LUCIEN MAGNE, ein einfacher, logisch denkender Künstler; -- G. RAULIN, der immer neu zu überraschen versteht: -- DUTERT, ein Freigelassener der Villa Medicis, der unter anderem die glänzende Vereinigung von Technik und Kunst in der Maschinenhalle der letzten Welt - Ausstellung fertig brachte und weben im MUSEUM eine geschickte, originelle Ausschmückung aus Blumen- und Tiermotiven vollendet hat; CHARLES GENUYS, dessen ausgezeichneter Lehrmethode die Ecole des Arts décoratifs einen gewissen Aufschwung zu danken hat; -- EUGÈNE GRASSET mit seiner kräftigen Stilisierung; CH. PLUMET, L. BONNIER, BRUNEAU und L. BENOUVILLE haben die vollkommene Umwandlung des Intérieurs unternommen mit Benützung aller technischen Vervollkommnungen unserer Zeit und darin jetzt schon Glück gehabt. PLUMET namentlich hat vor kurzem in einem Hause der Avenue Malakoff die persische Dekorationsart, wie sie bei den emaillierten Ziegeln des Palastes des Darius zum Vorschein kommt, mit grösstem Erfolg praktisch benutzt: eine Technik, die im grösseren Stile angewendet, die mannigfachsten polychromen Wirkungen ergeben könnte.

Unter dieser Gruppe habe auch ich meinen Platz mit einer Anzahl junger Künstler zusammen, die das gemeinsame Ziel und die Verwandtschaft der Geschmacksrichtung zusammengeschlossen haben: GUILLEMONAT, GABAS, PROVENSAL, HERSCHER u. a. Wir haben das seltene Glück gehabt, in FRANTZ JOURDAIN, dem unerschrockenen Freund moderner Art, einen Verfechter unserer Absichten zu finden, dessen geschickte Feder das Organ unseres Kreises geworden ist.

Über die Werke aller dieser Künstler werden im Laufe der Zeit in dieser Zeitschrift eingehende Arbeiten erscheinen, aus deren Gesamtheit sich die Bedeutung unserer Bewegung zu erkennen geben wird.

Damit unsere moderne Architektur festen Boden fasse, müssen wir sie vor fremden Elementen schützen. Sie muss französisch bleiben. Wenn die Nachahmungen des Alten ihr schädlich gewesen sind, so würde es ihr sicheres Ende bedeuten, sie unter den Einfluss anderer Länder zu stellen. Unter beiden Übeln ist das letztere das schlimmere. Wir haben ein Beispiel vor den Augen für die Verirrung, die fremdländischer Einfluss zur Folge haben kann.

H. GUIMARD, der früher reizende, durchaus eigenartige Privathäuser machte, hat in Belgien sein Herz verloren. Namentlich einer der hervorragendsten Brüsseler, HORTA, hat ihn fasziniert. Die Verirrung geht bei GUIMARD bis zu der Einbildung, er habe mit seinen Motiven, die in Wirklichkeit nichts als Karrikaturen der kühnen Einfälle HORTA's sind, einen : nationalen : Stil erfunden. Sein jüngst vollendetes Gebäude in Auteuil Castel Béranger mit seiner extravaganten, um jeden Preis komplizierten Inneneinrichtung giebt einem das Alpdrücken. GUIMARD hat zweifellos Wert, schon seine ausserordentliche Energie giebt ihn. Aber er verschwendet seine Kraft in thörichten Extravaganzen. Auf richtigem Wege könnte er bleibende Werte schaffen.

Nicht durch das Ausland wird sich je französische Kunst entwickeln. Die Kunst jeder Rasse hat ihre eigene Art, die aus der Herkunft des Volkes, aus den Einflüssen des Klimas, der Bildung und der sozialen Verhältnisse folgt. Die Sprache der einen wird nicht von den anderen verstanden und lässt sich nicht ohne weiteres verpflanzen. Die französische Architektur muss ihre angeborenen Eigenschaften behalten, ihre Klarheit, Vernunft und ihre Harmonie; nur hier liegen die Bedingungen ihrer Verjüngung. Ohne sich zum Sklaven ihrer glänzenden Tradition zu machen, kann sie stolz auf das reiche Erbe sein, das ihr die Vergangenheit gelassen hat, und mit neuem Geist selbst dort schöpfen, wo so oft fremde Völker sich Frohsinn und Licht geholt haben. CAMILLE GARDELLE

WETTBEWERBE — Über die auf unser Preisausschreiben für eine elektrische Tischlampe eingegangenen zahlreichen Entwürfe wird die Jury in diesen Tagen entscheiden und wird das Ergebnis in nächster Nummer mitgeteilt werden. ●

Das preussische Ministerium der geistlichen, Unterrichts- und Medizinal-Angelegenheiten erlässt ein Preisausschreiben für eine Hochzeitsmedaille oder Plakette (Wachsmodell, Grösse 20—30 cm im Durchmesser). Für den besten Entwurf sind M. 2000 und fernere M. 3000 für weitere Preise ausgesetzt. Als Jury fungiert die preussische Landeskunstkommission. Die Einlieferung hat bis zum 23. April 1898 im Bureau der Königlichen Akademie der Künste in Berlin zu erfolgen. — Nachdem die beruhigende Versicherung gegeben wird, dass eine amtliche Verleihung der Medaille nicht in Aussicht genommen ist, mag es Privaten erwünschte Gelegenheit geben, Exemplare der Medaille zu mässigem Preise zu erwerben und

184

I. KÖGEL. *Gemaltes Panel*

mit der bei jedem einzelnen Falle einzugravierenden Inschrift bei Hochzeiten als

Ehrengabe für Eheleute oder deren Angehörige zu verwenden. — Die schönen Preise wären wohl einer besseren Sache wert gewesen. ●

Der Verbund keramischer Gewerke in Deutschland erlässt ein Preisausschreiben für den Entwurf eines Tafelservice in Porzellan oder Steingut mit drei Preisen von zusammen M. 400.—. Der Erlös aus dem Verkauf der Entwürfe an die Mitglieder des Verbandes kommt den Prämiierten zu. Die Zeichnungen sind in natürlicher Grösse bis 31. Mai 1898 an Professor ALEX. SCHMIDT-Koburg einzusenden.

Die Kommission für die Ausstellung modernen Kunstgewerbes in Leipzig setzt Preise aus in der Höhe von 20—80 M. für Arbeiten der Holzschnitzerei und Drechslerei (Wandkonsolen, Notenpulte, Kleiderhalter, Staffeleien und Wetterglaseinrahmungen); für Federzeichnungen von Kopfleisten, Initialen und Schlussvignetten; für Entwürfe zu Tischkarten in Aquarell- oder Gouache-Malerei; für farbige Entwürfe zu Tischdeckchen, Tischläufern, Ofenschirmen etc. in Kontur- oder Plattstich. — Einsendungen sind bis zum 1. März 1898 an das Bureau des Kunstgewerbemuseums in Leipzig zu richten, wo die Arbeiten acht Tage ausgestellt werden.

KORRESPONDENZEN

M ÜNCHEN — Der Seite 186 abgebildete, von Fräulein LINDA KÖGEL entworfene Notenschrank zeigt Füllungen — Introduzione, Largo, Finale wollte die Künstlerin damit symbolisieren — in einer neuen und eigenartigen Technik, bei welcher aus dem Licht in den Schatten gearbeitet wird, indem dunkles, mit Kreide leicht vorpräpariertes Mahagoniholz mit weisser oder gelblicher Ölfarbe übergangen wird. Die pastos

I. KÖGEL. *Gemaltes Panel*

L. KÖGEL   Notenschrank

aufgetragene Farbenschicht wird durch Bindemittel und Behandlung mit einem Haarpinsel
geglättet, und dann die Zeichnung mit verschieden starken Holzstiften hineingearbeitet.
Mit dem Pinsel wird nachgeholfen, sodass die
dunklen Töne durch den durchschimmernden
braunen Untergrund erzielt werden. Das Gelingen der ganzen Arbeit hängt hauptsächlich
davon ab, dass der richtige Moment beim Auf-
trocknen der Farbe abgepasst wird, da nur
dann der Strich fliessend und reizvoll zur
Geltung kommt, und dass die Platten, solange
sie noch nicht ganz fest sind, sorgfältig vor
Staub bewahrt werden. Die fertigen Einlagen
können beliebig getönt werden. — Für kleine
Sachen eignet sich das Verfahren recht gut.
Es hat den Vorzug, sich dem Holze als Füllung
besser anzupassen, als es die bisher oft ge-
brauchten Einlagen von bemaltem Porzellan
thun, die meist als fremder Bestandteil wirken.
                                                    -ßo-

BERLIN — Unser ganzes neues Kunstgewerbe entspringt nicht einem innerlichen, kultivierten Drange, sondern
einem äusseren dekorativen Bedürfnisse. Das
beweist in Berlin sehr deutlich die Art, wie
moderne Schmuckanschauungen praktische
Verwendung finden. Zuerst haben die Schau-
läden die neuen Formen für opulente Ausstattungen benutzt. Die Konkurrenz treibt
die Ladenbesitzer der vornehmen Geschäfts-
strassen, einander in der äusseren Eleganz
ihrer Verkaufsräume zu überbieten. Sie

suchen zu dem Zwecke alles Neue und Auffallende und Blendende, um mit der schlau
erweckten Überraschung und Neugierde einen
bequemen Kundenfang zu verbinden. In der
Grosstadt geht diese geschäftliche Prunksucht
von einer Branche auf die andere über. man
möchte glauben, mit geheimer Gesetzmässigkeit. In einem Jahre sind es die Konfektions-
läden, die sich in dem gerade neuesten Kunst-
gewerbekleide präsentieren; plötzlich lässt es
hier nach und die Schuhwarengeschäfte beginnen den Wettbewerb. Im nächsten Jahre
sind es vielleicht die Zigarrenläden, dann die
Stehbierhallen oder die Cafés u. s. w. Auf diese
Weise sind an das Kunstgewerbe bisher ziemlich
wechselvolle Aufgaben herangetreten und sie
sind im ganzen nicht übel gelöst worden. Es
sind gewiss entsetzliche Geschmacklosigkeiten
begangen worden, aber zumeist hat doch die
aus England und Amerika importierte Mode,
viel echtes Material zu verwenden, immer gewisse Grenzen gezogen. Denn gar zu plumpen
Händen vertraute man den teuren Stoff nicht
an. Der Besitzer wollte sein Mahagoniholz-,
Messing-, Schmiedeeisen und Glas zur Eigen-
wirkung bringen. Diesen Bestrebungen danken
wir eine grössere Einfachheit im Schmücken
bei allem Aufwand, einige gute Tischlerarbeiten,
gediegenere Metallbearbeitung und eine wohlthätige Farbigkeit, die unabhängig ist von
dem Pinsel des Anstreichers. Eine Folge dieser
Anregungen sind die in den letzten acht Jahren
gemachten Versuche, zwischen dem Äusseren
des Geschäftshauses und des Wohnhauses, den
verschiedenen Zwecken entsprechend, eine für
jeden erkennbare Unterscheidung zu machen.
Die Schwierigkeiten waren hier natürlich
grösser, weil die in allen schon zur festen Anschauung gewordene Stiltradition der grossen
Zweckkühnheiten, die allein sichtbar scheiden
konnten, nicht zulassen mochte. Für die Unsicherheit, den ersten dieser Aufgaben gegenüber, bietet das kostbare Equitablegebäude
den Beweis. Eine reife Professorenkunst
hat sich dort überall bemüht, den in so
nüchtern scheinenden Konstruktionsgedanken,
vom Pflaster bis zur Fahnenstange, mit
barockem Zierat zu verkleiden, sie hat sich
nicht gescheut, den Fenstern das Licht zu
nehmen durch hohe ornamentale Aufsätze,
und sie hat an den Platz, den das geschäftliche Bedürfnis für Plakate, Firmenschilder,
Glasbuchstaben beansprucht, so wenig vorher gedacht, dass diese Auffälligkeiten nun
die Gesamtwirkung des mit reicher Phantasie
erdachten Gebäudes vollständig verderben.
Nicht viel glücklicher im Gedanken, doch
unendlich viel schlechter in der Ausführung

186

197

*alles einzelnen, sind die grossen Geschäfts-
häuser am Hausvoigteiplatze und am Spittel-
markte. Überall sind Glas und Eisen ausgiebig angewandt, aber die ornamentale Putz-
sucht verdirbt die besten Anlagen. Wallot-
stuck war eine Zeitlang das gesuchteste. In
der Architektur des am Neuen Markte und
längs der Rosenstrasse errichteten Häuser-
blocks ist der Zweck schon zu selbstherrlichen
Wirkungen benutzt. Die stets geistreichen Stil-
künstler KAYSER und VON GROSSHEIM kompi-
lierten hier aus internationalen Anregungen
eine Mischung, die die Forderungen des Geschäftshauses, das ausschliesslich Comptoir-
zwecken dient, in vorzüglicher Weise repräsentiert. Die erkerartig vorgebauten Fensterflächen
in Eisenkonstruktion, die auf einen abgeschlossenen Raum deuten, die breiten, säulen-
artigen Ziegelstreifen, die auf jede Gesims-
unterbrechung zur Betonung der Stockwerke
verzichten, der Platz, der für Reklamen in
sehr geschickter Weise vorgesehen ist: das
alles verkündet mit sicherem Takt die ›Freiheit in der Notwendigkeit‹. Man sieht auf
den ersten Blick, dass die Fassaden Comptoir-
räume abschliessen. Der ganz unnötigen Lieb-
haberei für gotisierende Ornamentik haben
die Künstler erfreulicherweise nur bis zur
Höhe des ersten Stockwerkes Raum gewährt.
Mit jeder klugen und unklugen Stilmeierei
endgültig gebrochen zu haben, ist das Verdienst der Architekten MESSEL und ALT-
GELT, die den Neubau des WERTHEIM'schen
Kaufhauses jetzt vollendet haben. Sie haben
mit den nackten Steinquadern eine monumentale Wirkung erzielt, die in Berlin noch
nie erreicht worden ist. Von der Erde bis
hinauf zum Mansardendache, in mächtiger
Ausdehnung, spiegelt eine einzige Glasfläche,
von eleganten Eisenkonstruktionen gehalten,
von breiten Granitpfeilern getrennt. Durch diese
abgerundeten, unprofilierten Pfeiler, durch die
schlanken Eisenteilungen dazwischen, erhält
die ganze Masse etwas gleichmässig Leichtes
und durch die Glaswirkung etwas Grosses
und Freies, das nicht nur auf innere Bedürfnisse deutet, sondern auch dem Blicke
freien Eingang ins Innere gewährt. Man
sieht, wie die Stockwerke sich übereinander
bauen, man kann verfolgen, wie sie ihre
Stützpunkte in den Pfeilern suchen. Es wird
auf den ersten Blick deutlich, worauf es hier
ankam: Raum zu schaffen, viel Raum; einerseits für die Verkaufshallen und andererseits
für die Ausstellung der Allerweltswaren. In
einem solchen Bazar darf nichts in den
Schränken bleiben, alles muss offen den be-
gehrlichen Frauenblick reizen. Was sind das*

*für Auslagen! Die erste Etage zieht mit
einem Geländer von dünnen Messingstäben
jedesmal respektvoll im Halbkreis um die bis
zu ihrer Höhe hinaufreichenden acht Schaufenster herum. Die Verkaufsräume erstrecken
sich ohne Wand, nur von dünnen Säulen
gestützt, smaltief zum Hofe hinüber. Da ist
nichts mehr von den Steinkammern des Wohnhauses geblieben. Alles das sieht schon der
Draussenstehende. Auch in Einzelheiten der
Fassade ist viel Neues und Erfreuliches. Die
wenigen Ornamente sind der mühseligen Be-
arbeitung des harten Granit entsprechend ganz
primitiv zugehauen. Die Darstellungen der
auf den Mittelpfeilern eingelassenen Bronze-
Gussplatten veranschaulichen in etwas flacher
und reichlicher Manier die Universalität der
Darbietungen dieses Warenhauses. Es ist zu
loben, dass dieser bildnerische Schmuck gegossen und nicht getrieben ist. Denn das
Treiben mit der nuancenreichen Feinheit hätte
der wuchtigen Einfachheit der Architektur
kaum die Wage gehalten. Auch erfreut der
durchgehende braune Ton des Metalles. Eine
künstliche Patinierung hätte mit ihren malerischen Detailreizen alles verderben können.
Aber die Bildhauerarbeit lässt doch den grossen
Zug selbstsicherer Beschränkung, der die Architektur auszeichnet, vermissen. Am Dache sind
zwischen den beiden Obelisken — auf die zu
verzichten allen Baukünstlern leider unmöglich scheint — breite Barockmotive sichtbar,
die wieder unsanft in die Gefilde der Stil-
geschichte zurückführen. Wie das Innere des
Bazars sich gestalten wird, ist noch nicht zu
überblicken. Die Beurteilung wird hier erst
ermöglicht, wenn die Räume dem Publikum
offen stehen und der bunteste Weihnachts-
trubel, schillernde Farben und künstliches
Licht die nackten Räume beleben. Das Haus
ist vorläufig ein erfreulicher, moderner Anblick. Sobald der Besitzer es über bezogen
haben wird mit seinem riesigen Aufgebote
von ›Volkskunst‹, wird der unwillkürliche
Vergleich von Schale und Kern, je nach dem
Temperament, heiter oder tragisch stimmen.
Aber eine Hoffnung bleibt. Ein so kluger
Kaufmann, wie Herr WERTHEIM es ist, weiss
sicher was er thut. Er würde solche Summen
für monumentale Einfachheit nicht ausgeben,
wenn er nicht wüsste, dass er damit des
Erfolges beim Publikum sicher ist. Es bereitet sich auch in der That ein Sinn für
architektonische Zweckschönheit vor. Wie
weit dieser Sinn Modethorheit, wie weit er
ein Erziehungsresultat ist, lässt sich noch
nicht sagen. Jedenfalls kann man schon
heute erkennen, dass die Spekulation richtig*

*war und dass sich durch diese hohen Pforten
ewig ein schwarzes Gewimmel drängen wird.
Vielleicht vergisst die Menge dann die Lehre,
die sie draussen empfing, nicht ganz und
formuliert sie zu gereinigten Forderungen für
alle die kleinen Gegenstände, die das eigene
Haus schmücken sollen, so dass langsam der
künstlerische Geist von aussen nach innen,
von der Architektur auf das Kunstgewerbe
wirkt. Aber ich vergesse: das Publikum,
das bei WERTHEIM überselig in dem bunten
Jahrmarktstreiben umherzieht, das sollte eigene
Geschmacksforderungen stellen? — Sie sehen,
wie leicht man ins Phantasieren kommt. So
wollen wir uns denn mit der Architektur begnügen. ● Die Unterrichtsanstalt des königlichen Kunstgewerbe-Museums stellt die Schülerarbeiten des vergangenen Jahres aus. Es ist
auch hier genau so gekommen, wie zu erwarten
war. Die Nachahmung der historischen Stile
hat zum Teil nachgelassen, und dafür ist
die Imitation der modernen englischen und
amerikanischen Arbeiten als Losung ausge-
geben. Es versteht sich von selbst, dass die
frühere Manier, alte bewährte Vorbilder zu
plündern, relativ besser war, als die bunte
Abmalerei der noch ganz ungesiebten Arbeiten moderner Künstler. Das Entlehnen
ist ja im Dekorativen ganz allgemein; aber
man darf sich doch nicht so plump ertappen
lassen, wie die liebe Jugend hier. Da ist
kein Blatt, das nicht sofort das berühmte
Muster erkennen liesse. Wie ist das alles
gröblich missverstanden, die Gegenständliche
ist aufgegriffen, nie das Prinzipielle. Wie
jammervoll wird an diesen Schülerarbeiten
die Impotenz des Erziehungssystems offenbar.
Da ist kein Stuhl, nicht die Zeichnung eines
brauchbaren Stuhles. Keine verwendbare Tapete, kein Stoff, keine selbständige Tischler-
arbeit, keine Deckenskizze, die man direkt
übertragen könnte, keine Lampe, kein Tür-
schloss — nichts, garnichts. In der Malklasse ist keiner, der eine menschliche Figur
zeichnen kann, darum wird kein Akt hier nur
gemalt. Je weniger einer zeichnen kann,
desto »flotter« malt er. Einfach, nicht wahr?
Wenn das die Einleitung werden soll zu
unserem »nun aber wirklich neuem« Kunstgewerbe, dann ist der Bankerott vor der
Thür. ● In diesem Jahre beginnt O. ECK-
MANN seine Thätigkeit als Lehrer der zweiten
Malklasse. Wie viel Hoffnung setzen die
Wohlmeinenden auf ihn! Man wird ja sehen,
was dabei herauskommt, wenn die zwei oder
drei Dutzend Schüler die Kühnheiten ihres
Lehrers, die oft an der Grenze des Erlaubten
stehen, zu übertrumpfen suchen. ● Das könig-*

*liche Kunstgewerbe-Museum hat seine Teil-
nahme an der interessanten Ausstellung im
Hohenzollern-Kaufhause durch den Ankaufver-
schiedener, wertvoller Objekte bewiesen, nämlich
Toilettentisch und Stuhl von PLUMET, keramische Produkte von LAUGER-Karlsruhe, RIGOT-
Paris, RÖRSTRAND, Belgien, England etc. Auch
andere Museen und Sammler haben bereits
namhafte Ankäufe bewirkt.   K. SCHEFFLER*

LEIPZIG — *Die Medaille, welche die
Stadt Leipzig als Anerkennung der bei
der Sächsisch-Thüringischen Gewerbe-
ausstellung hervorragend beteiligten Aussteller
anfertigen liess, ist ein trauriges Zeichen der
Geschmacklosigkeit der mit der Bestellung
beauftragten Herren. Eine Lipsia (natürlich!) die mit einem Lorbeerkranze Hantel-
übungen macht. Dass es nicht an besseren
Entwürfen gefehlt hat, beweist die Abbildung
(Seite 189), welche die Arbeit selbst als Siegerin
darstellt, ausruhend von dem Kampf, und die
somit auch als Idee etwas Neues, weniger
Abgedroschenes bietet.*   -o-

PARIS — *Der Streit um den Raum für
die nächsten Salons ist bis auf weiteres
zu Ende. Wie bekannt, ist der In-
dustriepalast abgerissen worden, und auch
der Raum, in dem bisher der Marsfeldsalon
tagte, ist nicht mehr disponibel. Die unge-
heuerlichsten Projekte kamen auf, um neue
Unterkunft zu schaffen. Der Plan, den
Pavillon Chinois im Bois de Boulogne für
den Marsfeldsalon zu adaptieren, hatte am
meisten Aussicht. Da kam es ans Licht, dass
der Umbau des Pavillons einem Architekten,
der zum Salon der Champs Elysées gehört,
übertragen werden sollte, weil dieser Architekt
fruchtbare Beziehungen zu dem Conseil Municipal, der über den Pavillon Chinois zu ver-
fügen hat, unterhält. Tableau! DE BAUDOT,
der Repräsentant der Architektenabteilung des
Marsfeldes, giebt sofort seine Demission und
mit ihm tritt die ganze Abteilung der Architekten aus dem Marsfeld aus. Das beste ist nun,
dass in letzter Stunde der Conseil Municipal
den Pavillon Chinois nicht bewilligt, sondern
beide Salons angewiesen hat, gemeinsam, aber
mit getrennten Eingängen in demselben Gebäude, der Maschinenhalle der Ausstellung von
1889, auszustellen. So ist das Marsfeld um seine
Architekturabteilung gekommen, ohne etwas
davon zu haben, ein empfindlicher Verlust, denn
diese Abteilung machte den wesentlichsten Bestandteil der gewerblichen Beteiligung aus und
umfasst Leute wie PLUMET, SELMERSHEIM,
BENOUVILLE, GARDELLE u. s. w., also Archi-*

188

F. SCHUMACHER, Leipzig

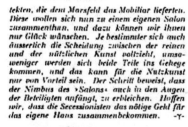

tekten, die dem Marsfeld das Mobiliar lieferten. Diese wollen sich nun zu einem eigenen Salon zusammenthun, und dazu können wir ihnen nur Glück wünschen. Je bestimmter sich auch äusserlich die Scheidung zwischen der reinen und der nützlichen Kunst vollzieht, umso weniger werden sich beide Teile ins Gehege kommen, und das kann für die Nutzkunst nur von Vorteil sein. Der Schritt beweist, dass der Nimbus des »Salons« auch in den Augen der Beteiligten anfängt, zu erbleichen. Hoffen wir, dass die Secessionisten das nötige Geld für das eigene Haus zusammenbekommen.   -γ-

NEUE BÜCHER — WILLIAM MORRIS, HIS ART, HIS WRITINGS AND HIS PUBLIC LIFE. A Record by AYMER VALLANCE. Preis 25 Schillinge; London 1897, George Bell and Sons.
Dem im vorigen Winter erschienenen, reich ausgestatteten und auch vom buchtechnischen Standpunkt vortrefflichen Werke von Aymer Vallance »The Art of William Morris« ist soeben eine vereinfachte, dabei aber textlich reich vermehrte Ausgabe gefolgt, deren bescheidener Preis das Werk auch weiteren Kreisen zugänglich macht. Denn die erste Ausgabe gehörte jener Art von Büchern an, die lediglich für eine bestimmte kleine Anzahl wohlhabender Sammler gedruckt werden, und deren hoher Preis — eine beabsichtigte Schutzwehr gegen das allgemeine Publikum — nicht zum mindesten aus einer sehr beschränkten Auflage seine Berechtigung ableitet. Das kleine Morrisbuch ist die erste umfassende Schilderung des Lebenswerkes William Morris', denn der Text zieht jetzt auch diejenige Thätigkeit Morris' in seinen Betrachtungs-

kreis, welche ihn, in seinen letzten Lebensjahren wenigstens, in weiterer Ausdehnung in Anspruch genommen hat, sein sozialistisches Wirken nämlich. So führt uns das Buch das grosse und reiche Thätigkeitsgebiet jenes seltenen Mannes jetzt in fast abgeschlossener Form vor, wenngleich die fehlende Schilderung seines häuslichen und persönlichen Lebens den Charakter einer Biographie von ihm nimmt. Diese Auslassung ist im Hinblick auf die noch lebenden Angehörigen des Dahingegangenen verständlich.
Das Lebenswerk Morris' ist so umfassend, dass es unglaublich erscheint. Das Erstaunen wird vermehrt, wenn man weiss, mit welcher Gründlichkeit er jedem Teile seines vielfachen Wirkens sich hingab, ja, wie er führend und bahnbrechend auf jedem einzelnen Gebiete wirkte. Er zählte zu den ersten englischen Dichtern seiner Zeit und hat als solcher allein schon der Welt einen bewundernswürdigen Schatz unsterblicher Werke hinterlassen. Er begründete jenen Aufschwung in der häuslichen und dekorativen Kunst, durch den sich England seit 20 Jahren an die Spitze der europäischen Länder gesetzt hat. Er trat schöpferisch und reformierend fast in jedem geeigneten Handwerke auf. Er schuf ein kerngediegenes, von A bis Z künstlerisch durchgebildetes Buchgewerbe und eröffnete auch damit eine Bahn, auf der England jetzt führend vorangeht. Er begründete eine sachgemässe, bis zur letzten Konsequenz gehende Denkmalpflege. Seine sozialistische Thätigkeit freilich, von reinster Überzeugung getragen und durchaus ein Ausfluss seines der edelsten menschlichen Regungen fähigen, aber

189

Karton von FORD MADOX BROWN, ausgeführt von MORRIS & CO.

etwas schwärmerisch veranlagten Charakters, ist nur den genauen Kennern englischer Verhältnisse ganz verständlich. — Mit Morris' geistiger Hinterlassenschaft wird sich der Litterarhistoriker, der Kunstgeschichtler und der Sozialpolitiker in gleicher Weise zu befassen haben.

Vallance's Buch sucht allen drei Gebieten in gründlicher Art gerecht zu werden; und es gelingt ihm, uns durch seine Schilderung ein lebhaftes Bild des seltenen Mannes vor Augen zu führen. Freilich mehr durch objektive Berichte dessen was er that und sagte, auch durch reichliche Litteraturauszüge aus anderen Berichten, als durch eigene Wertbemessung. Hierin mag zugleich ein Vorzug und ein Nachteil des Werkes liegen. Es liesse sich gerade bei Morris ein Werk denken, das sich in glühender Schilderung des in jeder Beziehung hervorragenden Charakters erginge. Aber es ist besser, dass die Morrislitteratur mit einem mehr schildernden als kritischen Werke beginnt.

Den Leserkreis dieses Blattes interessiert in erster Linie die Thätigkeit Morris' auf dem Gebiete der angewandten Kunst. Seine Bedeutung auf diesem kann kaum hoch genug angeschlagen werden. Die Bewegung in England nach der Richtung eines neuen Ausganges des künstlerischen Lebens begann allerdings vor ihm, und zwar zunächst theoretisch. Sie äusserte sich vorerst auf litterarischem Gebiete, gewiss dem wirksamsten in einem Lande, wo die unwirtliche Natur den Menschen in das Haus und den Büchern in die Arme treibt. Pugin und Ruskin forderten gebieterisch eine Rückkehr zum Einfachen. Des letzteren Schriften erlangten eine Volkstümlichkeit, wie sie noch keinem Kunstschriftsteller je beschieden gewesen ist. Die Reform dachten sie sich auf gotischer Grundlage und ihre Wirksamkeit fiel zusammen mit der Architekturströmung, die man gewöhnlich als Gothic Revival bezeichnet. Morris war es beschieden, die Durchführung ihrer Lehren auf dem Gebiete der gesamten angewandten und dekorativen Kunst praktisch in die Hand zu nehmen. Wie Pugin und Ruskin, dachte und empfand auch er durch und durch gotisch. Dies darf auszusprechen nicht unterlassen werden. Denn hiermit ist seine Stellung in der Kunstgeschichte gekennzeichnet. Er war kein moderner Mensch, nicht einmal in seinem Sozialismus. Das Wohl des Arbeiters suchte er auf einer Grundlage, auf der wir nicht mehr stehen. Und obwohl er auf dem Boden der dekorativen Künste einen Samen ausgestreut hat, der die kräftigsten Früchte zu tragen berufen war, so hat die Kunstentwicklung seine persönlichen Leistungen mit seinem Tode überwunden; er, der die Bahnen der neuen Bewegung schuf, hat keinen Schüler

190

hinterlassen, der ihm direkt folgen könnte. Heute lebt und strebt bereits eine andere Generation, das gotische Empfinden ist verlassen, eine durchaus neue Linie wird im Ornament und in der Kleinkunst verfolgt, und dem Rufe der älteren Schule, so zu schaffen, wie unsere mittelalterlichen Vorfahren es thaten, ist die Forderung gefolgt, so zu schaffen, wie es das 19. Jahrhundert verlangt.

Morris bleibt deshalb, was er ist: nichts mehr und nichts weniger als der Bahnbrecher der ganzen modernen dekorativen Kunstbewegung, jenes neuen Ausganges, dessen Tragweite noch gar nicht abgesehen werden kann. Seine Bedeutung ragt weit über England hinaus, sie ist universell.

Vallance's Buch ist mit einer beträchtlichen Anzahl von Abbildungen geschmückt, welche besonders einen Teil der von Morris entworfenen, meist prächtigen Stoffe, wenn auch leider nur in Schwarz und Weiss, vorführen. Die Entwürfe der wenigen, vorgeführten Glasfenster rühren meist von Burne-Jones und Ford Madox Brown her. Morris' Teppiche, welchen sechs Blatt Abbildungen gewidmet sind, vermögen angesichts dessen, was uns der Orient Vortreffliches in solchem Überfluss liefert, nur ein beschränktes Interesse zu erwecken. Dagegen sind seine Wandgehänge (Gobelins) wahrhaft herzerfrischend, und wer den herrlichen Wandteppich in Exeter College in Oxford gesehen hat, wird zu der Überzeugung gelangen, dass seine Erzeugnisse in nichts den Vergleich mit den besten mittelalterlichen zu scheuen brauchen. Von den übrigen Leistungen der Firma Morris sind Abbildungen überhaupt nicht angeführt, wahrscheinlich aus der jetzt im dortigen Geschäft herrschenden Furcht, die Sachen könnten nachgeahmt werden, eine meines Erachtens recht unnötige Ängstlichkeit. Die vielfachen, von Birmingham-Zeichnern herrührenden Ansichten der drei Wohnsitze Morris' sind zwar an und für sich eine willkommene Zugabe, erregen aber mehr durch ihre Zeichenmanier als durch ihren Inhalt Interesse. Dagegen wird die Beigabe von Druckproben aus der Kelmscott-Presse freudig begrüsst werden. Für den Litteraturfreund ist das gründlich zusammengetragene Verzeichnis der poetischen Werke und sonstigen Aufsätze Morris' von besonderem Interesse. Alles in allem verdient das gründliche Buch die ernsteste Beachtung und wird gewiss auch in Deutschland denjenigen Leserkreis finden, den es seiner Bedeutung gemäss sicher verdient. H. MUTHESIUS

DIE FESTDEKORATION IN WORT UND BILD. Herausgegeben von EUGEN BISCHOFF und

FRANZ SALES MEYER. Mit 472 Abbildungen. Leipzig, 1897, E. A. SEEMANN. Preis: Geb. M. 22.—. Ein umfassendes Werk über Festdekoration fehlte bis jetzt; die Professoren der Karlsruher Kunstgewerbeschule, Eugen Bischoff und Franz Sales Meyer, haben es unternommen, diesem Bedürfnis abzuhelfen und ihre Aufgabe sehr glücklich gelöst; denn das Buch ist interessant geschrieben, und regt — was mehr sagen will — zu eigenem Schaffen an. Im ersten Teil wird eine kurze Geschichte der Feste gegeben, von den religiösen und mythischen des alten Ägyptens an, bis zur Eröffnung des Nordostseekanals; dann folgen Abschnitte über die Mittel zur Festverzierung, die Dekoration der Gebäude, Strassen und Plätze, die Festzüge, Trauer- und Kirchendekoration. Das reiche Illustrationsmaterial kommt überall dem geschriebenen Wort zu Hilfe; nirgends wird zur Nachahmung aufgefordert, sondern immer die Anwendung allgemein gültiger Prinzipien im speziellen Fall gezeigt. Die Ratschläge, die das Buch enthält, sind geradezu mustergültig zu nennen; für die Veranstalter kleiner und grosser Feste wird es sich bald als willkommen erweisen. -Ro-

Fach- u. Fenster aus MORRIS, w The Red House (um 1859)

Vorentwurf für das Völkerschlachtdenkmal in Leipzig

DEUTSCHE DENKMALBAUTEN VON BRUNO SCHMITZ

Schon oft ist es betont worden, dass frische Zweige am Baume der deutschen Kunst nur

Ornamentale Friesfüllung vom Kyffhäuserdenkmal

dann erblühen können, wenn das Schaffen der Gegenwart sich frei an das Leben anlehnt, ohne schematische Formen, die den Ausdruck älterer Anschauungen bilden, zu übernehmen. In diesem Sinne ist oft die Beobachtung gemacht worden, dass die feste, reglementäre Schulweisheit das Erkennen der Schönheit und der Empfindung für neue Gebilde behindert, eine gewisse Ursprünglichkeit aber mit eigenem Kraftgefühl das Streben nach selbständigem Wirken begünstigt. Seit 15 Jahren schon rechnen wir in Deutschland mit dem Namen BRUNO SCHMITZ, der schon von vornherein uns etwas besagte, während dann Jahr um Jahr ein neuer Erfolg ihn in die erstaunte Welt tönte und die Kaiserdenkmalzeit ihn den ersten Künstlern der Gegenwart einreihte.

SCHMITZ, geboren 1859 in Düsseldorf, hat sich dort bei RIFFARTH — einem Schüler RASCHDORFFS — im Atelier, wie auf dem Bau praktisch ausgebildet und besuchte daneben mehrere Vorlesungen und Übungen in der Akademie, die in ihm den Sinn für das Malerische in der Architektur weckten und nährten. — Ziemlich früh beteiligte er sich selbst an grösseren Bauausführungen und gewann in jugendlichem Alter die Museumskonkurrenz für Linz an der Donau, welcher nachher noch preisgekrönte oder doch her-

DEUTSCHE DENKMALBAUTEN VON BRUNO SCHMITZ

Totalansicht der Denkmalanlage am Kyffhäuser

vorragende Entwürfe für das Reichsgericht
in Leipzig, ein Museum für Bukarest, die
Tonhalle in Zürich, das Finanzministerium
in Dresden, Museum in Darmstadt und andere
architektonische Aufgaben folgten.

Grösseres Aufsehen aber, als diese Arbeiten
erregten seine erfolgreichen Konkurrenzen auf
dem Gebiete der monumentalen Denkmäler,
wofür er bei uns heute wohl als die erste
Kraft gilt. Der erste grosse Erfolg fiel ihm
bei dem Victor Emanuel-Denkmal in Rom zu,
wobei er im Kampfe gegen die berühmtesten
Künstler Italiens und Frankreichs den ersten

Preis davontrug (1883). Der damals erst
vierundzwanzigjährige Künstler überraschte
durch die Grossartigkeit seiner Auffassung,
die Sicherheit der Formen und das Markante
der Erscheinung. Während des Baues des
Museums in Linz siedelte SCHMITZ als Atelier-
genosse des verstorbenen AUGUST HARTEL auf
kurze Zeit nach Leipzig über, um sich alsdann 1886 dauernd in Berlin niederzulassen.
— Von hier aus siegte er schon im folgenden
Jahre mit seinem Kriegerdenkmal in Indiana-
polis, das der deutschen Kunst jenseits des
grossen Wassers zu hohem Ansehen verhalf
(1887).

Am bekanntesten aber wurde er nun durch
die sieghafte Führung der deutschen Archi-
tektenschaft bei den hervorragenden Bewer-
bungen um die Kaiserdenkmäler in Berlin,
auf dem Kyffhäuser, an der Porta Westfalica
und am Deutschen Eck, dem Zusammenfluss
des Rheins und der Mosel bei Koblenz. Es
bewährte sich in allen diesen Fällen die zwingende Kraft seiner Ideen, die allerdings durch
eine grossartige Manier des Vortrags sehr wesentlich mitunterstützt wurde. Das National-
denkmal in Berlin musste schliesslich aus
allerlei mehr persönlichen Rücksichten an
den Schöpfer des Schlossbrunnens übertragen
werden, die anderen drei gewaltigen Denk-

Vom Kyffhäuserdenkmal (Blick aus der Bogenhalle in den Barbarossahof)   *Nach Phot. v. Schirwek, Nordhausen*

194

Vorderansicht des Kyffhäuserdenkmals (Reiterbild von HUNDRIESER)   Nach Phot. v. Schieuvk, Nordhausen

195   r

DEUTSCHE DENKMALBAUTEN VON BRUNO SCHMITZ

mäler aber erfuhren unter Mitwirkung namhafter Bildhauer ihre künstlerische Gestaltung durch BRUNO SCHMITZ, der nunmehr auch nach Ablauf zweier Konkurrenzen das nationale Denkmal zur Erinnerung an die Völkerschlacht bei Leipzig im Entwurfe fertiggestellt hat.

Alle diese Denkmäler verdanken ihre eminente Wirkung dem Umstand, dass der Schöpfer derselben der historischen Stätte, welche sie bedecken, die Urform entlehnt; dass er sie dann durch eine kraftvolle architektonische Bewältigung des Gedankens zu wahren Monumenten erhebt und dass er in vollkommen freier Erfindung das schmückende Beiwerk mit dem Denkmal in die innigste geistige Beziehung bringt.

Dem Kyffhäuser, dessen Ruine von wunderbaren Sagen umwoben ist, gab der Architekt wie in alter Zeit wieder einen trotzigen Turm; auf der steilen Kuppe des Wittekindberges an

Hauptfries und Bekrönung des Denkmals auf dem Kyffhäuser·
Nach Phot. v. Schierek, Nordhausen

der Porta, die einst wohl einen heiligen Tempel getragen, liess er eine krönende Halle erstehen; auf der Inselspitze des Rheins, durch Jahrtausende geweiht, breitet sich nun ein festlicher Platz zu Füssen des unbesiegten Begründers des neuen Reiches. Die Denkmalidee ist immer der Umgebung abgelauscht und dann ihr geistig angeschmiegt, so dass die Formen der Natur sich fortsetzen, die gegliederte Masse mit dem Boden verwächst und alle Skulptur als Schmuck und veredelndes Beiwerk aus dem Wesen heraus sich einfügt. Nur so ist es möglich, in effektvollem Gegensatz zu den alten abgeleierten Denkmalformen etwas Volkstümliches in grossem Masstabe zu schaffen, das zugleich durch die liebevolle Behandlung des Ornaments in echt germanischer Art zu dem Gemüte redet.

In demselben Geiste sind, wenn auch von geringerem Umfang, das kürzlich vollendete Kaiserin Augusta-Denkmal für Koblenz (mit sitzender Figur von MOEST-Karlsruhe) und das in der Vorbereitung befindliche Kaiser Wilhelm-Denkmal für Halle entworfen.

Aufgaben, denen sonst ihrer gleichen Zweckbestimmung nach meist eine verwandte Lösung harrte, werden jetzt aus den gegebenen Bedingungen heraus individuell aufs schärfste charakterisiert, so dass jede in der Durchführung ihr eigenes Gepräge erhalten hat, das sich jeder Anlehnung fern hält. So war beispielsweise von sehr einflussreicher Seite der Gedanke hingeworfen, ob es sich nicht empfehle, bei dem Porta-Denkmal die Hallenbogen zu schliessen und das Standbild des Kaisers als Bekrönung über demselben zu errichten. Dafür aber war SCHMITZ nicht zu haben, und sein Einwand, dass bei einer derartigen Anwendung, die sehr stark an das Hermann-Denkmal erinnere, die Figur des Kaisers nur eine dekorative Stellung, statt die eines Kunstwerkes einnehme, schlug durch.

Eine besondere Eigenart entwickelt SCHMITZ bei der

Kaiser Wilhelm-Denkmal am deutschen Eck in Koblenz.   Architekt: BRUNO SCHMITZ.   Bildhauer: Prof. HUNDRIESER.   (Aufnahme von Photograph Rudolphy, Berlin)

DEUTSCHE DENKMALBAUTEN VON BRUNO SCHMITZ

Kaiser Wilhelm-Denkmal an der Porta Westfalica (Figur von ZUMBUSCH) Phot. von Schiewek, Nordhausen (Aus der «Zeitschrift für Bauwesen» 1897)

Behandlung der Einzelheiten und der Ornamente, die immer von origineller Erfindung
sind und im grossen wie im kleinen stets den
richtigen Masstab treffen. Bei der gewaltigen
Abmessung der dafür gegebenen Flächen ist
es gewiss nicht leicht, im Hinblick auf die
Riesenmasse des Aufbaues mit einfachen
Motiven auszukommen. Aber ebenso wie hierfür, zeigt sich auch das Gefühl für eine
fesselnde Umrisslinie in allen Fällen hoch entwickelt, obschon es oft schwer sein mag, mit
der Umgebung der einzelnen Denkmäler in
Konkurrenz zu treten. Aus demselben Grunde
können bei derartigen Bauten die Kapitäler
und Basen, die Gesimse und Krönungen nicht
die gewöhnliche Gliederung erfahren und er-
fordern dann eine Mittelform zwischen der
streng architektonischen und der im einfachsten
Sinne dekorativen.

Aus grossen, ungefügen Quadern aufge-
schichtet, muss das Werk oft auf ein reicheres
Ornament verzichten; wo es auftritt, erhält
es symbolische Bedeutung und wendet sich
an das eigene Empfinden des Beschauers.

Am Kyffhäuser sind die Wappenfelder von
Lorbeer und von Kornblumen durchzogen,
in der Arkade des Hofes thront Barbarossa
mit lang herabwallendem Barte; die Kapitäler stellen Ritter dar, einen Pfaffen bezwingend,
oder Löwen einen Kriegsmann bewältigend;
Fratzen von asiatischem Typus deuten auf
das alte Reich zur Zeit der Kreuzzüge. —
Bei dem Rheindenkmal in Koblenz hält unten
im breiten Felde der Aar das Otterngezücht
in den Krallen, eine Warnung den finstern,
gegen ihn ankämpfenden Mächten; an den
Eckpylonen sieht man Schiffsschnäbel, Ritter-
helme und Trophäen, zum Schmuck der Frei-
treppen und des ganzen Aufbaues so wuchtig
und riesig zwischen die Ströme hingestellt!

Die Arbeiten von BRUNO SCHMITZ, die in
einzelnen Zügen an Ravennatische Bauten und
an die besten Monumente der Alten erinnern,
sind alle von grossem Wurf, der sich nicht nur
in den Kaiserdenkmälern, sondern auch in
den sonstigen Werken, besonders in den Architekturen und Dekorationen für die Berliner
Gewerbeausstellung aussprach. In seinem

198

BELGISCHE INNENDEKORATION

Schaffen spürt man einen Hauch der neuen Kunst, die aus neuem Geiste geboren wird, und die — ohne die Schönheiten der alten deutschen Kunst zu übersehen — den Stempel der Zeit den vaterländischen Monumenten aufdrückt.

Im Zusammenarbeiten mit Männern wie ZUM-BUSCH, HUNDRIESER, VOGEL und anderen, darf man wohl noch manchen schönen, der Kunst förderlichen Entwurf von dem noch nicht

Vierzigjährigen erwarten, der, wie gesagt, eben dabei ist, in Überarbeitung des im Sommer in Leipzig ausgestellt gewesenen Projektes für das Völkerschlachtdenkmal die letzte Skizze dafür aufzustellen. — Gerade diese Konkurrenz um das Leipziger Denkmal hat erkennen lassen, in welchem Grade SCHMITZ mit seiner Auffassung sowohl wie mit seiner Darstellungsart Schule gemacht hat. PETER WALLÉ

G. SERRURIER-BOVY   Wohnzimmer

BELGISCHE INNENDEKORATION

In einer Konferenz, die VAN DE VELDE vor vier Jahren in Lüttich hielt, stellte er SERRURIER mit Recht als Vorläufer für die belgische Innendekoration hin, eine Anerkennung, die beiden zur Ehre gereicht.

SERRURIER war der erste in Belgien, der der englischen Bewegung ernsthafte Aufmerksamkeit schenkte; er reiste nach London, studierte am Platz aufmerksam, was dort in Tapeten, Stoffen u. s. w. gemacht wurde, und verarbeitete zu Hause seine Eindrücke in eigener Weise, die sich gleich von Anfang an

von den Engländern wesentlich unterschied, wenn er auch nicht die Quelle, aus der er geschöpft hatte, verbergen konnte. Am deutlichsten zeigt sich noch heute der englische Einfluss in seinen ornamentalen Werken, in seinen Friesen u. s. w., in denen die mehr oder weniger stilisierte Blume vorwiegt, doch lässt sich auch schon hierbei eine kräftigere Auffassung, als man sie in London findet, nicht verkennen; seine Motive haben nicht das angekränkelt Schmachtende englischer Stilisten, sie sind möglichst so gelassen, wie die Natur

199

210

G. SERRURIER-BOVY   Fries

sie gemacht hat. Freilich entsprechen sie
weder in der Linie noch in der Farbe den
gesteigerten Ansprüchen moderner Ornamentik.

In Mobiliar vollzog SERRURIER den entscheidenden Bruch mit England. Man findet
in manchen Äusserlichkeiten des Arrangements
Anklänge an England, aber vorherrschend
bleibt im Gegensatz zu dem nie präcisen Über-
gangsstil des englischen Möbels, eine einheitliche, abgeschlossene Form, die den Mangel an

Eleganz und Zierlichkeit durch eine originelle
und dabei solide Konstruktion ersetzt und
von den Stil-Reminiscenzen, die immer dem
englischen Mobiliar anhaften, frei ist. Die
hier abgebildeten Interieurs sind zum grössten
Teil in den Besitz des Hohenzollern-Kauf-
hauses übergegangen und haben in Berlin
berechtigtes Gefallen gefunden.

SERRURIER war der erste Mobiliarkünstler
Belgiens und er ist im Gegensatz zu vielen
anderen Vorläufern, die un-
bekannt bleiben, der populärste
geworden. Darin liegt zugleich
die Grenze seiner Bedeutung.
Seine Kunst vermag sich nicht
zu der Prachtentwicklung aufzuschwingen, die die Gegner der
modernen Bewegung immer und
oft mit Unrecht an der modernen
Innendekoration vermissen; es
haftet ihr etwas von der Nüchternheit an, die an dem englischen
Interieur so oft abschreckt. Man
könnte ihn mit VOYSEY vergleichen, nur ist VOYSEY be-
wusster in seiner Einfachheit;
er will nicht, was SERRURIER
versagt ist. Oft hat SERRURIER
etwas Proletarierhaftes; man
kann sich schlecht vornehme
Leute in seinen immer individuellen, aber zuweilen brutalen
Interieurs, die am meisten durch
einen ungenügend entwickelten
Farbensinn leiden, vorstellen.
Man vermisst die künstlerische
Sorgfalt in den Details; nicht
in der Ausführung, die immer
gut ist, sondern im Entwurf
der Linie; es fehlt ihm die
Differenzierung, nach der sich
das verwöhnte Auge sehnt.

SERRURIER's grösster Fehler
ist der, — begabtere Nachfolger
zu haben. Leute, die auf der-

G. SERRURIER-BOVY

selben Bahn zu wertvolleren Resultaten gelangt sind. Aber es bleibt sein unbestreitbares Verdienst, diese Bahn eröffnet zu haben und Jahre lang der einzige Künstler gewesen zu sein, der in Belgien wagte, etwas anderes zu machen als die Pariser Mode vorschrieb; und wohlverstanden, er ist nur von sehr wenigen übertroffen. Gegenüber der Masse der Brüsseler, die heute in »belgischem Stil« machen, bedeutet SERRURIER immer noch eine respektable Höhe.

Nach SERRURIER kam VAN DE VELDE.

Worin VAN DE VELDE und mit ihm andere wie LEMMEN, den unsere Leser bereits aus Heft III kennen, SERRURIER überlegen sind, das ist ihre künstlerische Vorbildung. SERRURIER war wie HORTA Architekt und für den ornamentalen Teil seiner Aufgabe, ja für die ganze rein ästhetische Frage — soweit man sie von der handwerksmässigen trennen kann — Dilettant. Wenn ihm diese Vorbildung technisch nicht wenig zu statten kam, so machte sie ihm auf der andern Seite Schwierigkeiten, die er nicht immer zu überwinden vermochte. Bei VAN DE VELDE, FINCH und LEMMEN,

ebenso bei RYSSELBERGHE, der sich diesen anschloss, lag die Sache gerade umgekehrt; sie waren — RYSSELBERGHE ist es auch heute noch — Maler, und zwar von Rang, vor allem ästhetisch fein geschulte Künstler; als Laien standen sie dem gewerblich-technischen Teil ihrer neuen Aufgaben gegenüber. Nun ist schwer zu entscheiden, was mehr wert ist. Sicher lässt sich nur mit der Vereinigung beider Elemente Erspriessliches schaffen; sie ist ebenso notwendig wie leider bisher noch selten. Ihr verdankt VAN DE VELDE, der sich mit eiserner Energie die technischen Grundlagen anzueignen wusste, seine glänzende Entwicklung.

Wir wollen hier nur die Arbeiten näher betrachten, die er im Auftrage des BINGschen Salons L'Art Nouveau für die Dresdener Ausstellung vorigen Jahres gemacht hat und auf die wir bereits im ersten Heft näher eingegangen wären, wenn wir die Abbildungen erst nach vieler Mühe — infolge der unbegreiflichen Haltung der Ausstellungs-Kommission anfertigen lassen durften.

G. SERRURIER-BOVY   Schlafzimmer

BELGISCHE INNENDEKORATION

Es wird der Dresdener Ausstellung unvergessen bleiben, dass sie VAN DE VELDE Gelegenheit zu dieser künstlerischen Äusserung verschaffte, die bisher seine glänzendste, wenn nicht gelungenste Manifestation ist, und es ist BING zu danken, dass er sich seines Auftrages mit Hilfe des Künstlers entledigte, der bei weitem am besten dazu geeignet war. Es handelt sich ausser dem Speisesaal und einem Fumoir, zu dem LEMMEN die Stoffe und das Glasmosaik lieferte, vor allem um den Ruhesaal, der

und zugleich konstruktiver Linien und einer mit grösstem Geschmack gewählten Koloristik. Gebrannte Thonkacheln decken den unteren Teil der Wände, Kacheln, wie man sie bisher kaum gesehen, wahre Quadern, ohne jedes Dekor, nur reizvoll durch die Pracht des blaugrauen Materials, in dem BIGOT den Japanern gleichkommt. Sie werden durch einen streng ornamentierten Fries, ebenfalls in Grès nach oben abgeschlossen, ein ausgezeichnetes Muster, das ebenfalls BIGOT in einer Farbe, grün, aber

G. SERRURIER-BOVY   Essuimmer

speziell für Dresden gearbeitet worden ist. Es sollte ein Ersatz des Rahmes werden, den die Ausstellungen bisher auf möglichst praktische Art durch geborgte Möbel und Stoffe, die der Reklame dienen, herzustellen pflegten. Es war eine vornehme, nie genug zu schätzende Noblesse der Dresdener Leitung, mit diesem traurigen Brauche zu brechen; hoffentlich ist er damit ein für allemal abgeschafft. — Der Hauptreiz des Saales besteht in einer höchst rationellen Verwendung gediegener Materialien, in einer fast schematischen Anordnung dekorativer

in verschiedenen Tönen — das tief eingepresste, glänzende Ornament ist dunkler als der Rest — ausgeführt hat. Nun kommt die zur Aufnahme der Lichter bestimmte Wandfläche aus orangenem Stoff, und daran schliesst sich der Hauptteil der Dekoration, in dem VAN DE VELDE einen Prachtausdruck erreicht, der bisher in der modernen Bewegung allein steht.

Das Wohlthuende dieses Schmuckes liegt, abgesehen von dem Reichtum seiner Muster, in seiner materiellen Gediegenheit. Er ist immer motiviert und auf denkbar natürlichste

202

VAN DE VELDE   Cheminée aus der Salle de Repos

Weise erreicht; es ist sozusagen moralischer Luxus, der nichts, gar nichts mit der Prunksucht unserer Stuckdekorateure zu thun hat, der den prüfenden Blick des künstlerischen Auges aushält, nicht nur auf den ersten Moment überrascht wie so mancher Truc unserer modernen Dekoration, sondern Bestand hat.

Über der für die Bilder bestimmten Wandfläche umzieht ein Fries den ganzen Raum; dieser Fries ist in einen massiven Holzrahmen eingefasst und setzt sich aus einzelnen Feldern zusammen, die durch schön geformte Hölzer von einander getrennt sind. Gleichzeitig laufen diese Hölzer nach unten in messingene Halter aus, die die Metallstangen, an denen die Gemälde mittels Schnüren befestigt werden, tragen. Dieselben Hölzer setzen sich nach oben in stärkeren Dimensionen fort und tragen die schöne Rundung, die in den Plafond mündet.

Auch sie schliessen wieder die Felder eines Frieses ein, der dem unteren ähnelt, aber den bei derselben Breite wesentlich höheren Feldern entsprechend modifiziert ist. Das Muster, das unten in die Breite geht, ist oben in die Länge gezogen; in diesen beiden Mustern, die sich gegenseitig unterstützen, steckt VAN DE VELDE's Grösse, sowohl in der Farbe, die sich aus zwei blauen und zwei gelben Nuancen zusammensetzt, wie in der wundervollen Linie. Die tragenden Holzbogen laufen endlich in den viereckigen Kasten, der das Oberlicht einschliesst, und erscheinen auch hier wieder, in einer Richtung als Träger der Glasfelder, die durch ein leichtes, höchst graziöses, schwachfarbiges Muster belebt sind.

Das Mobiliar fügt sich demselben konstruktiven Gedanken organisch ein. Aus der einen Breitseite des Raums springt der mächtige Kamin heraus; er ist durchaus ein architek-

VAN DE VELDE   Salle de Repos

*tonisches Glied des Ganzen;
bei ihm geht ganz natürlich
der Schmuckcharakter des
übrigen Teils der Wand in
reine Konstruktion über; die
Hölzer, die vorhin nur unwesentlich beansprucht wurden, verstärken sich hier der erhöhten Aufgabe entsprechend;
das Metall tritt stärker hervor; die Kachelbekleidung
erhält hier eine direkt praktische Bedeutung und erhöht
mit seiner steinernen Wucht
die imposante Gediegenheit
des Baues. Die Sitzgelegen-
heit beschränkt sich auf ein
ungeheures vierteiliges Sopha
in der Mitte und ent-
sprechende Arrangements in
den abgekanteten Ecken des
Raums und bildet ebenfalls
ein Stück mit dem Ganzen.
Ein vornehmer Takt liegt in
dieser, übrigens vollkommen
Raum genug gewährenden,
Beschränkung. Die Würde
des Saales wäre verloren gegangen, wenn man die strenge
Symmetrie der grossen Linien
durch bewegliche Möbel gemildert hätte.
Unsere Abbildungen geben
den Saal sozusagen nackt,
ohne die Bilder, für die die
Wände, ohne die Pflanzen-*

VAN DE VELDE

arrangements und anderen Gegenstände, für
die das Plateau des zentralen Divans, die
vertieften Ecken, die beiden Kaminvorsprünge
bestimmt waren, und lassen den Raum daher
wesentlich kahler erscheinen als er während
des Gebrauches war. Trotzdem wird er auch
in dieser Form nicht seinen Eindruck verfehlen. Diese Veranstaltung markiert einen
Schritt nicht nur in der Entwicklung VAN DE
VELDE's, sondern der Innendekoration überhaupt. Welch ein Unterschied zwischen diesem
bis ins Kleine würdigen Ensemble und den Tea-
room-Arrangements der Engländer. Hier bleibt
selbst MORRIS weit zurück, der bei allem
Ernst, der ihn beseelte, nie vermocht hätte,
einem ähnlichen Bedürfnis eine nur annähernd
so moderne, ja, und so reiche Deckung zu geben.

BING's Anteil an diesem Werk ist nicht zu
unterschätzen. Er bestimmte die zu verwendenden Materialien, und es war ein glücklicher Gedanke, der ihn auf BIGOT's Keramik
brachte, wenn diese auch in einem grösseren

Raum noch besser am Platz gewesen wäre.
Ihm schwebte dabei der Restaurationsraum
des South Kensington Museums vor, der in
seiner totalen Kachelbekleidung bisher als
Muster derartiger Intérieurs galt. Mit diesem
Saal, dessen Herstellung einen Kostenauf-
wand erforderte, an dem das bescheidene
Budget BING's nicht heranreichte, lässt sich
der Dresdener der ganz verschiedenen Grösse
wegen nicht vergleichen. Sieht man aber von
diesem Unterschiede ab, fragt man, wo die
imposantere, künstlerische Wirkung liegt, so
kann die Entscheidung zu Ungunsten des
Londoner Raums nicht zweifelhaft sein. Mit
einem Zehntel von Aufwand ist in Dresden eine
Wandbekleidung geschaffen worden, vor der die
zudringliche Pracht mit der zum Teil planlosen
Zusammenstellung archaistischer Kacheln in
dem Londoner Raum weit, weit zurücktritt.

Nicht in allen Dingen war BING's Wahl
so glücklich; z. B. schadete der grelle, gelbe
Ton und die höchst unruhige Zeichnung der

205

216

VAN RYSSELBERGHE   Atelierecke

Möbelbezüge, der einzigen Details, an denen
VAN DE VELDE unbeteiligt ist, dem Ensemble
ausserordentlich, ein diskreter Ton ohne jede
Zeichnung wäre dankbarer gewesen. Andere
Details waren dafür um so glücklicher gelöst,
so die Einzelheiten in der Holz- und Metall-
arbeit, der ausgezeichnete Einfall, den unteren
Fries, da wo er die Thüröffnungen schneidet,
in Glasmosaik umzusetzen, und vieles andere.

Wir wissen eigentlich nicht, ob VAN DE
VELDE mit seinen Arbeiten in Dresden Erfolg
gehabt hat, oder ob die Zahl der Unzu-
friedenen überwiegt; man hört so viele Urteile; die einen fanden den Hauptsaal nicht
genügend gemütlich, die anderen meinten,
sie möchten nicht darin wohnen. Das sind
Tadel, die mehr den Tadelnden als dem Objekt
ihrer Unzufriedenheit zu Last fallen. Zum
Wohnen sollte die Salle de Repos VAN DE
VELDE's überhaupt nicht dienen; sie war von
vorneherein zur Befriedigung jenes vagen, aber
nicht ganz unberechtigten Bedürfnisses bestimmt, das in den grossen Ausstellungen einen
repräsentativen Saal, der ausserdem zum Aus-
ruhen, zum Plaudern und derlei Dingen dienen
soll, verlangt. VAN DE VELDE's Aufgabe war
nur, einen solchen Raum würdig auszustatten,

und er hat dies glänzend weit über das Ver-
langte gelöst. Denn er hat dem unpersönlichen Begriff einen höchst persönlichen Ausdruck gegeben und den Raum, der sonst der
traditionellen Langweile bestimmt ist, interessant gemacht; vor allem aber hat er damit
eine künstlerische Äusserung erreicht, einen
Eindruck von Würde, wie er der Ausstellung
entsprach. Einwerfen könnte man, dass der
Kamin unnötig war, da der Raum nur zum
Sommeraufenthalt bestimmt war. Aber man
kann begreiflich finden, dass der Künstler
sich dieses Vorwandes bediente, um seine Aufgabe interessanter zu machen. Dass sich
gerade in diesem Detail der Vlaame verrät,
ist kein Fehler, ausserdem dient gerade der
Kamin dazu, die Wohnlichkeit des Raums
zu erhöhen, die für uns trotz oft wiederholter
gegenteiliger Ansicht als zweifellos feststeht.
Nur ist der Raum ebenso wenig als Wohnung
für jeden Ausstellungsbesucher geeignet, wie
glücklicherweise nicht alle modernen Kunstwerke der durchschnittlich vorzüglichen Dresdener Ausstellung jedermann gefallen mussten.
Wir können uns sehr wohl ein grosses Haus
denken, in dem dieser Raum etwa als drawing-
room vortrefflich am Platz wäre.   -γ-

206

RESULTAT DES PREISAUSSCHREIBENS DES I. HEFTES

Die Jury für die in der ersten Nummer unserer Zeitschrift gestellte Preisaufgabe hat einstimmig den I. Preis von 100 Mark Herrn DR. E. V. OPPOLZER in Prag, den II. Preis von 50 Mark Herrn Kunstschlosser KONRAD GSCHWEND in Hannover, den III. Preis von 20 Mark Herrn Architekt VICTOR BATTEUX in Münster i. W. bewilligt.

Das Stativ der an erster Stelle genannten Lampe besteht wie die ganze Lampe aus Bronze. Der untere Teil läuft in eine Schale aus, der vordere ist, wie die Detailzeichnung angiebt, mit grünem Leder bespannt, in das die Ornamente mit Gold gepresst sind. Rückwärts ist eine glatte Bronzeplatte angeschraubt, die oben in den Handgriff endet. Das Stativ ist mit Blei so ausgegossen, dass eine genügende Stabilität und gleichzeitig Gleichgewicht erreicht wird, wenn die Lampe am Handgriff getragen wird. Auf der Seitenansicht ist das Profil des Bleiklotzes mittelst einer Linie angezeigt. Der Bleiklotz darf nur an den Seitenkanten der rückwärtigen Metallplatte anstossen, damit die elektrischen Zuleitungsdrähte beim Einschieben des Leuchtarmes genügend Platz finden. Wie weit der Arm hineingeschoben werden kann, ist gleichfalls auf der Seitenansicht markiert. Der verschiebbare Arm ist dreikantig und hohl und nimmt die beiden Zuleitungsdrähte auf. Praktischer wäre wohl, ihn statt kantig rund zu halten, wodurch es möglich würde, die Glocke zu drehen und der Lampe eine grössere Verwendbarkeit (als Notenlampe, Gemäldelampe etc.) zu geben. Jede Kante läuft gegen den eigentlichen Leuchtschirm wieder in zwei Kanten aus, um sich in den oberen Konus ganz glatt zu verlieren. Der Leuchtschirm ist aus sehr dünnem Bronzeblech. Die Ornamente treten aus dem Email, das dieselbe Farbe wie das Leder des Stativs hat, nicht hervor, sondern der Schirm ist ganz glatt und das Email füllt die Zwischenräume vollständig aus. Innen ist der Schirm entweder mit weissem, plissierten Seidenstoff bespannt, wie es bei elektrischen Leuchtkörpern oft der Brauch ist, oder mit einem sich dem Bronzeschirm ganz anschliessenden, matten Glase versehen. Das Anbringen der Glühlampen verursacht keine Schwierigkeiten, und es ist genügend Raum für zwei 16kerzige Lampen vorhanden, die in die seitlichen Ausbuchtungen des Schirmes auslaufen. — Die Lampe ist durchaus nicht über jeden Vorwurf erhaben. Der

E. v. OPPOLZER   I. Preis

218

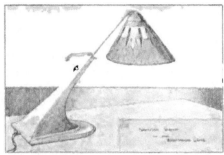

F. v. OPPOLZER   I. Preis

keit, die Lampe anzufassen, und die ungehemmte Ausstrahlung des Lichtes ist bei einer Tischlampe von Übel — aber in dem flotten Arrangement à la LOIE FULLER wertvollen dekorativen Sinn und Originalität verrät.

DIE REDAKTION

DIE JUBILÄUMS-AUS-STELLUNG IN LONDON

Wer davon überzeugt ist, dass wir in einem Zeitalter des Wieder-erwachens der dekorativen Künste leben und wer da glaubt, dass gerade in England die neue Bewegung bereits festen Boden gefasst habe, der sollte die Ausstellung besuchen, die im Imperial Institute von den Jubiläumsgeschenken und Adressen der Königin Viktoria veranstaltet ist. Welche herrliche Gelegenheit lag hier vor, den dekorativen Künstler zu beschäftigen, und welche ungeheuren Mittel wurden in Bewegung gesetzt, einer geliebten greisen Monarchin bei einer fast

Handgriff ist nicht genügend konstruktiv motiviert, er fällt aus dem kompakten Rest heraus und wäre besser durch einen entsprechenden, massiv gehaltenen, ösenartig geschlossenen Griff ersetzt. Auch die Applikation des gemusterten Leders ist nicht einwandfrei. Die Hauptsache aber ist glücklich gelöst und wir hoffen auf eine baldige Ausführung dieses Entwurfes.

Bei dem zweiten Preis waren die Meinungen geteilt, es gab eine Anzahl Modelle, die grössere Eleganz verrieten, aber nicht so einfach und praktisch waren. Hier wird alles von der Ausführung, von der Wahl der Dimensionen abhängen, und wenn der Ausführende geschickt ist, wird er durch Nuancen die allzubiedere Einfachheit modifizieren können. Der dritte Preis steht den anderen sehr nahe und ist vielleicht der best gelungene, nur erinnert er stark an BENSON'sche Modelle. Immerhin ist das, was der Verfasser dem Vorhandenen hinzufügt — und er verdient durchaus keinen Vorwurf, sich einem Meister wie BENSON anzuschliessen — so beträchtlich, dass wir ihn nicht ganz ohne bescheidenen Lohn lassen wollten.

Unter der kaum übersehbaren Masse des Restes der eingelieferten Arbeiten befindet sich nur wenig Brauchbares. Den meisten ist der Sinn der Darlegung, die wir im ersten Heft der Preisaufgabe voranstellten, nicht aufgegangen. Der Zweck wird als Nebensache behandelt, die Konstruktion verschwindet unter malerischen oder skulpturalen Wirkungen oder unter Stilversuchen zweifelhaftesten Wertes. Wir erwähnen noch das Modell des Herrn HUGO LEVEN in Düsseldorf, das zwar auch diese Mängel zeigt — es fehlt jede Möglich-

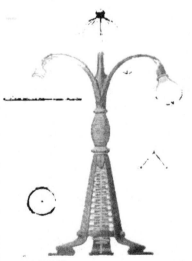

E. GSCHWEND   II. Preis

208

V. BATTEUX   III. Preis

*einzig dastehenden Gelegenheit unterthänige
Liebe und Verehrung zu bezeugen, welche
Kostbarkeiten wurden schliesslich auch aus
England, aus Europa, ja aus allen Teilen der
Welt zum Glanze des Festes beigesteuert! Was
man gab, waren Dinge, von denen der Natur
der Sache nach eine künstlerische Ausbildung
unzertrennlich war, goldene Gefässe, Schmuck,
Kassetten, Adressen, Stickereien, Gemälde. Die
Stellen, von denen die Gaben ausgingen, hatten
den aufrichtigen Wunsch, das beste zu geben,
was in ihren Kräften stand und die dafür
gespendeten Mittel spielten bei der Wahl keine
Rolle. Welcher Triumph also für die Künstler,
die, voll der herrlichsten Ideen, auf die Gelegenheit warten, ihnen Gestalt geben zu können,
welche einzige Gelegenheit in Anbetracht der
Grösse des Objektes!*

*Nun, man gehe hin und sehe sich die Sachen
an, man betrachte die Zeugen der Begeisterung
der opferbereiten Geber, die Geschenke der
Fürsten, Städte, Vereine, Finanzkönige. Selbst
wer auf ein kläglichstes Niveau gefasst und
sich bewusst war, dass heutzutage Kunst und
Reichtum nichts mehr miteinander gemein
haben und dass die Fürsten aufgehört haben,
ihren Ehrgeiz in ein besseres Kunstverständnis
zu setzen, selbst er kann dort noch Überraschungen erleben. Eine gleiche künstlerische
Einöde ist noch nicht gesehen worden und in
keinem Zeitalter ist ein gleich niedriges Niveau
künstlerischer Leistungen überhaupt denkbar
gewesen. An den dafür berufenen Künstlern
ist die Gelegenheit spurlos vorübergegangen,
aber die Goldwarenfabrikanten, die Juweliere*

*und vor allem die Lithographengeschäfte haben
ihren Schnitt gemacht. Von den Auftraggebern
hat keiner auch nur daran gedacht, dass es
ausser dem ihnen im Goldwarenladen ent-
gegentretenden Geschäftsführer, ausser dem Inhaber des Papier- und Lithographengeschäftes,
welches ihnen die übliche Menus liefert, noch
eine Klasse von Leuten giebt, die sich mit so
etwas, wie mit der Herstellung einer Adresse
oder einer Geldkassette beschäftigen. An den
dekorativen Künstler erinnerte sich keiner, nicht
einmal der den Auftrag annehmende Fabrikant,
der ja von seinem »Specialzeichner« zu seiner
und seiner Kundschaft Zufriedenheit bedient
wird. Man kann daher in der Ausstellung
eine wahre Mustersammlung von künstlerisch
abschreckenden Sachen sehen, Sachen, deren
künstlerische Unzulänglichkeit umsomehr ver-
letzt, als sie in den kostbarsten Materialien
auftreten. Die Geschmacklosigkeit in prun-
kendem Gewande, das ist das schlimmste, was
es giebt. Das Gold ist in Kilogrammen verschwendet, aber es ist in Formen gebracht,
die man dem Gusseisen nicht wünschen möchte.
Der überall in auffallender Weise angebrachte
Goldstempel ist offenbar das wichtigste an
den Sachen; ja, warum schickt man dann*

HUGO LEVEN

TH. TH. HEINE

nicht gleich die zu spendende Summe in Hundertmarkscheinen ein? Unter der grossen Anzahl von goldnen Kassetten und Adressenrollen, soweit sie europäischen Ursprungs sind, findet sich keine einzige, die man künstlerisch überhaupt erwähnen könnte, unter den Schmucksachen ebensowenig. Aus der Masse von etwa 450 Adressen kann man die künstlerisch bemerkenswerten an den Fingern abzählen und es bleiben noch Finger übrig. Das andere ist alles Lithographenarbeit, mühsam gequälte unecht-gotische Ornamentik des denkbar niedrigsten Niveaus. Wirklich erfreulich ist nur eine allereinzige, und die ist

in München gefertigt. Sie stammt von Karl Marr und ist von den in Bayern lebenden Engländern gesandt, ein wundervoll anziehendes, poetisch empfundenes und mit feinem künstlerischen Geschmack hingesetztes Werk.

Mehr lässt sich von den Leistungen europäischer Ausführung mit dem besten Willen nicht sagen. Die asiatischen Sachen sind weit besser. Aus Indien sind reiche gold- und silbergetriebene Arbeiten eingegangen, die den phantasie- und prunkvollen, für unsere Begriffe freilich überladenen und sicher im Niedergang befindlichen Stil atmen, den jeder aus den Museen zur Genüge kennt. China schickt kostbare Porzellan- und Nephritgefässe, holzgeschnitzte Paneele und übrigens recht schreiende Stickereien. Ein Stück, das ganz und gar den Stempel eines wirklichen Kunstwerkes trägt, edel in seinem Auftreten und königlich in seiner Haltung, hat Japan gesandt: Es ist ein vierteiliger Schirm mit meisterhafter Landschafts-Darstellung eines Flusstholes mit Stromschnellen, in Stickerei ausgeführt. Der Stil der Stickerei mag überschritten sein, aber angesichts einer solchen Wirkung muss jeder Einwand verstummen.

Man mag eine Kunstkritik gegenüber der Thatsache verurteilen, dass die Gaben lediglich Bezeugungen loyaler Gesinnung waren und nicht als künstlerische Schöpfungen eingesandt wurden. Aber hierin liegt gerade das Interessante der Sache. Gerade deshalb kann man aus der Ausstellung ein Bild darüber gewinnen, wie weit die künstlerische Bewegung der Neuzeit aus der kleinen Schar der Künstler in das grosse Publikum hinausgedrungen ist. Eine Kunst für die Künstler besitzen wir, das ist wahr, aber das Publikum nimmt, wie man hier sehen kann, herzlich wenig Anteil an ihr, ja es lebt in einer künstlerischen Armut und Urteilslosigkeit, wie sie kaum in einer anderen Zeit je geherrscht hat. Und was soll man dazu sagen, dass dieselben Behörden, die den künstlerischen Unterricht unterstützen, sich mit solchen Aufträgen, wie sie hier vorgelegen haben, an »Firmen« statt an Künstler wenden? Was nutzen überhaupt die Kunstschulen, wenn kein Bedürfnis nach Kunst im Publikum vorliegt? Was uns heute hindert, ist nicht das Können der Künstler, nicht Mangel an Aufopferungsfähigkeit des Schaffenden, es ist die blöde Verständnislosigkeit des Empfangenden, der ernüchterte Sinn der fortgeschrittenen Neuzeit, die künstlerische Bedürfnisse nicht mehr empfindet und den Kunstsinn vergangener Geschlechter von der Tagesordnung abgesetzt hat. H. M.

210

DEUTSCHE PLAKATE

*Fast alle Richtungen der modernen Malerei
haben auch in der Plakatkunst ihre Vertreter
gefunden. Während im Ausland das Betonen
der dekorativen im Gegensatz zur bildartigen
Wirkung, und die damit verbundene Stilisierung des Figürlichen auf der einen Seite zum
Ornament, auf der anderen zur Karikatur
führten, war es dem Dresdner Hans Unger
vorbehalten, den poetischen Neuidealismus zur
Geltung zu bringen; seine Plakate sind in
erster Linie künstlerische Lithographien, mit
dem feinen musikalischen Grundton, der auch
die Werke eines Böcklin, Klinger und
Thoma auszeichnet; dabei wird aber überall
dem besonderen Zweck durch Berücksichtigung der Fernwirkung und durch klare einfache Farben Rechnung getragen.*

*Der schöne Kopf, der das Plakat der Kleine-
schen Decke ziert (S. 214), scheint ursprünglich nicht dafür entworfen zu sein; der Text
wurde erst später dem schon vorhandenen Bilde
eingefügt, und so kommt es,
dass Kunst und Reklame sich
hier nicht ganz decken; die
goldenen Strahlen der unter-
gehenden Sonne sind etwas
in Konflikt mit den grünen
Buchstaben. Das sind kleine
Mängel, die kaum dem Künstler zur Last fallen, und auch
der monumentalen Wirkung
des Ganzen wenig Abbruch
thun; es ist aber doch besser,
wenn sie vermieden werden;
das zeigen die ›Nicodé-Con-
certe‹ und das ›Key Beer‹-
Plakat. Ersteres, in einem
vornehmen grauen Ton ge-
halten, ist durch die technische
Behandlung interessant; die
weissen Wolken sind in der
Tonplatte einfach ausgespart,
der Himmel durch dunkeles
Ultramarin gegeben; dadurch
wird eine ungemein stim-
mungsvolle, starke Wirkung
erzielt.*

*Die geschickte Ausnützung
des Textes als wichtiges deko-
ratives Element, hat diese Affiche mit dem ›Key Beer‹, bei
welchem besonders die glückliche ornamentale Verwen-
dung der Flaschen als Hand-
leiste auffällt, gemein. Die
sämtlichen Arbeiten Unger's*

*wurden von der bekannten Firma Wilhelm
Hoffmann in Dresden mit grosser Sorgfalt
ausgeführt. Neu ist an den Affichen Unger's,
dass sie Stimmung enthalten, und da das Plakat
öffentlich ist, ist es gewiss als eine künstlerische
That zu bezeichnen, derartige vornehme ernste
Kunstwerke unter die Massen zu tragen, wo
sie einen grossen Einfluss auf die Geschmacks-
erziehung des Publikums ausüben müssen.*

*Thomas Theodor Heine, charakte-
ristisch bis zur Grausamkeit, ein Satiriker
par excellence, ist der denkbar schärfste Gegensatz zu dem vorhergehenden Künstler; wenige
sehen so scharf wie er, wenige beherrschen
wie er die Linie; sein Empire, nie ohne leise
Ironie, zeigt, was aus diesem eleganten Stil
hätte werden können. Er liebt grelle, schreiende
Farben; vom Standpunkt des Plakates muss
man ihm recht geben; seine Entwürfe sind
immer originell, immer geistreich und machen
sicher gute Reklame, wenn sie auch die Grenze
des Geschmackvollen leicht überschreiten.— Das
hier reproduzierte Plakat wurde bei Fischer*

HANS UNGER

222

in Berlin gedruckt. — ROLLER's Plakat für die Slevogt-Ausstellung bei Artin in Wien (S. 213) zeigt eine seinem relativ kleinen Formate entsprechende vignettenartige Auffassung bei breiter, der Flächenwirkung gut angepasster Technik und geschickte Ausnutzung der drei angewandten Farben. -βρ-

HANS UNGER

»LA DÉMOCRATISATION DU LUXE·

Vor kurzem konnte man im ›Figaro‹ eine Plauderei lesen, die sich im Hinblick auf die kommende Pariser Weltausstellung mit Deutschlands Kunstgewerbe beschäftigte. Man kann ja nie erwarten, wenn man dies Blatt in die Hand nimmt, ein glänzendes Bild deutscher Verhältnisse gemalt zu sehen, aber man kann doch — und zwar nicht selten — eine gewisse Besorgnis aus der im Tone des Grandseigneurs gehaltenen Beurteilung herauslesen; das thut dann mehr wohl, als Worte des Lobes. — Von einer solchen Besorgnis war in jenem Artikel leider nichts zu spüren. ›Nun‹, sagte der Autor etwa, ›da werden wir ja endlich auch Deutschlands Gewerbe zu sehen bekommen; wir werden überrascht sein, wirklich überrascht, denn es wird uns etwas zeigen, was künstlerisch das hübscheste Paradoxon bedeutet, das man sich nur wünschen kann: la démocratisation du luxe‹.

Wir glauben nun nicht, dass wir den Franzosen den Gefallen thun werden, uns gerade auf ihrer Ausstellung von dieser Seite zu zeigen, wir haben Talent genug, um repräsentieren zu können, — aber in dem Worte steckt eine tiefe Wahrheit, wenn wir es als Charakterisierung des allgemeinen kunstgewerblichen Zustandes nehmen, der bei uns, freilich nicht bei uns allein, herrscht.

Die Demokratisierung des Luxus, darin haben wir es in der That weit gebracht, das ist's, worunter wir seufzen, das ist die feindliche Macht, die sich einer gesunden kunstgewerblichen Entwickelung überall entgegenstemmt. Es ist ja auch so undankbar, wenn man dafür zu kämpfen scheint, den künstlerischen Luxus wieder bevorzugten Klassen als Reservatrecht zu gewinnen, und es wird manche Leute geben, die es als stolze Errungenschaft unserer Zeit und ihrer gewerblichen Entwickelung ansehen, dass man im billigen Restaurant, im Chambre garnie des Studenten und der guten Stube des Schneidermeisters denselben Formen begegnen kann, die ursprünglich für den Fürstensaal oder ein Prunkgefäss erdacht sein mögen. Ja, es sind vielleicht dieselben Formen — von unverstandener Nachahmung und Pfuschwerk wollen wir einmal ganz schweigen, obgleich es vorwiegt — aber was dort aus Bronze war, ist hier aus Cuivre poli, und was dort geschnitzt wurde, ist hier gepresst oder gegossen, was dort am Abendmahlskelch prangte, finden wir hier an der Lampe, und was die Thür zum Ratssaal zierte, schmückt hier den Eingang zur Schlafkammer. Das dekorative Taktgefühl, das ist es, was in erster Linie durch die Demokrati-

sierung des Luxus verloren gegangen ist: zu
viel Ornament, oder Ornament am falschen
Platz, oder beides.

Dass diese Erscheinung eintreten musste,
unhemmbar, wie das Wirken einer Natur-
gewalt, bedarf keiner grossen Betonung. Die
märchenhafte Entwickelung alles Maschinen-
wesens, die ungeheuren technischen Errungenschaften der letzten Jahrzehnte, machen die
billige Reproduktion beliebiger Formen in
beliebigem Material leichter und leichter; was
Wunder, wenn die Industrie sich das zu
nutze macht, und wenn sie anfängt, für billiges
Entrée mit ihren Künsten zu protzen, —
was Wunder aber auch, dass der kindliche
Zuschauer, das Publikum, verblüfft wird und
verwundert Beifall klatscht. Es muss erst
erzogen werden, um Künste von Kunst zu
unterscheiden.

An allen Ecken und Enden finden wir heute
den kunstfertigen Bau eines »Orchestrions«
aufgestellt, das für einen Nickel die schönste
Musik mit komplizierter Begleitung und reichsten
Verzierungen zum besten giebt, — der arme
Kerl, der nur seine lumpige Zither zu
schlagen versteht, kann nicht dagegen auf-
kommen, man hört sein Spiel ja kaum neben
diesem Konkurrenten und er kann's nicht
einmal für einen Nickel hergeben, sondern
muss mehr verlangen; höchstens vermag er
seine Kunst noch zur Rarität auf dem Markt
zu bringen. Und doch giebt es Leute, welche
dieselbe Melodie auf bäurischem Instrument
und in primitivem Vortrag lieber von einem
Menschen hören, als vom vollendetsten Orchestrion. Möchten diese Leute sich mehren und
mehren! Der Kunst des Gewerbes gegenüber
sind sie heute weit weniger zu treffen, als in
der Kunst der Musik, denn wenn das, was
wir eben vergleichend bemerkten, wörtlich
nur auf die breite Masse des grossen Publikums zutrifft, so können wir auf kunst-
gewerblichem Gebiet heute noch im Hause
des Gebildetsten das Orchestrion der Zither
vorgezogen sehen. Durch die Demokratisierung
des Luxus ist man so an den toten Prunk
der Formen gewöhnt, dass man für das schlicht-
anspruchslose Gewand kein Auge mehr hat.

Und doch zeigen sich mehr und mehr die
Spuren, dass man durch das Übermass der
Formen, welche die technische Entwickelung
unserer Zeit plötzlich in buntem Taumel um
uns aufhäuft, übersättigt ist. Der grosse
Eindruck, den das Erscheinen der englischen
Möbel mit ihren einfachen Linien und dem
bewussten Verzicht auf Schnitzwerk und
Drechslerarbeit machte, war das deutliche
Zeichen der Reaktion. Der neue Impuls, der

von dieser Erscheinung ausgeht, kann uns
zum Heile oder zum Verderben werden. —
Zum Verderben, wenn er nichts weiter bewirkt,
als dass wir nun darangehen, diese neue
Formenwelt eifrig nachzumachen: dann geraten wir, um uns von der Knechtschaft der
Altvordern zu befreien, in die weit schlimmere
Knechtschaft fremdländischer Eroberer. —
Zum Heile, wenn wir an der Art, wie sich
im Nachbarlande eine gesunde Blüte entwickelte,
lernen, eine ähnliche Entwickelung auch bei
uns anzubahnen.

Wir fangen jetzt erst ganz allmählich
an, über dem »Was« des Geschaffenen, das
uns blendete, nach dem »Wie« des Entstehens
zu fragen, und da sehen wir, wie ursprünglich
die künstlerische gleichbedeutend war mit einer
sozialen Bewegung. Die Empörung über die
mehr und mehr drohende Herabwürdigung
des Menschen zum Maschinensklaven, der
soziale Kampf zwischen Gewerbe und Industrie
fachte das Feuer in England zuerst an.

Ein Mann wie RUSKIN ist in erster Linie
ein Reformer aus Humanitätsgefühl, zugleich
aber erkennt er, dass die soziale und die
künstlerische Krankheit im Zeitalter der
Maschine den gleichen Ursprung hat. Und
nun setzt MORRIS, ausgerüstet mit einer zähen
und elastischen Künstlerkraft und unterstützt
von jenem Stab begeisterter Freunde, deren
Namen heute in aller Munde sind, den sozialen
Kampf in künstlerische That um. Der Künstler
greift wieder ein ins Gewerbe und er betreibt
es auf dem Boden des alten Handwerks, indem er das Werk, das er entworfen, auch
selber bis zur Vollendung führt.

A. ROLLER

HANS UNGER

boden verschwinden machen, und deshalb sollte man nicht nur den künstlerischen Kampf gegen diese Macht führen, sondern überall, wo es angeht, seine Ziele auch im Bunde mit der Industrie zu erreichen suchen: man sollte trachten, den mächtigen Genossen statt zur Demokratisierung des Luxus mehr und mehr zu einer Demokratisierung des Geschmackes zu benutzen. Es sind verhältnismässig bescheidene künstlerische Aufgaben, die sich in diesem Kampfe bieten, und bescheiden mögen auch einstweilen die Resultate sein, die sich hier erzielen lassen, aber, was man etwa erreicht, ist ein Fortschritt in der Geschmacksbildung des Publikums, und der verzinst sich indirekt auf dem edleren Kunstgewerbegebiet reichlich.

Wenn man in Leipzig zur Zeit der Messe durch die Gänge des städtischen Kaufhauses wandert, wo man auf einem Punkt gesammelt findet, was dem Handel an neuen Mustern im Gebiet der dekorativ gestalteten Keramik, der Glasindustrie, der Metall- und Lederarbeit jeder Art geboten wird, da braucht man künstlerisch gar nicht sehr sensibel beanlagt zu sein, um voll Beschämung das Haupt zu verhüllen. Da sind lauter Sachen, die nicht zur Notwendigkeit, sondern zum Schmucke des Lebens dienen sollen, und wie sieht dieser Schmuck aus! Selbst ein wohlwollendes Auge kann lange suchen, bis es etwas findet, auf dem es, ich will gar nicht sagen mit Wohlgefallen, nur unbeleidigt ruhen kann. Einige einfache, aber wirklich geschmackvolle Arbeiten würden hier erlösend wirken, aber wohlgemerkt, nicht Arbeiten, die einen speziell individuellen künstlerischen Charakter tragen, sondern die eigens zur Reproduktion im Grossen erdacht sind, die bescheiden dem Ziele entsagen, einen künstlerischen Einzelwert besitzen zu wollen, sondern lediglich zum Ziele haben, das fürchterliche Tatui geschminkten Prunkes zu verdrängen. Wie lange muss man heute in den Läden herumsuchen, um in einfacher Preislage Ledersachen ohne eingepresste Muster, Bilderrahmen ohne Messingschnörkel, Lampen ohne Engels- oder Löwenköpfe, Vasen ohne Ornamentik zu finden. Unter den staunenerregenden Re-

Das ist die Art, wie man der Demokratisierung des Luxus im Gegensatz zur Industrie den Krieg erklärt, denn es ist natürlich, dass auf diese Weise nur ausgewählte künstlerische Arbeit entsteht, die einem verhältnismässig kleinen Kreise zugänglich ist. Diese exklusive Art des Kampfes ist es, die selbst Männer wie WALTER CRANE, der uns in seinen »Forderungen der dekorativen Kunst« ein so seltsam unklares, sozialistisches Glaubensbekenntnis gegeben hat, eigentlich allein in Wort und Werk betreiben, sowie es wirklich auf ihre künstlerische Thätigkeit und nicht auf ihre idealistische Sozialphantastik ankommt.

Man kann nun aber einmal die Industrie und den Massenartikel nicht mehr vom Erd-

gimentern buntfarbiger Thonfiguren, — wer
sie nur alle kaufen mag? — die hier bei
jeder Messe zusammenströmen, und die meist
im Geiste SICHEL's und SCHWENINGER's auf
eine keusch überzuckerte Sinnlichkeit rechnen,
würde ein kecker künstlerischer Wurf, der
sich zu dieser wohlfeilen Vervielfältigung hergiebt, Verheerungen anrichten; und um nur
noch Eines zu nennen: welche Unzahl so-
genannter Dedikationsgeschenke wird von
unserer Studentenschaft alljährlich verbraucht,
und auf welchen künstlerischen Schund sind
selbst Besseres Wollende angewiesen, weil
kaum jemals etwas zu finden ist, das einfach,
solid und charakteristisch genannt werden
kann.

Es ist sicher kein weltbewegender Kampf,
der sich hier bietet, aber stellen wir der Demokratisierung des Luxus die Demokratisierung
des einfachen Geschmackes entgegen und lassen
nicht, wie die englischen Apostel, der Industrie
gegenüber resigniert die Hände sinken, nachdem wir sie vergebens zornig geballt und ge-
schüttelt haben, so wird vielleicht langsam
der Boden zu höheren Anforderungen bereitet.
Und dasselbe Ziel kann auch der Architekt
selbst bei den einfachsten Aufgaben, die ihm
gestellt werden, anstreben. Echte Schnitzereien,
Haustein-Ornamente, Wandmalerei können
wir nicht überall verlangen, aber wir können
verlangen, dass das Auge nicht beleidigt wird
durch prunkende Thüraufsätze, durch ver-
schnörkelte Öfen, durch nachgeahmte Leder-
tapeten, durch billige Vertäfelungen, kurz
durch jede Art schlechter Dekoration und an-
künstlerischen Ornaments, das uns, wenn wir
von der Arbeit aufschauen, verfolgt, wie etwa
ein Gassenhauer, der unaufhörlich vor unserem
Fenster gesungen wird. — Wir brauchen
darum nicht kahler zu werden in unseren
Wohnungen. Alle diese dekorativen Zuthaten
kann man ersetzen durch eine richtig gewählte
Farbe, und Farbe, dies Stiefkind unserer Zeit,
ist nie unecht und immer zu haben.

Beginnen wir also neben dem positiven
Kampf, der da strebt, durch Neues, Muster-
gültiges morsch gewordene Formen zu ver-
treiben, zugleich einen Kampf gegen den
thönernen Götzen eines billigen Luxus. Nur
wenn dieser Götze überwunden ist, nur wenn
die Leute, die es mit Entrüstung zurückweisen
würden, unechten Schmuck am Leibe zu
tragen, auch unechte Kunst nicht in ihrem
Heime dulden, wird das Verständnis für kunstgewerbliche Forderungen ein weiteres Publikum
finden und ohne ein Publikum nützt auch die
lebhafteste Anstrengung auf diesem Gebiete
nicht dauernd. FRITZ SCHUMACHER

L. BONNIER   Pförtnerhaus

MODERNE KUNST IN DER FRAN-
ZÖSISCHEN ARCHITEKTUR:
II
DER ARCHITEKT LOUIS BONNIER

BONNIER nimmt unter seinen Kollegen, die
sich die Befreiung der französischen Architektur
vom alten Schema zum Ziel gesetzt haben,
einen eigenen Platz ein. Immer und überall
hat er in erster Linie den Nachweis zu er-
bringen gesucht, dass es sich vor allem darum
handelt, die Materie ihren Eigenschaften und
Grenzen entsprechend auszunützen. Mit
seltenem Glück hat er verstanden, seine glückliche Schöpfergabe in den Dienst der Vernunft
und fachmännischer Erfahrung zu stellen.

Er war Schüler der Ecole des Beaux Arts
und zwar in einem ganz besonders zurück-
gebliebenen Atelier, aus dem er glücklich ent-
rann, ohne unter dem schlimmen Einfluss
seines Lehrers J. ANDRÉ zu leiden und ohne
etwas von dem Geist der Schule mitzubekommen,
der schon so viele Begabungen zerstört hat.
Er zeichnete sich schon frühe in verschiedenen
Konkurrenzen aus, die für den Bau des Palais
der schönen Künste in Lille, des Monument
TESTELIN, der Mairie von Issy u. s. w. aus-
geschrieben waren. Er wurde als Inspecteur
des Bâtiments Civils DUTERT zugeteilt und mit
der Leitung der Arbeiten am Muséum betraut,

MODERNE KUNST IN DER FRANZÖSISCHEN ARCHITEKTUR

L. BONNIER

an dessen Ausschmückung er wesentlichen Anteil hatte. In seinen letzten Arbeiten hat sich seine Persönlichkeit zur Blüte entwickelt.

Wir haben im ersten Heft einige Abbildungen des Gebäudes l'Art Nouveau gebracht, das von BONNIER seine gegenwärtige Gestalt erhalten hat. Die Aufgabe war nicht leicht; es galt im Äusseren die Bestimmung des Baues, als Ausstellungsraum für die moderne Kunst zu dienen, in möglichst repräsentativer Weise zum Ausdruck zu bringen, und das bei einem Mietshaus, das ursprünglich alle die Fehler und Banalitäten eines Pariser Geschäftshauses aufwies. BONNIER unterzog sich der Aufgabe mit grösstem Geschick. Mit den einfachsten Mitteln hat er dem Haus einen besonderen Reiz verliehen, der es von seiner Umgebung auf das Vorteilhafteste unterscheidet. Dabei half ihm BRANG-WYN, der die Friese gemalt hat, die sich von dem vorzüglich gewählten Anstrich des Hauses vorteilhaft abnehmen. Hier und da unterbrechen quadratförmige elegante Blumotive, im tieferen Ton als der Anstrich, vorteilhaft die Flächen. Daneben sind alle Details benutzt, um besondere Noten zu geben. So die Seitenthür, die wir in dem ersten Heft besonders abgebildet haben, so im Innern die schmiedeeisernen Geländer u. s. w. Sehr glücklich ist für die Haupteingangsthür und die Decke der Haupthalle die Verwendung von geblasenen Glaskacheln von FAL-CONNIER, die ebenso praktisch wie geschmackvoll sind.

Noch umfassender gelangt BONNIER's Persönlichkeit in den ländlichen Bauten zur Geltung, die wir in diesem Heft abbilden. In einem der anmutigsten Winkel des Pas de Calais, inmitten einer Küsten-Landschaft, deren weiche Übergänge an CAZIN's zarte Bilder denken lassen, an der Bai von Ambleteuse, die das Fort von Vauban beschützt, erhebt sich eine Gruppe reizender, einfacher Häuser. Während so mancher Strand durch die Thorheit, die pseudo-italienische oder pseudo-maurische Villen u. dergl. an die Nordsee, schwere normannische Bauten an das mittelländische Meer setzt, hässlich gemacht wird, hat jenes Stückchen Welt durch BONNIER's Kunst erhöhten Reiz erfahren. Diese Villen gehören an den Platz, für den sie gebaut sind; sowohl in der Form, die in ganz ländlichem Charakter auf die klimatischen Verhältnisse grösste Rücksicht nimmt, wie in dem Material, das lediglich den Produkten der Gegend entlehnt ist.

Das Haus FLÉ, das der Lage nach am besten vor dem Wetter geschützt ist, öffnet sich weit gegen das Meer, dessen Stürme ihm nichts anhaben können. Um der Aussicht

L. BONNIER   *Treppenhaus in Maison Flé*

216

L. BONNIER   Maison FW

L. BONNIER   Maison FW mit Pförtnerhaus

218

L. BONNIER   Maison Fré

L. BONNIER   «Les Dunes» und «Les Sablons»

L. BONNIER   *Rathaus von Templeuve*

noch grössere Ausdehnung zu geben, läuft die Seite nach dem Meere in einen Pavillon aus mit breiten, Luft und Licht in Fülle hereinlassenden Flächen und einem höchst glücklichen Giebel ohne Dachsparren, der sich zu einer aus der Frontmauer herausspringenden Galerie öffnet, die von zwei Streben getragen wird und ein Schirmdach für das Parterre darstellt. Die ganze Aussendekoration wird durch die natürlichen Farben des verwandten Materials erzielt. Graues Gestein wechselt mit rötlichem Ziegel und bildet mit dem grün bemalten Holzwerk hübsche Gegensätze.

Die anderen Villen LES SABLONS, LES DUNES, LES OYATS, LES ALGUES nähern sich mehr dem Vorgebirge, das die Bai abschliesst. Bei ihrer Bauart war der Umstand massgebend, dass sie mehr dem Unwetter ausgesetzt sind. Daher sind ihre Mauern mit Zement und glasierten Ziegeln bekleidet, deren Farbe in horizontalen Reihen abwechselt.

Auf diese Weise hat BONNIER ein Ganzes von vollkommener Einheit geschaffen. Diese Harmonie beschränkt sich nicht auf die Aussenarchitektur. Man findet sie auch im Innern dieser Villen. Auch hier tritt überall die Zweckmässigkeit in den Vordergrund; die konstruktive Seite wird nie verschwiegen, sondern im Gegenteil überall, wo es geboten erscheint, diskret betont. Auch hier dieselbe Achtung vor der Natur des Materials. Die Hölzer sind nur gebeizt; ihre verschiedene Art giebt den einzigen wesentlichen koloristischen Schmuck bei dem Gebälk, den Fenstern, Thüren, Treppen u. s. w. und bei dem Mobiliar, das ebenfalls derselben Hand entstammt. Alles ist einfach, anspruchslos, aber es ist streng einheitlich und dadurch, durch die Ausprägung desselben künstlerischen Willens in jedem, auch dem kleinsten Gegenstand, ein künstlerisches Werk von zwingendem Reiz.

Wir bilden noch die Mairie von Templeuve ab, weil sie zeigt, was man mit demselben Prinzip selbst bei grösster Einfachheit fertig zu bringen vermag. Das Budget war äusserst gering und schien selbst bei der Billigkeit der Handwerkerlöhne im Norden Frankreichs unzulänglich; BONNIER hat mit einem Aufwand

von 30000 Francs das Gebäude fertig gestellt.
Es enthält ein weites Vestibül, in dem des Sonn-
tags die kleinen Landkrämer ihre Waren zeigen
können, das Bureau für die Sparkasse, das
für die Armenpflege, das Kabinett des Bürger-
meisters und seines Sekretärs, Stadtverordneten-
Saal und grossen Festsaal. Die finanzielle Lösung
der Aufgabe war nur dadurch möglich, dass
BONNIER sich lediglich der Landesmaterialien
bediente, der Ziegel aus dem Norden, des blauen
Gesteins von Soignies, der Tanne, des Pitch-
Pin und der Eiche; die sichtbaren Holzteile
tragen alle gestrichene Eisenbeschläge, das
Dach ist aus Schiefer von St. Amand.

An dem House ist nicht eine Spur von
Schmuck und doch dürfte es wenig ebenso
hübsche Rathäuser geben. Es ist dazu der
unmittelbare Ausdruck des Landes und der
Leute, für die es gemacht ist, ebenso einfach
und derb wie die Landleute, die hineingehen,
und wenn man die Details durchgeht, wird
man eine Menge Sonderheiten finden, die
trotz der Anspruchslosigkeit für diesen einen
Zweck besonders gemacht sind.

BONNIER ist zum Generalarchitekten für
die Einrichtungen der Weltausstellung des
Jahres 1900 ernannt worden. Man darf sich auf
Überraschungen gefasst machen. Welcher
Art es auch sein mögen, sie werden immer
mit den Gesetzen des Geschmacks und der
Vernunft rechnen, die BONNIER's bestes Fun-
dament bilden.　　　　　CAMILLE GARDELLE

L. BONNIER　　　　　Titelzeichnung

NEUES MEISSNER PORZELLAN

Die königliche Porzellan-Manufaktur zu
Meissen ist bekanntlich die älteste unter den
europäischen Porzellanfabriken. Ihrem Be-
gründer BÖTTGER gelang, wonach damals
so viele Arkanisten strebten: die Erfindung
des Porzellans und damit die allmähliche
Emancipierung Europas von der ostasiatischen
Einfuhr. Nicht lange nach der Erfindung
trat das Meissner Porzellan in seine klassische
Periode, welche die Namen HÖROLD und
KÄNDLER bezeichnen. Noch heute sind für
viele Meissner Porzellan und Rokoko ganz
unzertrennliche Begriffe geworden. Mit dem
Worte Meissner Porzellan steigt die kokette
Welt der geputzten Hirten und Schäferinnen
empor, das Zeitalter graziösen Leichtsinnes,
die Gesellschaft, die im Dresdner Zwinger
noch nicht ein interessantes Denkmal der Baukunst, sondern die selbstverständliche Stätte
ihrer Maskeraden, Mercerien, Caroussels und
sonstigen prunkvollen Festlichkeiten sah.
Sicherlich hatte die kgl. Porzellan-Manufaktur
zu Meissen recht, wenn sie in der Zeit des
rückwärts schauenden Kunstgewerbes, als dieses
nirgends schöpferische Kraft aufwies, sondern
sich nur an der Nachahmung alter Werke
technisch schulte, mit aller Energie auf das
Rokoko zurückging, wenn sie dann in der
Zeit der Nouveautés, die da kamen und ver-
gingen wie der Märzschnee, festhielt an den
Überlieferungen aus jener Glanzzeit, als von
Meissen aus das europäische Porzellan seinen
Triumphzug durch die Welt antrat. Denn
nie hat wohl die Anschauung der Zeit einen
so sprechenden Ausdruck in Kunst und Kunstgewerbe gefunden, wie das Rokokozeitalter im
Meissner Porzellan. Da die Meissner Manufaktur eine Erwerbsanstalt sein soll, Regierung
und Landtag von ihr einen jährlichen Rein-
ertrag von mindestens 200000 M. erwarten,
so unterliegt es keinem Zweifel, dass Meissen
auch künftighin die Überlieferung des Rokoko
hüten wird, denn der reiche Fremde, der gewöhnt ist, die berühmten und spezifischen
Erzeugnisse jedes Landes an der Stätte ihrer
Entstehung aufzusuchen, wird wohl auch
noch lange nach Dresden und Meissen gehen,
um das vieux Saxe an Ort und Stelle zu erwerben, und würde enttäuscht sein, wenn
er hörte, das vieux Saxe gehöre nur noch
der Vergangenheit an. Weiter aber ist zu
bedenken, dass alljährlich so und so viele
Bestellungen zur Ergänzung alter Services in
Meissen einlaufen; und jede derartige Bestellung wird auf das sorgfältigste ausgeführt;
jede Dekorationsweise, stamme sie aus der Zeit

221

BÖTTGER's, KÄNDLER's, MARCOLINI's u. s. w., jedes Muster, das grüne Drachenmuster, altes und neues Zwiebelmuster, Orléans, Brandenstein und wie sie alle heissen mögen, wird in völliger Übereinstimmung mit den früheren Stücken nachgeliefert. Das ist ein Vorzug, den man sonst wahrlich nicht so leicht antrifft, und er muss auch in Zukunft festgehalten werden.

Aber auf die Dauer durfte die kgl. Porzellanmanufaktur zu Meissen doch nicht nur mit den Spolien ihrer grossen Zeit sich brüsten. Es mehrten sich die Stimmen, die da sagten, Meissen hafte nur an den Überlieferungen seiner Glanzzeit, ein neuer künstlerischer Geist sei nicht in den Räumen der altberühmten Manufaktur zu finden. Diese Stimmen hatten recht und sie hatten unrecht. Sie übersahen, dass im letzten Jahrzehnt die Technik in Meissen in geradezu staunenerregender Weise weiter und weiter ausgebildet wurde, dass man sich z. B. das sog. Pâte-sur-pâte (die Massemalerei) zu eigen machte, dass die Reihe der Scharffeuerfarben in bedeutender Weise vervollständigt wurde u. s. w. Durch zahlreiche derartige Errungenschaften aber, vermöge deren Meissen in der That an der Spitze der gleichartigen keramischen Anstalten steht, wurde auch eine künstlerische Reform angebahnt und ermöglicht.

Diese technischen Fortschritte haben jetzt dazu geführt, dass die Meissner Manufaktur mit einem Teile ihrer Erzeugnisse neue Bahnen beschreiten und dass sie der mit Recht gepriesenen Kopenhagener Manufaktur auf deren eigenstem Gebiete bereits im ersten Anlauf ebenbürtig werden konnte. Diese hat ja das

grosse Verdienst, zuerst die Blaumalerei, die sonst nur für gewöhnliche Gebrauchsware angewendet wurde, auf künstlerische Ziele gewiesen und dabei einige andere Unterglasurfarben in geeigneter Weise verwendet zu haben. Auch hat sie zuerst die sog. flowing colour, die sich allmählich verflächtigende oder verfliessende Farbe in technisch vollendeter und künstlerisch reizvoller Weise verwendet: dies Blau wird von der tiefsten Stelle an immer blasser und verliert sich allmählich in das Weiss des Grundes. (Hervorgerufen wird diese malerisch wirksame Dekoration durch eine Chlorverbindung, welche die Farbe stufenweise zerstört.)

Die Erzeugnisse der Kopenhagener Manufaktur sind nun für die Meissner Manufaktur der Anlass geworden, nicht dass man in Meissen die Kopenhagener Erzeugnisse nachahmte, sondern dass man die in Meissen schon seit mehr als einem Jahrzehnt geübte Massemalerei und die Scharffeuertechnik noch weiter vervollkommnete und ausbaute. Zur Erläuterung diene folgendes: Man unterscheidet bekanntlich Hart- und Weichporzellan; jenes ist, wie der Name andeutet, weil härter, weil es im Scharffeuer von 1600 Grad Celsius gebrannt wird, wobei die Masse mehr versintert und beim Erkalten dichter wird. Weichporzellan wird dagegen nur bei 1200—1300 Grad Celsius gebrannt. Viele Fabriken sind zum Weichporzellan übergegangen, weil man damit mannigfaltigere und lebhaftere Farbenwirkungen erzielen kann. Die Meissner Manufaktur aber setzt, im Hinblick auf ihre Geschichte und auf die Erfindung des ersten Hartporzellans durch BÖTTGER, ihren Stolz

222

darein, gerade am Hartporzellan festzuhalten und diesem trotz seiner Sprödigkeit gegen künstlerische Behandlung doch künstlerische Reize abzugewinnen. Es sind dabei für die Bemalung zwei Wege möglich: man muss entweder das Porzellan über der Glasur bemalen oder man muss neue Scharffeuerfarben herstellen. Meissen hat beide Wege eingeschlagen. Bei der Überglasurmalerei wird zunächst die grauweisse lehmartig bildsame Masse gar gebrannt, es entsteht dadurch sogenanntes (mattes, unglasiertes) Biscuitporzellan, dann wird es in die Glasur getaucht und mit dem Glasurüberzug glatt gebrannt, weiter wird es über dieser so gewonnenen glänzenden Glasur bemalt und in der Muffel (Kapsel von feuerfestem Thon) bei gelinderem Feuer in einmaligem oder mehrmaligem Brand fertig gebrannt. Hierbei ist die vollständige Farbenpalette verwendbar. Anders bei der Unterglasurmalerei. Hier wird das Porzellan nach dem ersten, dem Garbrande, bemalt und erst über die Malerei kommt die durchsichtige Glasur, so dass dann Glasur und Malerei auf einmal im Scharffeuer von 1600 Grad gebrannt werden. Früher kannte man nun als Unterglasurfarben fast nur blau (Kobaltoxyd), da alle übrigen Porzellanfarben (farbige Gläser) im Scharffeuer entweder gänzlich verzehrt oder doch bis zur Unbrauchbarkeit verändert wurden. Meissen ist aber im letzten Jahrzehnt in der Gewinnung dieser unzerstörbaren Scharffeuerfarben erfolgreich vorwärts gegangen. Zu der blauen Unterglasurfarbe sind, wie die neuen Erzeugnisse ausweisen, grün, gelb und braunrot mit allen Schattierungen hinzugekommen, nur kupferrot fehlt noch; doch ist nicht ausgeschlossen, dass die erfahrenen Chemiker der kgl. Manufaktur in Meissen auch hiefür noch Rat schaffen werden. Dieses Streben nach Scharffeuerfarben ist überaus berechtigt; denn nur die Unterglasurmalerei ist der dem Porzellan eigene, aus seiner Herstellungstechnik hervorgegangene und darum stilistische Schmuck des Porzellans, soweit die Malerei in Frage kommt, während die Überglasurmalerei mehr etwas Zufälliges, von aussen zum Porzellan Kommuendes ist, das auch bei vielen anderen Stoffen sich anwenden lässt. Stilgerecht ist die Unterglasurmalerei natürlich ebensowohl beim Weichporzellan wie beim Hartporzellan, welch letzteres die Meissner Manufaktur bis jetzt allein herstellt; sollte diese aber einmal teilweise zum Weichporzellan übergehen, wie es z. B. die kgl. preussische Porzellan-Manufaktur in Berlin fabriziert, so hat sie wohl kaum von irgend welcher Seite Tadel zu gewärtigen.

Denn für vielerlei Kunstgegenstände ist auch das Weichporzellan als zulässig zu bezeichnen.

Die neuen Erzeugnisse der Meissner Manufaktur nun sind derartig modern, dass von dem, was man unter vieux Saxe versteht, auch nicht eine Spur mehr übrig ist. Sie sind modern im besten Sinne des Wortes. Die Gefässe sind einfach und gross in den Formen, der Schmuck ist nicht äusserlich hinzugefügt, sondern aus der Technik entwickelt, also stilgerecht, die Malerei ist nicht kleinlich und zierlich, sondern geht fest auf künstlerische und grosse Wirkung aus. Natürlich ist nicht gerade jedes Stück im gleichen Masse geglückt. Aber es finden sich unter den neuen Erzeugnissen, die jetzt in Dresden grosses Aufsehen erregen

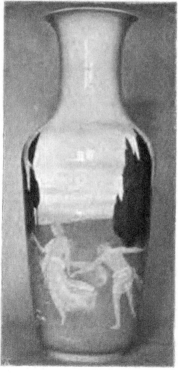

verheissend genannt werden müssen. Ein wahres Prachtstück ist z. B. die grosse Vase mit dem bacchantischen Frühlingsreigen. Die Gruppe der tanzenden Jünglinge und Jungfrauen ist ebenso anmutig komponiert wie sicher gezeichnet; die Farben sind harmonisch zusammengestellt, in den Lokaltönen klar und leuchtend, in den Übergängen weich und fein. Die dunkelgrünen Cypressen, die hellgrünen Wiesen, der leichtbewölkte Himmel, die lichten, schimmernden Gewänder der Tanzenden: alles ist mit feinem Sinn zusammengestimmt; das Ganze wirkt geschlossen und prächtig. Weiter fesselt uns eine prächtige Magnolienvase: auf dem symbolistisch angehauchten Bilde sehen wir weisse und bräunliche Magnolienblüten wirksam mit dunkelgrünem Laube zusammengestellt, dazwischen schaut ein braunlockiger Mädchenkopf mit halbgeöffneten Augen hindurch. Das Ganze ist auf hellblauen Grund gesetzt. Bedenkt man, dass alle diese Farben unter der Glasur liegen, dass das Ganze in einem einzigen Scharffeuerbrande hergestellt ist, so begreift man, dass hier nach mehr als einer Richtung

und vor den sonst leeren Schaufenstern der Niederlage so grossen Zudrang veranlassen, schon jetzt Kunstwerke von vollendeter Schönheit, und sicherlich ist man auf dem richtigen Wege, indem man die technischen Errungenschaften der letzten Jahre — Massemalerei und Scharffeuertechnik — weiter ausbaut und künstlerisch verwertet. Die Massemalerei (pâte-sur-pâte) besteht darin, dass man anstatt der gewöhnlichen Farben Porzellanmasse malend auf den Grund aufträgt und darüber die Glasur setzt. Früher verwendete man dabei nur weisse Porzellanmasse auf gebrochenen Farbtönen. Die kameenartige Wirkung der reizvollen Technik war erreicht, aber die stumpfen Töne gaben dem Ganzen oft nur eine matte Wirkung. Jetzt ist man weiter gekommen. Prachtvoll wirkt z. B. die weisse Massemalerei auf dem berühmten Meissner tiefdunklen Königsblau. Alsdann aber verwendet man zum Malen auch verschiedenartig gefärbte Porzellanmassen und anderseits ist man auch zu farbigen Glasuren übergegangen: bedeutsame Fortschritte, deren erste Ergebnisse ermutigend und viel-

224

235

hin Meisterstücke vorliegen, denen keine andere Manufaktur etwas keramisch gleich Bedeutsames an die Seite zu stellen vermag.

Gleiches gilt von den Gefässen in der neugewonnenen prächtigen Schildpattglasur in prächtigem Braun — einer kleinen orientalischen Vase und einer grösseren Schale mit einer ausgesparten Pfauenfeder — sowie einem Schälchen in blauer Scharffeuerfarbe mit Stiefmütterchen, wobei die Staubgefässe ausgespart sind, und einer Federhalterschale mit einem flach aufgesetzten Frosch auf vollblauem Grund. Dabei ist wohl die Bemerkung nicht zu unterdrücken, dass der Keramiker vom Fach sich an einzelnen Stücken begeistert, welche den Kunstfreund an sich kühler lassen; für letzteren kommen bei der rein ästhetischen Würdigung die grossen Schwierigkeiten nicht in Betracht, die bei der Technik zu überwinden waren. Dieses Gefühl des Keramikers ähnelt der Mutterliebe, die der Lehrer nicht oder nicht im vollen Masse zu teilen vermag. Indes sind solche Stücke, wie die Schale mit der Pfauenfeder, in verschwindender Minderzahl unter den neuen Stücken vorhanden. Ganz köstlich finden wir dagegen wiederum eine Deckelvase mit Vogel und Blütenzweigen — japanische Dekorationsweise, aber ganz deutsch empfanden — dann ein Seestück mit dahinsegelnden Booten, eine Landschaft mit einem Haus zwischen Weiden und Schwänen, die auf dem blauen Weiher dahinziehen. Weiter seien genannt zwei runde Teller, einer mit blauem Grund, vollständig von einem Spinnennetz überspannt, in dessen Mitte spinnengleich eine nackte Jungfrau sitzt, die auf der Fang der flüchtigen Falter und Mücken ausgeht, ein zweiter mit einer Venus, zu deren Füssen Schwäne schwimmen, während ihre Gestalt sich vom Himmel abhebt. Alle diese Bilder sind in vollen kühlen Farben kraftvoll und breit gemalt, und es ist damit eine bedeutende dekorative Wirkung erzielt.

Es unterliegt keinem Zweifel, dass Meissen damit den ähnlichen Erzeugnissen der Kopenhagener Manufaktur Ebenbürtiges an die Seite gestellt, ja diese mit den besten Stücken wenigstens technisch übertroffen hat. Während aber Kopenhagen meist naturalistisch verfährt und das japanische Vorbild oft allzutreu in die Erscheinung tritt, wird in Meissen auch von der Stilisierung der Blumen mit Erfolg

Gebrauch gemacht; ihm weit voran aber ist Meissen in der reichen Mannigfaltigkeit gefärbter Massen, mit denen in der kgl. Manufaktur in ähnlicher Weise gearbeitet wird, wie GALLÉ mit seinen bunten Glasmassen verfährt.

Wir können nach allem der königlichen Porzellan-Manufaktur zu Meissen nur Glück wünschen zu ihrem energischen Vorgehen auf neuen Wegen. Die Zeiten sind endgültig vorbei, da man sich im Gewerbe nur auf

die Vergangenheit und die alten guten Vorbilder verlassen durfte. Der Erfolg aber, den die neuen Meissner Erzeugnisse schon jetzt errungen haben, zeigt am besten, wie sehr die Neuerung einem wirklichen Bedürfnis unserer Zeit entspricht.   PAUL SCHUMANN

KORRESPONDENZEN

MÜNCHEN — Zu dem Zwecke, das neue Kunsthandwerk wirksam zu fördern, hat der Ausschuss, der bereits im verflossenen Jahre eine Ausstellung erlesener Erzeugnisse der neueren Richtung (unter dem Namen »Kleinkunst«) im Glaspalast zu München veranstaltet hat, sich unter dem Namen »Ausschuss für Kunst im Handwerk« in München enger zusammenge-

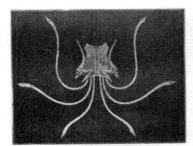

A. ENDELL   Ausgeführt von R. KIRSCH, München

schlossen und zu seinen bisher verfolgten
Zielen: das neuere Kunsthandwerk durch
Anregungen zu künstlerischen Arbeiten und
deren Ausstellung, insbesondere auch durch
seine würdige Vertretung in Paris 1900 zu
fördern, — noch die Errichtung einer Auskunftei
in München über alle in das Gebiet gehörigen
Fragen, sowie die Gründung einer Gesellschaft
m. b. H. beschlossen, die künstlerische Entwürfe ankauft, anfertigen lässt und sie so in
Handel bringt, dass bei Ausschluss aller Ge-
schäftsgefahr der Hauptanteil des Gewinnstes
dem ausführenden Künstler zu gute kommt.
Beide Einrichtungen seien hiermit dem Publikum auf das wärmste empfohlen: sie bezeichnen einen wirksamen Schritt nach vorwärts, und es steht zu hoffen, dass bei all-
seitiger Unterstützung auch seitens des kauf-
kräftigen, für ein deutsches Kunsthandwerk
empfänglichen Publikums der deutsche Kunst-
markt auch in dieser Beziehung im stande
sein wird, dem Auslande die Spitze zu bieten.
Jedenfalls giebt das thatkräftige Vorgehen des
Ausschusses einen Beweis dafür, dass man
hoffen darf, ein Gebiet für deutsche Kunst
im Handwerk wieder zu gewinnen, das dank
unserer Sorglosigkeit leider schon zum Teil
an die Fremden verloren gegangen ist. Um
Missdeutungen vorzubeugen, heben wir hervor, dass der Ausschuss sich keineswegs als
eine Art »Secession« des bayerischen Kunstgewerbe-Vereins betrachtet wissen möchte;
vielmehr wird er nach wie vor diesem hoch-
verdienstlichen Vereine seine Mitwirkung auf
dem Gebiete des neueren Kunsthandwerks zuwenden und unter Zusammenfassung seiner
Kräfte auf dieses eine Gebiet im übrigen Hand
in Hand mit den allgemeineren Bestrebungen
des bayerischen Kunstgewerbe-Vereins gehen.
Alle Anfragen beantwortet die von dem Ge-

schäftsführer des Ausschusses, Herrn Maler
F. A. O. KRÜGER, geleitete Auskunftei, München-
Gern, Kratzerstrasse 1. Wir begrüssen die
Bestrebungen des Ausschusses auf das wärmste
und hoffen, dass seine Arbeit auf dem be-
schrittenen Wege dem neuen deutschen Kunsthandwerk zum Segen gereichen wird!

Wir freuen uns, dem belgischen Mobiliar,
das wir in diesem Heft publizieren, zwei ein-
heimische Stücke zur Seite stellen zu können,
die auch in dieser Nachbarschaft bestehen
können. Das Pult ENDELL's hat seine Bedeutung; nicht nur weil es das erste Möbel dieses
Künstlers ist, sondern weil es überhaupt eines
der ersten reinen Gebrauchsmöbel darstellt, das
in Deutschland mit modernen Stilelementen gemacht worden ist. Und dieses Stück ist erstaunlich gut. Unsere Leser kennen bereits eine ganze
Anzahl ENDELL'scher ornamentaler Sachen.
Mancher wird bei aller Anerkennung des
darin enthaltenen Talentes leise gezweifelt
haben, ob diese manchmal bis zur Zer-
brechlichkeit zartlinige, fein gegliederte Ornamentik fähig ist, sich dem Nutzding anzupassen. Die Überraschung kann nicht
glänzender sein, als wie sie dieses Pult hervorrufen muss, das vollkommen die Eigenart
ENDELL'scher Linien besitzt und dabei ge-

A. ENDELL   Ausgeführt von R. KIRSCH, München

226

A. ENDELL.　　　　　　　Holzarbeit von W. TILL, Beschläge von R. KIRSCH in München

227　　　　　　5*

sund und rationell aufgebaut ist, wie es der Architekt nicht besser verlangen kann. Nach dem Tintenfass, das wir in Nr. 2 brachten, lag die Gefahr vor, dass ENDELL sich von seinen kapriziösen Linienkombinationen zu Extravaganzen verleiten lassen würde. Davon ist kaum eine Spur in diesem Möbel zu entdecken. Man wird ausser der Umrahmung des Glaseinlasses für die Tinte, die hier bei der grossen Fläche motiviert und kaum hinderlich ist, keine Linie entdecken, die nicht ihrem Zweck entspricht. Am glänzendsten tritt das in den Seitenflächen hervor, wo die individuelle Schmucklinie die praktische Ausbuchtung des überstehenden Pultteils bestimmt. Denselben

Der Bücherschrank ENDELL's (S. 227) weist ähnliche Vorzüge feinen Verständnisses und Geschmackes auf. Der leichte, gefällige Aufbau, die weiche, flüssige Linie und Zeichnung der Konturen und Beschläge ist vorzüglich gelungen. Die schlanken Säulen geben eine graziöse und glückliche Lösung, um das kräftige Vorspringen des Kranzes zu ermöglichen. Die vier Spitzen an ihrem Schaft, die gleich abgeschnittenen Ästen emporstehen, rufen aber eine unruhige Wirkung hervor und wären auch als Staubfänger besser fortgeblieben. Das Ornament zeigt viele — vielleicht zu viele — Anklänge an phantastisches Seegetier oder an wundersame Orchideen. Nur ein so vornehmer Geschmack wie der ENDELL's vermag so bizarre Formen zu meistern; aber dennoch haben sie wenigstens für uns Binnenländer, die sich einer gewissen Scheu vor allen Wassertieren nicht erwehren können, etwas Antipathisches. Wie dem auch sei, wir begrüssen auf das freudigste das energische, zielbewusste Vorgehen ENDELL's. Die hier gegebenen Proben berechtigen zu den grössten Erwartungen. An der gediegenen Ausführung dieser Möbel haben die Schreinerei von WENZEL TILL und für die Beschläge die Schlosserei von R. KIRSCH in München ihren wohlgemessenen Anteil.

Ein interessantes Problem hat sich PETER BEHRENS gestellt, indem er versuchte, die Formen und die Symbolik des Auges und der Thräne auf einen Schmuck anzuwenden, dessen Entwurf wir nebenstehend bringen. Es ist ein feierlicher Ernst und etwas sphynxartig Geheimnisvolles, das hier zum Ausdruck kommt, verstärkt durch die Wirkung des Materials: oxydiertes Silber mit Perlen und Blutsteinen. Nicht jeder Dame mag solcher Schmuck passen — diejenige, die ihn tragen wird, wird aber sicher eine geschmackvolle und interessante Frau sein.   -γβ-

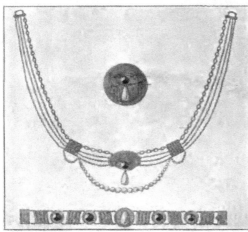

PETER BEHRENS   Frauenschmuck (Entwurf)

Linienrhythmus findet man in den eingekerbten Linien (eine sehr glückliche Idee!), die der Schreibfläche des Pultes, den Schubladen, den Füssen eine natürliche Bewegung verleihen, wie in der sehr geschickten Art, wie die untere, zum Teil offene Rückwand abgesägt ist und die Fächer des Aufsatzes profiliert sind. Überall ist der Charakter des Materials — Holz — erhalten, dessen schöne Maserung der Eleganz des Möbels nicht wenig zufügt. Der Hauptreiz aber und zugleich das bindende Element liegt in der wohlgetroffenen Wahl der Verhältnisse, die bei einem Anfänger geradezu verblüfft.

BERLIN — Der Publikation der Schülerleistungen ist im Königlichen Kunstgewerbe-Museum eine Ausstellung von Lehrerarbeiten gefolgt. Es sind nur sechs Lehrer vertreten: die Maler O. ECKMANN und

A. ENDELL, Stehpult

Holzarbeit von W. TILL, Beschläge von R. KIRSCH in München
(Im Besitze des Herrn Prof. BREYSIG, Berlin)

229

M. SELIGER, der Ciseleur O. ROH-LOFF, die Architekten B. SCHAEDE und O. RIETH und die Leiterin der Klasse für Stickerei, Frau DERN-BURG. Das meiste Interesse er-wecken die Arbeiten von ECKMANN und SELIGER, den Lehrern der beiden Malklassen. Man spürt hier einen Prinzipienkampf. Die ECK-MANN'sche Klasse war bisher die Unterstufe für die von Professor M. KOCH auf SELIGER über-gegangene Aktklasse. Wird das ferner noch möglich sein? Die Scharen der jungen Studierenden laufen ziemlich ratlos von den »neuen Formen« zu den alten, lieb-gewordenen Dekorationseffekten. Und dann, wie soll der Kunst-gewerbler, der am Tage bei ECK-MANN studiert, sich zurechtfinden, wenn er am Abend bei einem alten Barockprofessor den Akanthus als das allein Wahre preisen hört. Gar so revolutionär, wie es scheint, ist ECK-

O. ECKMANN
Gesetzlich geschützt durch die Hersteller: J. ZIMMERMANN & Co., München

MANN nun doch nicht. Wo er auf fester Basis steht, da ist es der in Jahrhunderten ge-wonnene Boden sicherer Schmuckregeln. Da-rüber hinaus ihm zu folgen, ist nicht rätlich. Der Wandteppich, der den poeti-schen Titel: »Mondnacht am Weiher« führt und dessen Motiv dem Vordergrunde eines früheren Bildes ungefähr entspricht, kann nicht ernst genommen werden. Von den Fussteppichen ist allein der mit dem leichten Quittenmotiv gut und brauchbar. Die Be-leuchtungsgegenstände zeigen viele Feinheiten in der Nutzbarmachung botanischer Zierlichkeiten für elek-trische Lichtwirkung und für die Montierung der Leuchtkörper. Es fehlt ihnen aber die konstruktive Einfachheit; man reisst sich an diesen scharfen Metallgräsern die Hände wund. Die farbig sehr sub-tilen Vorsatzpapiere, in der Manier wie die Stubenmaler zu »mar-morieren« pflegen, gleichen Stein-nachahmungen auf ein Haar; die damit eingebundenen Bücher wirken wie Marmor- und Granitproben. Wunderschön und immer wieder erfreulich sind die bekannten Holz-schnitte der Schwäne, wovon Druck-stöcke ausgestellt sind. Die Zeich-nungen sind ungleich. Die Buch-staben eines verzierten Alphabetes werden von dem Beiwerk etwas in der Schriftdeutlichkeit beeinflusst. Zuweilen führt ECKMANN seine pflanzlichen Formen zu neuartiger

O. ECKMANN
Gesetzlich geschützt durch die Hersteller JOS. ZIMMERMANN & Co., München

230

Ornamentschönheit hinauf; zuweilen stört
eine Originalität, die nicht von innen kommt.
Ein Fries z. B. giebt die momentane Kampf-
stellung zweier Vögel in vielen Wiederholungen.
Wie kann man das Augenblickliche einer
jähen Handlung ornamental darstellen (wenn
man es nicht im Linienrhythmus auflöst)
und gar im Fries endlos wiederkehren
lassen. Alle Zeichnungen haben mehr oder
minder Vignettencharakter; es sind witzige
Epigramme. Das grosse, fliessende Ornament
fehlt durchaus. Das ist nicht zufällig; die
Teppiche zeigen, dass hier eine Lücke in
ECKMANN's Kunst ist. Die stilisierte Einzel-
form der Pflanze kann ein Ornament nur in
seltenen Fällen geben; das Aneinanderreihen
ist noch keine organische Folge. Der sichere
Blick für die von der Umgebung losgelöste
Form ist dem Künstler nicht so nötig, wie
die anschauliche Fähigkeit, die ein mannig-

O. ECKMANN
Gesetzlich geschützt durch die Hersteller . JOS. ZIMMER-
MANN & CO., München

O. ECKMANN
Gesetzlich geschützt durch die Hersteller : JOS. ZIMMER-
MANN & CO., München

faches Ganzes in der Stimmung erfasst und
diese dann überzeugend im Flächenornament
zum Ausdruck bringt. Dann mag im Einzelnen gerne etwas Konvention stecken bleiben.
Im oberen Stockwerke des Museums hängt
der schöne, zweifarbige Stoff mit dem Kastanien-
motiv von MORRIS, der viele von diesen
Stimmungsqualitäten hat. Man würde diese
Bedenken vor der starken Entwicklungsfähig-
keit ECKMANN's unterdrücken können, wenn
er nicht als Lehrer ausgestellt hätte. Wirklich revolutionär ist es, dass er als Lehrer
an einer Malklasse des Berliner Institutes
fertige Leuchter, Teppiche und Vorsatzpapiere
ausstellen darf. Das ist ein Anfang. Auch
M. SELIGER ist in seiner Art modern; die
Engländer haben manches für ihn gethan.
Er arbeitet nach der Dekorationsweise, mit der
M. KOCH einst Berlin beglückte, die eine Menge
von »Köchen« gezüchtet und den Brei gründlich verdorben hat. SELIGER's technische
Fähigkeit ist unanfechtbar, aber — früher
war es das Barock und Rokoko, jetzt ist es
eine materisch beleuchtete englisch-italienische
Renaissance. An den Wandschirmen, die
SELIGER zusammen mit Frau DERNBURG ge-
arbeitet hat, ist nur die respektable Stick-
und Applikationstechnik zu loben. O. RIETH,
bekannt als Mitarbeiter WALLOT's, ist ebenfalls
Maler und nur nebenbei Architekt; eigentlich

231

Theatermaler —, allerdings einer mit glänzender Phantasie, grossem Formenreichtum und starkem, künstlerischem Eigenwillen. Seine Ornamentik ist üppig wie die LEPAUTRE's und zuweilen den Architekturphantasiereien wohl eingefügt. Aber was soll das alles? Vom Architekten muss man unter allen Umständen die sichere Besonnenheit des statischen Formgefühls verlangen, die man beim Maler nur wünscht. Von den Architekten erwarten wir immer sehnlicher die Formen einer modernen Baukunst und damit dann die Führerschaft über die schon zersplitternden Talente des neuen Kunstgewerbes. Was soll man sagen, wenn eine so reiche Natur sich ganz der indisziplinierten Phantasie überlässt? — Von B. SCHAEDE sind dann noch einige saubere Naturstudien ausgestellt und von O. ROHLOFF ziselierte Wandteller. ROHLOFF glaubt noch immer an die glatte Mittelmässigkeit der SEDER'schen Pflanzenstilisierereien, die so lange schon das Evangelium der Bibliothekplünderer sind. — Das ist alles. Es ist gewiss viel Anregendes in dieser Ausstellung; instruktiv und vorbildlich ist sie jedoch nicht. ● Bei GURLITT ist eine Anzahl der TIFFANY'schen Ziergläser zu sehen. Es ist schon viel über diese Arbeiten gesagt worden. Die durchwegs nicht einwandfreien Formen der Vasen, Flaschen und Schalen sind wiederholt getadelt worden. Man kann jedoch nicht genug seine Bewunderung aussprechen über die prachtvolle Handwerksleistung. Wie mit dem strähnigen Fluss des während des Blasens aufgetragenen farbigen Überfangglases ornamentiert ist, wie bei einem zweiten und dritten Überfangen immer nur mit diesen selbstherrlichen Eigenschaften des Materials gezeichnet ist, das ist die schönste Verbindung von Kunst und Handwerk, die man sich denken kann. Man ist dem Künstler für jede zufällige Wirkung des schön gefärbten Glasflusses dankbar, weil nur die souveräne Beherrschung der Technik und der augenblickliche Dekorationentschluss während der Herstellung solche Vollendung möglich machen. Die Gläser, selbst die für den Gebrauch unpraktischen, sind von bleibendem Wert. Hoffentlich lassen die, die es angeht, sich diese Anregungen nicht entgehen. — Von einem Fräulein TH. OXASCH sind Entwürfe für Bucheinbände und Stoffe ausgelegt. Sie sind mit der wilden Lust alles zu schmücken, ausgeführt, die für die japanisch-englischen Nachahmer charakteristisch ist. ● In der neuen Kunsthandlung von KELLER & REINER, wo man am schönsten die Äusserungen des modernen Kunstgewerbes vereinigt findet, sind

keramische Arbeiten von HEIDER-München zu sehen, die in der »Dekorativen Kunst« bei früherer Gelegenheit besprochen wurden. FINCH-Brüssel und DAMMOUSE-Sèvres haben ebenfalls mehr oder minder künstlerische Töpferwaren geschickt. Die Sachen des Franzosen fallen angenehm auf durch einfache, gute Formen, die Schalen und Töpfe des Belgiers sind wertvoll durch den Reiz des mit virtuoser Primitivität ausgeführten Farbenflusses. — Von A. KLINGER war dort ein Plakat für einen Bazar, dem trotz geschickter Ausführung die weithin sichtbare, jähe Silhouettenwirkung fehlte. Daneben hing ein Plakat von STEINLEN, mit dem zehnten Teile der Arbeit hergestellt und vollkommen in der plötzlichen Aufdringlichkeit. Sehr erwähnenswert ist die Unart der neueren Künstler, jede Art von Schrift so unleserlich wie möglich hinzumalen; diesen Unsinn hatte KLINGER in grosser Vollendung angewandt. — LEMMEN-Brüssel ist mit einigen seiner Teppiche vertreten. Es sind die besten modernen Teppicharbeiten, die Berlin bisher gesehen hat. Da die schönen, farbigen und ornamentalen Vorzüge durchaus auf breiter Handwerksgrundlage erreicht sind, nämlich auf dem üblichen grossmaschigen Netze der Knüpfteppiche, und da jeder unselbständige Zeichner diese einfachen Motive zu variieren vermag, so dürfen wir vielleicht hoffen, dass einige Berliner Fabrikanten die billigen Anregungen ausnützen und dass wir im nächsten Jahr mit guten, wohlfeilen Teppichen von dem Graus der gegenwärtigen Mode befreit werden. R. SCH.

Der nebenstehende Toilette-Tisch und Stuhl von CH. PLUMET ist, wie schon im vorigen Hefte erwähnt, von dem Kunstgewerbe-Museum als ein tüchtiges Vorbild angekauft worden. Unsere Möbelzeichner können vieles daran lernen, denn Stuhl wie Tisch sind von graziöser, wohlverstandener Konstruktion. Geschickt ist die Biegungsfähigkeit des Holzes verwertet und dadurch jene gefällige Leichtigkeit des Möbels erreicht, die seiner Festigkeit doch keinen Eintrag thut. Die Profilierung der Tischbeine führt die Hauptlinien durch und vereinigt sie in kurzer Biegung zum leichten einfachen Fusse. Überall sind spitze Ecken und scharfe Kanten vermieden. Eine graziöse vornehme Einfachheit ist die Signatur des Ganzen — auch in jeder Einzelheit, wie bei den Beschlägen.

Wir verweisen auf den Pariser Brief, in welchem von den neuesten Arbeiten des Künstlers die Rede ist. -β-

232

CH. PLUMET, Toilettisch aus Nussbaumholz   Aus dem Hohenzollern-Kaufhause (H. HIRSCHWALD), Berlin

LEIPZIG — Auf der Gewerbe- und Industrie-Ausstellung fiel ein kleiner Bau in die Augen durch die selbständige Eigenart, mit der er auftrat, und die sichere Konsequenz, mit der er durchgeführt war. Es war weiter nichts, als eine »Wurstbude«, aber gerade das Alltägliche des Vorwurfs lässt das Geschick schätzen, mit dem hier eine gewisse eindrucksvolle Monumentalität einem launigen Charakter verbunden ist. Mit richtigem Stilgefühl hat der Schöpfer empfunden, dass

die künstlerischen Gedanken, die er entwickelt, nur dann zum eigentlichen Zweck seiner Aufgabe nicht im lächerlichen Kontrast stehen, wenn er sie gleichsam selber persifliert. Diese Mischung von künstlerischem Ernst und Witz macht das Gebäude interessant, denn unter dem Mangel an Taktgefühl in der Wahl der zum jeweiligen Zweck passenden Stilsprache hat man nirgends mehr zu leiden, als auf unseren Ausstellungen.

P. MÖBIUS

den Eindruck völliger Abklärung erreichen,
so wird man diesem Streben künstlerische
Energie nicht absprechen können.　*F. Sch.*

WIEN — *Die Weihnachtsausstellung
im österreichischen Museum brachte
einige Überraschungen. Ausser den
Ladenhütern, die unsere Kunstgewerbetreiben-
den Jahr für Jahr zur Ausstellung bringen, hat
der neue Direktor eine Sammlung von Kopien
alter und moderner Möbel ausgestellt und
zum Verkauf gebracht. Das letztere wird ihm
von einigen Firmen sehr übel vermerkt, denn
es kann allerdings nicht im Interesse gerade
dieser Firmen gelegen sein, wenn das Museum
dem Publikum die Augen öffnet und zeigt,
was in den letzten zehn Jahren da draussen
geleistet wurde. Diese Weihnachtsausstellung
hat sie im Schlafe gestört und das Schlafen
ist eben weniger anstrengend als das Suchen
nach neuen Pfaden. Die Kopien, die grössten-
teils aus dem South Kensington Museum
stammen, wurden unter anderen auch von
kleinen Meistern in Wien und in der Provinz
hergestellt. Die Sachen wurden zum grossen
Teil vom Hofe und von unserem Hochadel
angekauft und dem Kleingewerbetreibenden
auf diese Weise Gelegenheit geboten, für diese*

*Die malerisch bewegte Disposition der Halle
bringt den praktischen Zweck der Anlage
voll zum Ausdruck; es handelte sich darum,
in einem der Flügel die Maschinen zur Wurst-
bereitung, im mittleren Teil die Thätigkeit
des Schlächters und im anderen Flügel die
fertige Ware zum Verkauf an das Publikum
zur Geltung zu bringen. Diese verschiedenen
Zwecke sind durch die Einteilung scharf gesondert, trotzdem die völlig geöffnete Front
überall den Einblick und Durchblick gestattet,
so dass schon der Passant alles zu sehen be-
kommt, was ausgestellt werden soll. Zugleich
illustrieren die hermenartig gebildeten Pfeiler
zwischen den Bogen die jeweilige Bestimmung
der Abteilung in charakteristischen, vom Architekten selbst entworfenen Gestalten. Der Zweck
des Ganzen wird durch den Dachaufbau, der
etwa den »Tanz der Menschheit um das goldene Schwein« karikiert, zur Anschauung gebracht.
Sowohl an diesem Werke des Architekten
PAUL MÖBIUS, wie an anderen Arbeiten, an
die er in Leipzig Hand gelegt hat, finden
wir das beinahe nervöse Bestreben, allen alt-
gewohnten Profilformen aus dem Wege zu
gehen; seine Linien wollen hart sein, seine
Formen mahnen oft an die Natur des Eisens.
Mag er darin manchmal noch nicht ganz*

P. MÖBIUS

234

245

P. MÖBIUS   NIETZSCHMANN'sche Wurstbude a. d. Industrie-Ausstellung in Leipzig

Kreise direkt zu arbeiten. Eine solche Aktion, bei welcher das Museum den ehrlichen Makler zwischen Kleingewerbe und gut zahlendem Publikum bildet, ist mit Freuden zu begrüssen, und man wird sich hoffentlich durch die Gegnerschaft nicht beirren lassen, die leider in einem deutschnationalen Blatte in der unsaubersten Weise gegen die neuen Bestrebungen arbeitet. Maler HEINRICH LEFLER und Architekt JOSEF URBAN hatten ein Damenzimmer ausgestellt, das, bizarr und gesucht, nur teilweise Erfreuliches bot. Einzelne reizende Stücke konnten das Ensemble nicht retten. Man sah ihm das »Justamentanders« zu sehr an. ● Die Kunsthandlung ARTARIA brachte eine Kollektivausstellung von ALPHONS MUCHA. Vor diesem Unternehmen wurde er nur MUCHA ausgesprochen. Nun sagt man wieder MUCHA, denn der Künstler hat sich dem über diesen Zuwachs freudig erregten Wien als entfernter Landsmann vorgestellt. Seinen Geburtsort Eibenschütz (Mähren) hatte MUCHA nämlich als nationaler Tscheche stets mit Ivancia bezeichnet, welchen Ort man eher in den Pyrenäen oder in Serbien zu suchen geneigt ist. Unser MUCHA aus Eibenschütz! Wie das klingt! Was Wunder, dass die gesamte Wiener Presse aus einem

mucha (tschechisch, zu deutsch: Fliege) einen Elefanten machte. ● Gegenwärtig stehen wir im Zeichen STUCK's. Sowohl bei MIETHKE als auch bei PISKO und NEUMANN sind FRANZ STUCK'sche Bilder zu sehen. Sie erregen die ihnen gebührende Aufmerksamkeit.

A. L.

P. MÖBIUS   Denkmalsentwurf

246

STOCKHOLM — FERDINAND BOBERG. Bei einem Besuch auf dem Kupferstich-kabinett in Stockholm fand ich zu meiner Überraschung unter den Radierungen schwedischer Künstler auch Motive aus Stockholm. Ausserhalb von Paris und London ist man immer überrascht, wenn sich Künstler der Darstellung der Stadt zuwenden, in der sie leben. Als ich nach dem Namen fragte, hiess es: »Ein junger Architekt machte sie früher, als er nichts zu thun hatte, Herr BOBERG. Jetzt wird er ein berühmter Mann.«

Ein Architekt, der mit Künstleraugen seine Vaterstadt ansah, und der seine Eindrücke nicht als Architekt, sondern als Maler festhielt und es nicht bloss zum leidlichen Dilettan-

Frau A. BOBERG-SCHOLANDER

tismus, sondern zur Kunst brachte, das war etwas Neues. Denn diese Radierungen waren wirklich nicht übel.

Bei uns haben Architekten leider nur ausnahmsweise Interesse an der lebenden Kunst, und was sie schaffen, pflegt ja umgekehrt den Künstlern meist gleichgültig zu sein, und das Publikum ist oft überrascht, wenn ihm gesagt wird, dass der Architekt eigentlich auch zu den Künstlern gehört. In einem norddeutschen Kunstverein, der in seinem Vorstand eine festgesetzte Anzahl von Künstlern haben muss, wurde vor nicht langer Zeit von einem Mitglied, das sich nicht sicher fühlte, in der Generalversammlung die Frage gestellt, ob auch die Architekten Künstler wären. Es war kein böswilliger »Moderner«, sondern ein Herr aus der alten Schule, und er erhielt die Auskunft, dass allerdings seit alter Zeit die Architekten zu den Künstlern gerechnet würden.

Es wird wohl bis vor kurzem in Stockholm nicht viel anders gewesen sein als bei uns. Aber seit der Ausstellung in Chicago hat sich die Situation geändert.

Bis dahin hatten die schwedischen Architekten gleich den unsern die historischen Stile kultiviert, und ihr höchstes Ziel war die Korrektheit der Fassade gewesen. Wer am meisten gelernt, d. h. wer am meisten fremde Ideen in sich aufgenommen hatte, galt als der grösste und reichste Künstler.

Das ist nun anders geworden. Von Chicago kamen einige junge Leute, und als begabtester unter ihnen BOBERG, mit neuen Ideen zurück. Die Architektur war ihnen kein Wissen mehr, sondern ein Können. Nicht der am meisten gelernt hatte, der Gemästetste, wenn man will, sondern der Muskelkräftigste, der seine eigene Natur mit der grösseren Energie entwickelt hatte, erschien ihnen nun als der eigentliche Künstler.

Die grosse Bauperiode, in der sich Stockholm befindet, gab ihnen mannigfache Gelegenheit, ihre Kraft zu messen, und in der Jubelausstellung fand namentlich BOBERG eine Fülle von Aufgaben. Überall entfaltete er eine Sicherheit und Mannigfaltigkeit der Erfindung, und er stellte, was einem Architekten doch wohl besonders hoch angerechnet werden muss, die Lösung des jedesmal vorliegenden Bedürfnisses so ernsthaft in den Vordergrund, dass man beim ersten orientierenden Gang durch die Ausstellungsbauten sich nicht genug über die Zahl eigenartiger Kräfte wundern konnte, die Stockholm zur Verfügung hatte. Bis man dann auf die Frage nach dem Urheber bei fast allen Bauten, die einen inter-

236

F. ROBERG   Portal des Elektrizitätswerkes Stockholm

DALPAYRAT and LESBROS   Stringalgefässe

essierten, den Namen BOBERG hörte. Sie waren unter sich so verschieden, dass man jedesmal einen neuen Menschen vermutete. Beispiele seiner Kunst brachte das erste Heft in den Details aus dem Palast der schönen Künste und der Dekoration der Ausstellung eines Bergwerkes.

Nunmehr dürfte für den begabten Künstler in seiner Vaterstadt die Bahn auf den Monumentalbau offen stehen, die ihm und seinen gleichstrebenden Genossen bisher versperrt war, denn die jüngsten Monumentalbauten wie das Opernhaus und die Akademie sind durchaus akademisch.

Doch findet sich in der Regierungsstrasse bereits ein Bau von BOBERG, das Verwaltungsgebäude der Elektrizitätswerke. Die Strasse ist schmal, eine mächtige Fassadenentwicklung verbietet sich von selbst, weil sie nicht überschaut werden kann. BOBERG hat deshalb zu dem alten, auch in Deutschland bis zum Rokoko in Geltung stehenden Kunstmittel zurückgegriffen, den künstlerischen Schmuck auf die Stelle zu konzentrieren, die dem Auge erreichbar bleibt, das Portal. Und da die Strasse sehr eng ist, hat er nicht üppige und mächtige Formen angewandt, sondern liebenswürdige und zierliche, die fast an den Möbelstil streifen. Mit Fug und Recht.

Die Ornamente hat der Künstler dem Reich entnommen, dem der Bau dient, der angewandten Elektrizität. Es sind die Birnen der Beleuchtungskörper und der zu Spiralen auf-gerollte Draht, und als Schmuck des kleinen Giebelfeldes die Quelle von Licht und Wärme in all ihren Formen, die Sonne. Die Wirkung des Portals ist an Ort und Stelle überaus anmutig.

BOBERG's Gemahlin, Frau BOBERG-SCHO-LANDER, einer Künstlerfamilie entsprossen, gehört zu den selbständigsten Talenten auf dem Gebiete der dekorativen Künste. Keramik und Textilindustrie nach ihren Entwürfen fielen auf der Ausstellung sehr vorteilhaft auf.   L

PARIS — Bei GEORGES PETIT ist der LACHENAL'schen Keramik, die herzlich wenig interessierte, eine sehr imposante Ausstellung der geflammten Grès von DAL-PAYRAT und Frau LESBROS gefolgt, die eine Menge neuer origineller Formen in der bekannten koloristischen dunkelprächtigen Behandlung gefunden haben: Wir bilden drei der neuesten Modelle ab. ● Auf Veranlassung BLACHETTE's hat der Conseil Municipal beschlossen, die drei Häuser der neuen rue Réaumur, die im Jahre 1900 die drei besten Fassaden tragen, von den Droits de voirie zu befreien, was einer Prämie von mehreren tausend Francs gleichkommt. Ausserdem wird von 1898 an jährlich eine Jury von den in dem Jahre gebauten Häusern die sechs, die die besten Fassaden tragen, von der Hälfte der Droits de voirie befreien und ausserdem dem Architekten 1000 Frs. Prämie verteilen.   ·γ·

238

249

G. SERRURIER-BOVY   Fries

BERICHTIGUNGEN

*Wir möchten nicht verfehlen, einige Irr-
tümer, die uns in früheren Heften unter-
gelaufen sind, hier richtig zu stellen. — Der
in Heft 3, Seite 101, abgebildete Teppich von
O. ECKMANN, ist nicht, wie angegeben, in
Scherrebek geweht, sondern von der Firma
JOH. KNEUSELS & CO. in Krefeld hergestellt. Wir
gedenken auf die Erzeugnisse dieser Firma,
welche sich redlich Mühe giebt, moderne Muster
für ihre Teppiche zu finden, noch zurückzukommen. — Die in demselben Hefte unter Vorsatzpapiere abgebildete Leiste von KONGSTAD
RASMUSSEN ist nicht, wie dort im Text, Seite 127,
angegeben, als eine Falzleiste von Broschüren
gedacht, sondern thatsächlich als Vorsatzpapier, bei welchem der übrige Teil des
Blattes weiss bleibt, so dass die Zierleiste je-
weils auf die beiden Randseiten des Vorsatzpapieres zu stehen kommt. Die hübsche Wirkung, welche dadurch erreicht wird, werden
einige weitere Proben zeigen, welche wir heute
wegen Platzmangels leider nicht veröffent-
lichen können. — In dem Artikel C. NYROP's
über die kgl. Porzellanfabrik in Kopenhagen,
Heft 4, Seite 152, ist durch ein unliebsames
Versehen gesagt, die dänische Kunstindustrie
beschränke sich auf zwei Gebiete, die Keramik
und das Buchhandwerk. Dieser Passus ist
in dem Manuskript des Herrn C. NYROP nicht
enthalten, und beruht auf einem Missverständ-
nis, da dort nur gesagt ist, dass diese beiden
Kunstrichtungen in Dänemark am höchsten
entwickelt sind. DIE REDAKTION*

Für die Redaktion verantwortlich: H. BRUCKMANN, München.
Verlagsanstalt F. Bruckmann A.-G., München, Kaulbachstr. 77. Druck der Bruckmann'schen Buchdruckerei, München.

ANZEIGEN

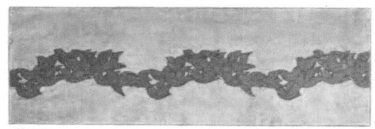

Tapetenfries   Ausgeführt von ESSEX & CO., London

C. F. A. VOYSEY

Das moderne Gewerbe ist aus England gekommen; hier hatte sich schon im vorigen Jahrhundert eine auf Einfachheit, auf Konstruktion hinzielende Tradition gebildet, die der Neuzeit förderlich werden konnte. Diese Tradition wurde in England weniger schroff unterbrochen als auf dem Kontinent, wo man unter allen Stilmoden vergass, dass auch hier ein bürgerlicher Stil bestanden hatte — bei uns in der Biedermeierzeit am glänzendsten — der für das moderne Gewerbe nicht weniger wertvolle Elemente besass, als sie die Engländer sich aus der Queen Anne Epoche holten. England machte die ersten modernen Innendekorationen und hatte den in unserer Zeit alleinstehenden universalen Erfolg, der im Handumdrehen in Ländern wie Deutschland eine neue Möbelindustrie schuf und selbst in Ländern wie Frankreich über festeingewurzelte, ganz entgegengesetzte Traditionen triumphierte. Mehrere Decennien sind seit diesem Impuls, den England gab, verflossen und der moderne Ausstellungsbummler, der, seitdem die Arts and Crafts existieren, zu jeder Ausstellung dieser berühmten Gesellschaft nach London reist, kann sich nicht der Wahrnehmung verschliessen, dass England langsam von der aktiven Thätigkeit, mit der es im Anfang befruchtete, zurücktritt. Es bleibt damit nur seiner Rolle treu, die es seit länger als einem Jahrhundert in der Kunst und auf anderen Gebieten gespielt hat: der Befruchter zu sein, der die Verarbeitung und Vertiefung seiner Impulse anderen überlässt. Es gab den ersten Anstoss zu der modernen Landschaft, die sich die kontinentale Malerei dauernd eroberte, es hatte den ersten modernen

Koloristen, der in Frankreich eine ruhmreiche Nachfolgerschaft fand, in England selbst ohne Nachahmer blieb, es war das erste Land, das Japan entdeckte, hatte die ersten modernen Stilisten und wenn man will, kann man sogar verfolgen, dass es auch auf dem Gebiete des Handels, der Industrie, der technischen Wissenschaften ähnlich ist.

Seitdem England erfolgreiche Nachfolger gefunden, und seitdem sich der überwältigenden Neuheit der modernen gewerblichen Schöpfungen gegenüber eine ernsthafte Kritik zu regen beginnt, fängt das Prestige Englands an, zu erbleichen. Das ist gut, soweit dies Prestige unberechtigt war, soweit man glaubte, dass alles Heil nur von drüben komme, dass die Gesetze und Entwickelungen, die England zu gute kamen, auch in anderen Ländern Gesetz und nötig wären; so lange es sich um das reine Mode-Prestige handelte, das uns mit mässigen englischen Marktmöbeln und noch mässigeren deutschen Imitationen dieser nicht einwandfreien Modelle überschwemmte und bei uns und überall eine Herde von unbegabten Stilisten-Dilettanten englischer Herkunft grosszog. Zweifellos ist England überschätzt worden, und es ist falsch geschätzt worden. Man hat bei uns Namen für treibende Kräfte genommen, die in England im zweiten Glied marschierten und hat Nuancen für wesentliche Richtungen angesehen. Eine höchst diskutable Künstlerschaft wie die CRANE's wurde als Vorbild direkt verderblich; zwingend bedeutungsvolle Menschen dagegen, wie WILLIAM MORRIS, sind heute noch in Deutschland grosse Unbekannte und nur berühmt, weil sie gestorben sind.

Haus in Haslemere (Surrey) für A. M. M. STEDMAN, Esq.

Aber man ist auch geneigt, England jetzt
plötzlich zu unterschätzen. Über dem Umstand, dass es in vielen Fragen immer noch
den Anfang verrät, vergisst man, dass es
diesen Anfang, schliesslich die Hauptsache,
gemacht hat; über der verzweifelten An-
hänglichkeit englischer Ornamentiker an Japan
und Florenz verliert man die Geduld, die
Differenziertheit anzuerkennen, mit der sich
dieser Eklektizismus, dieser Archaismus und
Exotismus entwickelt haben, dass hier aus
dem Alten neue Konvenienzen entstanden sind,
innerhalb derer gar manche Persönlichkeit
eine nuancenreiche Eigenheit offenbart. Eins
aber lässt sich vor allem England nicht ab-
erkennen, und das ist vielleicht die Hauptsache: das relativ hohe populäre Niveau der
gewerblichen Bewegung. Wir betonen populär;
es wäre vielleicht nicht schwer, aus anderen
Ländern Potenzen zusammenzubringen, die
in England ihresgleichen entbehren; aber
der Durchschnitt der Leistungen von Gross
und Klein ist in England unvergleichlich höher als irgendwo anders, vor allem
stabiler, es ist überhaupt ein Durchschnitt
vorhanden.

Vielleicht und wahrscheinlich sind diese
Worte bald nicht mehr wahr; Belgien und
Holland entwickeln sich so rapide und in
so absolut vorgezeichneter Richtung, der Fortschritt steigt hier so sichtbar hinan, dass
damit verglichen England schon fast wie
auf dem toten Punkt erscheint; nur darf
man nie vergessen, wie unendlich viele Kräfte
in England heute beteiligt sind und auf verhältnismässig wie wenigen in anderen, fort-
geschritteneren Ländern die Hoffnung der
Bewegung beruht.

Diese Erwägungen sind für die Betrachtung
dieses Heftes, das sich mit einem Künstler
allein befasst, nicht unwesentlich. Nicht die
Achtung vor der historischen Entwickelung
allein bewog uns, das erste Separatheft einem
Engländer zu geben. Es lag uns daran,
das heute noch wesentlichste, gewerbliche
Niveau darzustellen, den Masstab, den wir
bisher für die Entwickelung der neuen Nutzkunst haben. Eine selbstverständliche Gerechtigkeit hätte an Stelle VOYSEY's den Namen
WILLIAM MORRIS setzen müssen. Rein äusserliche aber zwingende Gründe haben das nicht
zugelassen, nicht zuletzt die Publikation des
VALLANCE'schen Werkes über MORRIS, dessen
deutsche Übersetzung hoffentlich zu stande
kommt, in dem der grosse Bahnbrecher in
weit grösserem Masstabe als unseren Kräften
möglich wäre, gewürdigt worden ist. Wir
wollten bei unserer Wahl VOYSEY's von vorneherein jeden rein qualitativen Bewegggrund
ausschliessen. Wir wollten einen Engländer
zeigen, ein typisches Beispiel dieser Kunst,
einen tüchtigen Künstler dieser Art, vor allem
einen, in dem die moderne Note in auch
ausserhalb Englands gültigem Sinne möglichst ausgebildet ist, ohne der Popularität
im eigenen Lande zu entbehren.

Dazu ist im Gegensatz zu CRANE und
anderen VOYSEY ausserhalb seines Vaterlandes
noch wenig bekannt. In England selbst
haben sich nur wenige Zeitschriften ober-
flächlich mit ihm beschäftigt; eine Anzahl
seiner Werke sind in »The Studio«, in »The

242

Haus in Shackleford (Surrey) für Rev. W. L. GRANE, M.A.

C. F. A. VOYSEY

Entwurf eines Hauses für den Künstler selbst

Artists, vieles in Fachblättern, namentlich
»The British Architect« erschienen; nie ist
nur annähernd der Versuch gemacht worden,
VOYSEY's Gesamtschaffen übersichtlich zusammenzustellen, wie wir es an der Hand zum
grössten Teil ganz unveröffentlicher und zugleich bester Werke des Künstlers versucht
haben.

VOYSEY vermag eine solche eingehende
Kritik auszuhalten, aber es liegt uns ferne,
ihn zu überschätzen. Wir werden nicht mit
unseren Einwürfen zurückhalten und werden
keine Gelegenheit finden, ihn auch nur in
Einzelheiten in den Himmel zu heben. Der
begeisterte Applaus ist hier nicht am Platz.
Aber dieser ist überhaupt selten Künstlern
der Nutzkunst gegenüber gerechtfertigt, wenn
man nicht persönliche Momente hinzuzieht,
die bei Betrachtung eines MORRIS z. B. so
viel Begeisterung entfachen.

Unsere Kunstkritik hat sich bei Beurteilung
von Malern oder Bildhauern an starke Aus-
drücke gewöhnt; entweder ist es ein Genie
oder ein Dummkopf, es giebt kein Mittelding.
Was bei der reinen Kunst entscheidet, ist die
Originalität, das Individuelle. Sehr oft verleitet dies, Künstler zu überschätzen, denen
wichtige handwerksmässige Elemente empfind-
lich abgehen — gerade wir Deutsche sind
immer in dieser Gefahr. Bei dem Gewerbe-
künstler aber rettet unter Umständen die
schärfste Individualität nicht das Werk vor
bedingungsloser Ablehnung, und anderenteils
stellt die sichere Beherrschung gewerblicher
Elementargrundsätze in unserer verfahrenen
Zeit schon einen solchen Fundus von Qualitäten dar, dass ein relativ geringer Indivi-
dualitätswert genügt, um voll zu befriedigen.

VOYSEY ist einer jener Sicheren unserer
Zeit, die wir fast nötiger brauchen als grosse

Genies; wenn er nicht mit fortreisst, so wird
er auch nie enttäuschen; er ist vor eine grosse
Anzahl von Aufgaben gestellt worden, und
ihrer Herr geworden; man kann sagen, aller,
die es in unserer Aussen- und Innendekoration
giebt. Diese kühle Konstatierung enthält viel.
In dem grossen England giebt es keinen
einzigen Lebenden, dem man das gleiche nachsagen kann, und selbst, wenn man den grossen
Toten MORRIS dazunimmt und nur das rechnet,
was er mit seinem eigenen, künstlerischen Willen
geschaffen hat, wird man nicht dieses weit-
greifende künstlerische Gebiet finden, das
VOYSEY mit einheitlicher Schöpfungskraft
ganz allein bisher durchdrungen hat. Es
giebt viele, die im einzelnen Glänzenderes geleistet haben, unsere Zeit drängt auf Arbeits-
teilung, auf Specialisierung jeder Gattung und
jeder Kraft. Sie hat recht, wenn das einzelne
sich dem ganzen einfügt, wenn wirklich ein
Ganzes sich teilt; aber wenn sich das Ensemble
aus ihrer Art nach entgegengesetzten Teilen
bilden soll, hat sie unrecht. Und so treibt
es heute die gewerbliche Kunst. MORRIS ver-
langte, dass jedes Gebiet des Gewerbes künstlerischem Willen unterliege, dass jeder Gegenstand des Hauses künstlerisches Gepräge trage.
Er vergass den Zusatz, dass dieses Gepräge
einer Art sein muss, dass in einem rechten
Hause nur ein künstlerischer Wille herrschen
darf. Selbst durch seine berühmte Gründung
MORRIS & Co. vermochte er dieses Prinzip
nicht durchzuführen; seine Freunde beherrschte
eine Liebe zum Schönen, aber sie hatten nicht
nur verschiedene Hände, sondern auch verschiedene künstlerische Ziele; sie waren alle
ästhetisch empfindende Leute, aber auch
»Künstler«, d. h. unterworfen dem Gesetz
ihrer Zunft, das Eigenart, gerade das verlangt,
was eine Idealgründung im MORRIS'schen

Haus in der Nähe von Guildford für JULIAN STURGIS, Esq.

256

Haus in Colwall (Worcestershire) für J. W. WILSON, Esq., M. P.

Landhäuser in Elmesthorpe bei Leicester für Lord LOVELACE

Sinne unterdrücken müsste. Ihre Eigenart beschränkte sich nicht nur auf Nuancen, sondern brachte solche Differenzen hervor, wie sie z. B. die Möbel WEBB's, dem dieses Gebiet oblag, in mit MORRIS'schen Tapeten geschmückten Zimmern darstellen; Differenzen, die zuweilen groben Stilwidrigkeiten gleichkamen, da der Archaismus, dem sie alle unterlagen, nicht bei allen auf dieselbe alte Quelle zurückging.

Alles das erklärt sich durch die in erster Linie agitatorische Persönlichkeit MORRIS'. Für das Lebenswerk, das er sich vorgenommen, hätte ein VOYSEY nie genügt; um den Funken zu zünden, der von England durch alle Länder drang, war ein Mann von imponierender Erscheinung mit der litterarischen Bedeutung nötig, die der MORRIS'schen Propaganda nicht wenig zu gute kam. Aber ebenso nötig waren nach MORRIS Leute wie VOYSEY, die in ruhiger Arbeit die Bahn erweiterten und genauer bestimmten und vor allem eine Einheitlichkeit herstellten, die am Anfang nicht vorhanden war.

Die Einheitlichkeit des Hauses in allen seinen Teilen: hier liegt das Heil unserer neuen, dem Hause dienenden Kunst. Gerade England war der Schauplatz der Zersplitterung, die so viel Unheil angerichtet hat. Da gab es Leute, die wunderbare Glasfenster machten, andere fertigten Kupferbeschläge, wie man sie nirgends besser finden konnte, wieder andere die herrlichsten Bucheinbände: bezeichnend ist, dass man sich zuerst an die weniger wesentlichsten Gebiete heranmachte; die Hauptsache: Architektur und Mobiliar kamen zu kurz. In dem einzelnen brachte man es zu eminenten Resultaten; aber wenn einer auf den Gedanken kam, diese Einzelteilen zu vereinen, in einem Hause all die mit zum Teil grossem Raffinement gemachten Specialdinge zusammenzustellen, erreichte er vielleicht ein Kuriosum, aber nie ein Haus, das als Muster gelten konnte.

An dieser unorganischen Entwickelung wird England noch schwer zu tragen haben; sie ist es, die dem heutigen modernen Gewerbe in allen Ländern den Stempel aufdrückt. Bei der ausserordentlich geringen Menge von Künstlern, die durch eine in die Breite gehende Veranlagung geeignet sind, zu helfen, wächst die Bedeutung eines VOYSEY ins Grosse. Er war der erste, der alle notwendigsten Bestandteile des häuslichen Milieus selbst herstellte und ist unseres Wissens noch heute der einzige Engländer, der gleichzeitig die Architektur und alle Zweige der Innendekoration und des Mobiliars beherrscht, also im stande

ist, ein Haus so zu bauen und einzurichten, dass es mit allen seinen Teilen im Einklang steht.

Man darf von der Tiefe einer solchen Wirksamkeit nicht dieselbe Dimension verlangen, die sie in der Breite besitzt. Und doch hat VOYSEY verstanden, allen, auch seinen kleinsten Werken einen persönlichen Ton zu geben, der ihm allein gehört. Nie — das ist VOYSEY's glänzendstes Verdienst — schadet die künstlerische Originalität dem Gebrauchswert seiner Schöpfungen. Immer hat er die berufsmässige Tüchtigkeit des Gegenstandes allen anderen Erwägungen vorangestellt, und wenn die ästhetische Seite manchmal dabei zu dürftig weggekommen zu sein scheint, so ist in der Regel die Achtung vor praktischer Einfachheit daran schuld gewesen.

Gegenüber der Gesamtheit der modernen englischen Nutzkunst nimmt VOYSEY den Titel in Anspruch, in den Grundlagen seiner Kunst der Modernste zu sein. Keiner hat so entschieden jede entbehrliche Verbindung mit der Vergangenheit abgelehnt; das ganze Schaffen VOYSEY's beherrscht das Prinzip, lieber bescheiden, lieber arm zu sein, aber nur sich selbst zu verdanken. Mon verre est petit, mais je bois dans mon verre; kein Klassizismus, keine Gotik haben ihn geleitet, er ist self-made man im besten Sinne des Wortes.

VOYSEY ist ursprünglich Architekt. Sein Lebenslauf ist bald erzählt. Er ist 1857 als Sohn eines Geistlichen geboren; wurde am Dulwich College erzogen und trat 1874 bei seinem Lehrer, dem Architekten J. P. SEDDON ein. Zu der Zeit stand der Kampf zwischen den Alten, die damals Klassizisten waren, und den Neuen, den Gotikern, in Blüte. SEDDON war Gotiker reinsten Wassers; aber für ihn war, wie für die meisten seiner Art, die Gotik weniger ein archaischer Stilbegriff als eine musterhafte Konstruktionsmethode, die im Gegensatz zu dem vorsintflutlichen Klassizismus wieder Vernunft und Gesetzmässigkeit in die Bauart einführte. Er hat seinem Schüler wenig geholfen, aber er hat ihm zum mindesten nicht geschadet.

VOYSEY liess gar bald sowohl in wesentlichen wie unwesentlichen Fragen jede Erinnerung an irgend eine alte Stilform bei seite. Man wird vergeblich in den Häusern, die wir hier abbilden, nach einer Spur jener Gotik suchen, die heute in England noch unvermeidlich erscheint.

Aber was ist der Stil dieser Häuser?

Es giebt noch heute Leute, die in dem Stil eines Hauses die künstlerische Form sehen,

247

258

C. F. A. VOYSEY

Entwurf eines Hauses für den Künstler selbst

die sich in den Schmuckelementen der Fassade äussert. Sie bestimmen nach der Art der bewussten Pyramiden oder der gezackten Türmchen, der Karyatiden, der Schnörkel etc., ob ein Haus der Renaissance, der Gotik oder dem Barock angehört. Für die wird VOYSEY's Architektur wohl überhaupt des Stils entbehren, denn all jene Erkennungszeichen fallen hier fort. VOYSEY verwendet überhaupt keinen Schmuck; er findet, dass eine Karyatide entbehrlich ist, sobald sie überflüssig erscheint, und dass sie, sobald sie konstruktiv notwendig ist, besser durch einen Balken oder eine Strebe, durch Mittel, die dem Zweck, den eine Karyatide heuchelt, wirklich entsprechen, ersetzt wird. Er hält es für einen Nonsens, nackte Männer oder Frauen als konstruktive Mittel zu verwenden und leugnet den Schmuckwert, der in einer Verhüllung der Konstruktion stecken soll. Er leugnet den Schmuckwert aller überflüssigen Dinge an einem bürgerlichen Hause, zieht dem aufgeklebten Gipsornament das glatte, natürliche Material vor und lässt als neues Schmuckelement nur die Farbe zu.

Abgesehen davon ist das Äussere VOYSEY-scher Häuser ganz schmucklos, und doch wird man jede seiner Bauten sofort als sein Werk erkennen. Es muss also wohl eine Originalität geben, die sich auch ohne Stuckverzierungen äussern kann. Und diese besteht in sehr viel wesentlicheren Äusserungen, in der Architektur selbst, nicht den Zuthaten, in den wesentlichen Linien des Gebäudes, den Grössenverhältnissen des Daches zu der Höhe

und anderen Dimensionen des Hauses, in der Art, wie der Winkel des Daches gewählt ist, wie das Dach durch Vorsprünge von Giebeln u. s. w. unterbrochen wird, wie die Fenster und Thüren sitzen, ihre Grösse, wie die Fläche des Hauses durch Vorbauten oder Anbauten bewegt wird — man sieht, das sind ungefähr die wichtigsten rein architektonischen Fragen, in denen sich frei die »Kunst« äussert. Und diese künstlerische Wirkung scheint der unmittelbare Ausdruck des Zweckmässigen. Es ist nicht schwer, amüsante Fassaden zu machen, aber es ist zuweilen Genie erforderlich, um bei ungünstigen Platzverhältnissen, bei grösster Ausnutzung des Raumes, bei striktem Gehorsam gegen alle Vorschriften einer rationellen Anordnung und last not least der möglichsten Annäherung an die stets unmöglichen Wünsche der Besteller, originelle und ästhetische Umrisse und Fassaden zu gewinnen. Man erstaunt im Innern der Häuser oft über die glückliche Widerspiegelung der Eigentümlichkeiten der Fassade, die sich hier in zugleich originellen und so praktischen Dispositionen wiederfinden, dass man den Eindruck hat, als ob z. B. die Verteilung der Fenster, die der Fassade so zu gute kommt, nur des Innern wegen so gemacht sei. Und das ist das Gesunde an VOYSEY's Architektur. Die Räume sind immer niedrig, für deutsche Begriffe viel zu niedrig: aber während deutsche Wohnungen infolge ihrer Höhe fast immer kalt lassen, selbt bei gelungener Einrichtung, wirken VOYSEY's

248

*Häuser wohnlich, auch wenn sie noch
gar keine Möbels enthalten. Die Räume
sind immer hell und das fällt bei den
kleinen Fenstern, die gar keinen Vergleich mit den unsrigen aushalten,
doppelt auf. Sie sind eben so plaziert,
dass der Raum das günstigste Licht
erhält. Sehr oft sitzen sie deshalb
sehr hoch und dann verleitet zugleich
die relativ grosse Entfernung des
Fensters vom Boden das Auge, die
Höhe des ganzen Raumes zu vergrössern. In der rein praktischen
Anordnung leistet VOYSEY Erstaun-
liches. Es ist oft unbegreiflich, was er
alles in so einem kleinen Häuschen
unterbringt und wie es ihm dabei
gelingt, die Bedürfnisse des Haus-
herrn und der Hausfrau zu befriedigen. Seine Villen sind wahre
Puppenhäuser im Vergleich zu unseren
Grossstadtpalästen und doch machen
sie selten den Eindruck von Enge,
so gut sind die Verhältnisse gewählt.
Denn es ist klar, dass ein Raum
von 20 m enger wirken kann als
einer, der nur die Hälfte Fläche
umfasst, aber besser disponiert ist.*

*Es bedarf kaum der Erwähnung,
dass VOYSEY kein Monumentalbau-
meister ist, er erfüllt so ausgezeichnet
die Sphäre, in der er sich bisher be-
thätigt hat, dass man zweifeln kann,
ob er fähig wäre, einen Prachtbau
zu vollbringen. Er ist noch nie vor
solche Aufgaben gestellt worden, und
sicher, die Aufgaben, denen er bisher
dient, sind dringender, wichtiger, trotz
ihres bescheidenen Umfangs. Denn
ein unserer Zeit eigener und würdiger
Monumentalbau, den wir noch nicht
einmal in Ansätzen heute besitzen, kann
sich nur aus unserer bürgerlichen
Architektur entwickeln, nicht umgekehrt.*

*VOYSEY's Bauten sind zum weit-
aus grössten Teil Landhäuser.
Viele von ihnen stehen noch in dem
Stadtbezirk Londons, aber in jenen
neuen Teilen, die eigentlich nicht
als Villenviertel, sondern schlechtweg
zum Lande gerechnet werden müssen.
Man muss diese Bestimmung vor
allem im Auge behalten, um sie zu
würdigen. Sie gehören zum Lande,
nicht zu der Stadt, sie sollen sich der
englischen Landschaft anschmiegen,
sie erhöhen ihren Reiz mit ihrer wie in*

C. F. A. VOYSEY

Stallungen in der Nähe von Guildford für JULIAN STURGIS, Esq.

die Höhe sondern immer in die Breite gehenden, fast möchte man sagen, gewollten Silhouette, sie haben etwas vom Landmann, nichts, gar nichts von dem bedenklichen Begriff der »Villa«, viel mehr von dem des Bauernhauses; die gute Tradition des englischen Bauernhauses ist die einzige, die VOYSEY benützt hat. Nicht wenig kam ihm dabei ein Zwang zu Hilfe, der ihn unter anderen Umständen hätte schwer hindern können: er war immer auf äusserst beschränkte Mittel angewiesen. Die Billigkeit seiner Häuser ist oft erstaunlich. Für 10000 M. baut er so ein Häuschen hin mit allem inneren Komfort. Man hat ihm aus dieser Billigkeit einen Vorwurf zu machen gesucht und behauptet, dass darin allein seine Eigentümlichkeit bestehe. -- Zum mindesten wäre diese Eigentümlichkeit nicht unberechtigt. Aber sie wäre freilich nicht der Rede wert, wenn sich nicht mit ihr eine künstlerische Äusserung verbände. Und künstlerisch ist diese Geschicklichkeit, die mit den kleinsten Mitteln ästhetischen Reiz erzielt; ein Reiz, der anhält, weil er natürlich ist. Nie hat man dabei den Eindruck von Wollen — und — Nichtkönnen, der sich so oft mit dem Billigen, das Ansprüche erhebt, verbindet. Nie wirkt diese Einfachheit gesucht; sie hat immer etwas Würdiges, Gesundes. Man wird sich nie des Charmes, der aus den Ehmesthorpe Cottages spricht, erwehren können (s. S. 246)

und er beruht in einem Nichts, soweit der Kostenpunkt in Frage kommt, einfach in dem geschmackvollen Ausschnitt des Strohdachs, wodurch sich eine elegante, grosse Linie ergiebt. Man beobachte, wie er in »Perry Croft« (s. S. 246) u. a. die schmalen Kaminflächen bis zum Boden hinab vortreten lässt, so dass sie wie Pendants zu den Stützen des Hauses erscheinen. Man betrachte die Form dieser Kamine — oder auf Seite 244 die reizende grünweisse Fachwerkverkleidung des oberen Stockwerks, während das untere zwischen den kräftigen Stützen mit glattem weissen Grunde zurücktritt, — es sind nur Nuancen, aber sie sind so glücklich, dass sie in Verbindung mit dem übrigen zur besten Wirkung kommen. Mit Vorliebe verwendet VOYSEY für die Bekleidung der Mauern den weissen Rappputz, dessen starkrauhe Oberfläche höchst vorteilhaft die bei uns beliebten Verputzarten ersetzt und dabei nicht nur solider ist als der glatte Putz, sondern auch gediegener, wetterfester aussieht. Dazu die grünen Hölzer mit schwarzen, geschmackvoll gezeichneten Eisenteilen — die Koloristik kann nicht einfacher sein, aber sie ist gelungen. Und darauf kommt es zunächst heutzutage an. Zeigen, was mit geringen Mitteln geschmackvoll gemacht werden kann; dass der gering Bemittelte nicht nötig hat, die Roheit der schlechten, en masse vervielfältigten, alten

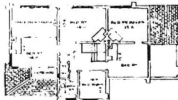

Entwurf eines Hauses in Studland Bay für W MARGETSON, Esq.

250

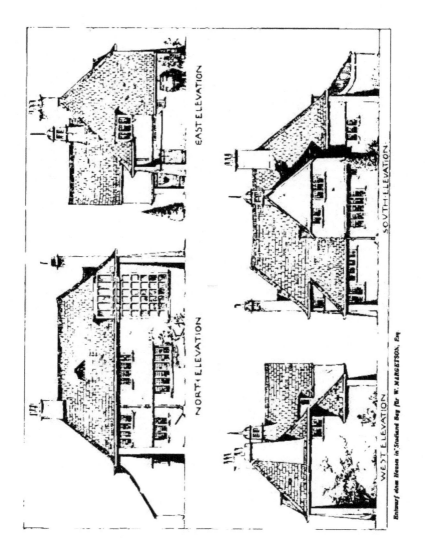

EAST ELEVATION

NORTH ELEVATION

SOUTH ELEVATION

WEST ELEVATION

Entrance Lodge Houses in 'Studland Bay for W. MARGETSON, Esq.

262

C. F. A. VOYSEY

Entwurf eines Hauses in Dovercourt für A. J. W. WARD, Esq.

Ornamentfragmente zu dulden, dass es eine Schönheit giebt, die jenseits der kostspieligen Verzierung bleibt, die richtiger, wertvoller, moralischer ist als alle Schnörkel.

Nicht ohne Anfeindung, nur mit grösster Anstrengung hat sich VOYSEY in seiner Architektur diesen Weg gebahnt, ohne jede Hilfe; noch heute hat er kein »Bureau«, wie sonst jeder seiner Londoner Kollegen, und sein ganzes Personal besteht aus einem jungen Sekretär. Eine gewisse Förderung hat er nach seiner Aussage durch seinen älteren Kollegen HOWARD GAYE erfahren, der sich durch architektonische Aquarelle hervorthut — von ihm stammen die meisten perspektivischen Ansichten nach VOYSEY'schen Zeichnungen —; diese Förderung ist aber mehr allgemeiner, moralischer Art.

Ganz anders wirkt VOYSEY als Dekorateur. Wenn er in der Architektur selbst so einfach wie möglich bleibt, sucht er die Fläche seiner Wände mit um so grösserem Reichtum zu schmücken; und das ist wieder ein höchst gesundes Prinzip. Seine glückliche Erfindungsgabe bewirkte, dass er viel schneller als Dekorateur bekannt wurde, während der Architekt ohne Beachtung blieb. Seine Tapeten fanden enormen Beifall; namentlich das Haus ESSEX & CO. in London bediente sich seiner Zeichnungen und verdankte ihm seinen Ruf. Ebenso ging es ihm mit seinen Teppichen und Stoffen; MORRIS hatte das Terrain gebahnt, es gab bereits, als VOYSEY auftrat, genug Industrielle, die ihm allein verstanden, der aus diesen modernen Vorlagen zu ziehen war.

Auch in seiner Dekoration ist VOYSEY Engländer; nicht ganz ohne die Fehler seiner Generation und seines Landes, aber auch mit glänzenden Vorzügen, die ihm allein gehören. Und es ist vor allem derselbe Künstler, der die Häuser baut und der die Dekoration

dafür schafft. Seine Tapeten werden immer gefallen, aber nirgends wirken sie so gewinnend wie in seinen Häusern, in denen sie wie ein Stück des Ganzen erscheinen. Auch hier dieselbe rationelle Anschauung, dieselbe Einfachheit, dieselbe Gesundheit. Er trat allezeit energisch für das Ornament in der Innendekoration ein, aber er glaubte zuweilen, diesem Ornament einen stofflichen Inhalt geben zu müssen, der ihn abhielt, die Linie so frei zu entwickeln, als er es bestimmt vermag. Solchen Ideen sind Vorlagen wie die auf Seite 274 mit den an sich reizenden figürlichen Darstellungen entsprungen; sie sind bei weitem in der Minderzahl. Bei allen ist der Ausgangspunkt, wie bei allen Engländern, die Natur, und zwar das Studium der Pflanze. Wir geben auf Seite 279 eine Studie nach der Natur und daneben das persönliche Resultat des Künstlers aus der Studie. Die Gestaltungskraft VOYSEY's tritt dabei am deutlichsten zu Tage. Sie ist immer streng persönlich, trotzdem sie nie ganz die Verbindung mit der Natur verliert. Man sieht in den Tapeten auf Seite 271 und 273, zu welchem Reichtum sie sich aufzuschwingen vermag. In diesen besten Mustern ist die Ornamentik rein schematisch. Es sind keine Blumen, keine Blätter mehr, sondern Linien, die keinen anderen Zweck haben, als rhythmisch zu schwingen, zu schmücken; in manchen wie den beiden auf Seite 270 ist nur noch mit einiger Mühe der natürliche Ursprung der Arabesken zu erkennen. In dem Vogelfries auf Seite 281 ist der Ausdruck der gewellten Linie, die das Motiv beseelt, so stark, dass man trotz der unverkennbaren Deutlichkeit des Details nicht im entferntesten naturalistisch berührt wird. In solchen Vorlagen ist VOYSEY gross. Man beobachte seine Verteilungsart der Schwerpunkte in den Ornamenten, wie er den Eindruck seiner Bewegungen erreicht. Das Stoffmuster auf Seite 265 ist ein gutes Beispiel dafür. Das Muster ist sehr gedrängt und trotzdem wirkt es ruhig; sowohl in der Biegung des Baumstammes wie der Plazierung der Blätter, wie in der Stellung der, an sich höchst diskutierbaren, beiden Enten kommt in reicher Mannigfaltigkeit die Richtung zur Geltung, die durch die Stellung der runden Früchte markiert wird. Man kann sich fragen, warum eine so eminent begabte Hand nicht die letzte Konsequenz zieht und den Linieneffekt, dessen sie sich so scharf bewusst ist, nicht ohne Enten, ohne Baumstamm, ohne Blätter fertig bringt, nachdem sie sich überzeugt hat, dass nicht diese Dinge ihr das Wesentliche sind.

252

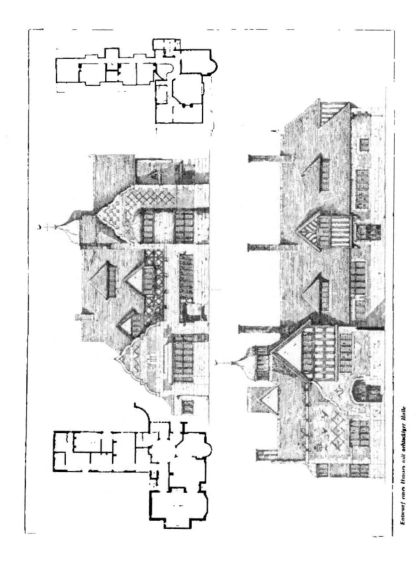

Entwurf eines Hauses mit schadiger Rolle

264

C. F. A. VOYSEY

sondern die Schwingung, die Verwendung, die sie ihnen giebt. Es wäre nicht schwer, aus VOYSEY's Mustern das rein lineare Element ohne jede naturalistische Bedeutung auszuscheiden, und dann würden diese Muster noch schöner, noch rationeller, noch moderner sein. Aber die Hauptsache ist, dass dieses wichtigste Element, sei es nun versteckt oder offen, überhaupt bei ihm vorhanden ist. Man vergleiche mit seinen Mustern, was der Durchschnitt der englischen Stilisten aus der Blume macht, diesen matten Dilettantismus, der sich immer und ewig gleich bleibt und die Natur, der er zu dienen vorgiebt, schändet. VOYSEY ist der männlichste unter seinen Landsleuten; er ist oft naiv, aber dieses Naive ist nie gezwungen; und es hindert ihn nicht, seiner Dekoration eine gewisse Fülle, ja Reichtum zu geben, der bei der Einfachheit seiner Architektur doppelt angenehm wirkt, ja nötig ist. Nicht wenig trägt die Koloristik dazu bei, die sich in seinen Stoffen und Tapeten äussert. Sie steht nicht immer auf der Höhe der besten MORRIS'schen Werke, sie hat selten etwas überzeugend Vornehmes, aber sie ist immer warm, frank; man kann sagen, dass sie die Farbe giebt, die zu dieser Zeichnung gehört.

Die Innenarchitektur VOYSEY's ist das kongruente Gegenbild seiner Aussenarchitektur. Hier möchte man manchmal grössere Mannigfaltigkeit wünschen. Seine Treppengeländer, Thüren und andere Holzteile sind immer sauber und hübsch proportioniert, aber hier sucht das Auge zuweilen eine grössere Abwechselung, namentlich da, wo es nicht durch reiche Tapeten gesättigt wird. VOYSEY steht auf dem Standpunkt, dass Tapeten und Stoffe allein die natürlichen Schmuckträger sind. Auch in den einzigen, ganz städtischen Häusern, die er bisher gemacht hat, den Zwillingsgebäuden auf dem Hans Road in Chelsea, die für immerhin ausreichende Mittel bestimmt sind, vertritt er dieses Prinzip und hier kann man sich nicht ganz dem Eindruck einer zu weit getriebenen Einfachheit verschliessen, der bei den Landhäusern natürlicherweise weniger hervortritt. Dasselbe gilt von dem Mobiliar, das er bisher gemacht hat und das bei ihm zum mindesten quantitativ bis jetzt noch die geringste Bedeutung im Vergleich zu den übrigen Gebieten einnimmt. Auch hier fühlt man den Architekten aus jedem Stück heraus. Das rein Konstruktive ist immer brillant gelöst, die Möbel sind praktisch, immer auf den Zweck hin, dem sie dienen, gearbeitet, stets in guten Verhältnissen — aber zweifellos, hier bleibt VOYSEY noch gar viel nachzuholen. Es genügt nicht, sich nur durch den Mangel von Fehlern auszuzeichnen und eine Sache nicht schlecht zu machen. Hier fehlt es an Erfindung, freilich hat auch dem Künstler die Gelegenheit gefehlt.

Die meisten Möbelstücke, die wir abbilden, entstammen der Wohnung ihres Autors und entsprechen seinem auf Einfachheit gerichteten

251

Geschmack und seinen Mitteln. Der Tadel
hat also nur beschränkte Berechtigung. Gerade
Linien sind immer billig; freilich hat man
den Eindruck, als ob die Vermeidung jeder
gebogenen Form nicht nur materiellen Erwägungen entsprungen, sondern Prinzip ist.
Und die Lücken dieses Prinzips können nicht
durch die Begründung ausgefüllt werden, dass
vor den geschwungenen Linien der Tapeten
und Stoffe die geraden Konturen der Möbel
geboten erscheinen. Und schliesslich ist es
nicht diese Härte der Linie allein, die den Mangel
ausmacht, sondern vor allem die geringe
Ensemblewirkung. Man vermisst die intensive
Beziehung dieser Möbels zum Raum und zu
einander, sie haben nicht das wohnliche,
komfortable der VOYSEY'schen Häuser; er hat
dasselbe Gesetz auf sie angewandt, aber Möbel
sind keine Häuser und das Gefühl für Architektur allein genügt eben doch nicht zur
Schöpfung vorbildlichen Mobiliars.   Auch
VOYSEY vermeidet nicht ganz den Fehler
aller englischen Architekten, da Säulchen mit
Kapitälchen zu verwenden, wo sie ganz unnötig sind.

Um durch den Schmuck der Fläche zu
ersetzen, was der Form abgeht, sucht er sich
mit dem bewussten, englischen Mittel, mit
Beschlägen u. dergl. zu helfen. Die einfachen
Beschläge, die er verwendet und die W. B. REY-
NOLDS nach seinen Zeichnungen ausführt,
sind ausgezeichnet. Wo er aber bildliche

Treppe im Hause 16. Hans Road, London, für A. GROVE,
Esq. M. P.

Eingang der Häuser 14 u. 16. Hans Road, London. für A. GROVE, Esq. M. P.

Darstellungen damit verbindet, wie
an dem hübschen Sekretär auf
Seite 262, oder den Kaminsäulen
auf Seite 256, wirkt das Mittel
leicht spielerisch. Von seinen Intarsien und Bemalungen (s. S. 260,
264 u. 267), die ähnlichen Zwecken
dienen, gilt dasselbe in noch weit
höherem Masse. Sie erscheinen wie
Bauernarbeiten aus der ersten Hälfte
des Jahrhunderts.   Es ist bezeichnend, dass ein so rationell,
so modern empfindender Künstler
in extremen Archaismus verfällt,
sobald ihm der Nutzzweck seiner
Arbeit verloren geht. Solche ernst
veranlagten Leute können nicht
spielen. Wir haben diese Arbeiten,
durch die VOYSEY nicht gewinnt,
dennoch wiedergegeben, weil sie zur
Bestimmung seines Gesamtbildes
nicht unwesentlich sind. Andere
Nuancen erhöhen seinen Wert. Er
hat einige buchgewerbliche Arbeiten
gemacht, die sich durch hübsche

255

266

Zeichnung und vortreffliche Schrift auszeichnen; z. B. die Entwürfe für einen Einband
des ›Studio‹, für eine Broschüre der ›Kyrle
Pamphlets‹, mit ganz reizender, figürlicher
Rahmenzeichnung u. a. In der Tapete auf
Seite 276 — einer Queen Era-Tapete! — kommt
dieselbe Gabe, nur hier an falscher Stelle,
zur Geltung.

Man wird einer Persönlichkeit, wie wir sie
hier flüchtig skizziert haben, nicht die Anerkennung versagen; die Fehler, die ihr an-

Kamin für Mr. T. ELSLEY

haften, gehören zu ihr, wie ihre Vorzüge,
und wir hoffen, gezeigt zu haben, dass die
Lichtseiten hier bei weitem überwiegen. Man
darf bei ihrer Schätzung das Milieu nicht
vergessen, aus dem sie entsprossen sind.
Dies England, das materiell dem jungen Nutz-
künstler so grosse Vorteile bietet, wird von
grossen Irrtümern niedergehalten, die wie
Geburtsfehler erscheinen, so dauerhaft sind
sie. VOYSEY ist der erste, der ein klares Bild
der positiven gewerblichen Kräfte in einer
Person darstellt, die in England enthalten
sind; es wäre unnatürlich und vielleicht

kaum wünschenswert, wenn er den Boden
verleugnete, aus dem er entstanden ist. Die Bewegung mag über ihn hinweggehen, er wird
immer einen Platz in ihr behaupten, und
wenn es einmal eine Geschichte dieser Bewegung
giebt, so wird er für England nach MORRIS
den ersten Ruhmestitel erlangen. Denn mögen
andere künstlerischere Anregungen gegeben haben
und in der abstrakten Kunstschätzung eine
unvergleichlich höhere Stellung einnehmen:
er hat zum erstenmal eine breite gewerbliche
Basis markiert, gezeigt, was man
heute schon in England aus einem
Hause machen kann, und er ist
der erste in der Bewegung überhaupt, der sämtliche Mittel zum
Bau und zur Ausstattung des
Hauses mit eigener Hände Arbeit
geschaffen hat. Dies Haus ist
nicht gross. Nicht alle werden
sich in ihm wohl fühlen; man
meint zuweilen, die Spur einer Abstammung VOYSEY's von einem
Geistlichen wiederzufinden, etwas
Pastorenhaftes, das vielleicht nicht
jedermann sympathisch ist. Wer
aber durch diese äussere Schale
durchdringt, wird in ihm einen
Menschen finden, der nicht mit den
Begriffen der Gattung gemessen
werden kann, sondern Persönlichkeit ist, und er wird in seinen
Hein Eigenschaften entdecken, die
es einem wert zu machen vermögen.

Im übrigen ist VOYSEY heute
40 Jahre alt, man kann also noch
etwas von ihm erwarten. Gerade
für das Gebiet des Mobiliars, in
dem er sich bisher nur wenig
auszeichnen konnte, stehen uns
vielleicht noch Überraschungen
bevor. Er hat gerade jetzt zum
erstenmal den Auftrag erhalten,
ein Haus, das er baut, mit Mobi-
liar fertig einzurichten. Wir werden also wohl
noch manchmal von ihm zu reden haben. -γ-

Handelsmarke für ESSEX & CO London

Papier- und Bücherschrank für einen Tisch
Waschtisch mit Paneel, gemalt von Mrs. WALTER CAVE

EMPFINDUNG IN DER ANGE-
WANDTEN KUNST

Es berührt uns kaum mehr freundartig, wenn das gesteigerte, ästhetische Empfinden, dessen wir uns in der angewandten Kunst so lebhaft erfreuen, sich schon in der Bezeichnung geltend macht, mit denen die Neuheiten vor uns hintreten. Wir sind an poetisch klingende Namen für Tapeten und Stoffe gewöhnt, Namen, welche mit Zärtlichkeit an das Naturbild erinnern, das dem Künstler die Anregung zu dem Dekorationsmotiv gab. Was ursprünglich der ungesuchte Ausdruck echter Feinfühligkeit war, wird zur Gewohnheit, welche durch Häufigkeit der Wiederkehr fast die Bedeutung verliert. Ein Gleiches gilt von den poetischen Begleitworten, die man lyrischen Dichtern entleiht, um sie so einem Zierstück mit auf den Weg zu geben. Wenn man es recht bedenkt, eine entbehrliche Sitte! Sollte so hoher künstlerischer Wert, wie durch die festliche Anpreisung aus Dichtermund verkündet werden soll, nicht kraft der eigenen Tugend laut genug

zu empfänglichen Ohren sprechen? Und wo diese wirksame Sprache versagt, da dürfte auch der vorausgeschickte Ausrufer unverstanden bleiben.

Die Neigung zu übereifriger Betonung des Empfindens, die sich in der Art äussert, wie das Werk in Scene tritt, macht sich aber hier und da auch in diesem selbst geltend. Die Mehrzahl derer, auf denen die Hoffnung der neu heraufkommenden dekorativen Kunst beruht, ist von ihrer vornehmen Schwester, der hohen Kunst, ausgegangen. Häufig wird abwechselnd der Blick bald auf die eine, bald auf die andere gerichtet, die Seele träumt wohl noch in den Regionen des Gefühls, während Auge und Hand an dem Gebilde thätig sind, das dem Bedürfnis des Alltags dienen soll. Und so verschiebt sich unbemerkt das Ziel. Statt dass Phantasie und Feinsinn das Wunder der adelnden Umschaffung des Nutzgerätes zu einem organischen Kunstwerk vollziehen, wird ihnen die Aufgabe zum Vorwand, sich selbst direkt zum Ausdruck zu bringen. Das Gerät steht da und will dem Zweck dienen, der aufgewandte Schmuck verkündet deutlich, dass hier die Kunst selbst vorübergegangen, und doch lässt der klaffende Spalt sich nicht verhüllen. Der Schmuck ist nicht Diener und

Schrank- und Waschtoilette

EMPFINDUNG IN DER ANGEWANDTEN KUNST

Spiegel für Schlafzimmer
Entworfen von G. P. u. J. BAKER, London

Fünfteiliges achteckiges Kästchen
Entworfen von NEWMAN SMITH & NEWMAN, London

Eichener Stuhl

Helfer geworden, er hat die Verbindung gescheut, als sei sie eine unebenbürtige, und hat sich vornehm auf ein besonderes Gebiet zurückgezogen, wo er nur dem eigenen Ziele nachgeht, eine freie und von der praktischen Aufgabe nicht beeinflusste Empfindung zum Ausdruck zu bringen. Hier vollzieht sich die Rückwandlung aus der angewandten zur hohen Kunst. Der Bundesgenosse Zweck, dem die Mitwirkung verheissen war, steht vernachlässigt zur Seite, jeder von beiden geht seinen eigenen Weg. Manchmal geschieht diese Lostrennung sogar so rücksichtslos, dass in der Hast die Gebietsteilung nicht gerecht durchgeführt wird, und die Kunst sich an den Platz stellt, der dem Zweck gebührt.

Oft sind es feine und geistreiche Arbeiten, die zu solchen Ausstellungen Veranlassung geben. Sie drängten sich auf, als FIX-MASSEAU einen Leuchter formte. Die freundliche Flamme verscheucht mit dem menschenfeindlichen Dunkel trübe Ahnungen und bange Sorgen. Zu ihr flüchtet, wer in schlafloser Nacht mit dem

Grauen ringt. Aber leicht täuscht gerade ihr unruhiges Flimmern den aufgeregten Nerven schreckhafte Erscheinungen vor, so dass das Auge sich vor dem trügerischen Licht wieder in das Dunkel flüchtet. Diese grundlose Angst und ihre dämonische Macht verbildlicht der Künstler in einer unheimlich vermummten, fremdartigen Gestalt (er nennt sie den schlimmen Gast der Nacht), die unmittelbar unter der Stütze des Lichtes kauert. Man hat mit Recht getadelt, dass diese Figur nichts mit dem Gerät zu thun hat, an dem sie erscheint. Sie wird sogar hinderlich, da sie die Stelle einnimmt, wo man nach einer bequemen Handhabe sucht. Wir erkennen es deutlich, hier hat nicht der ornamentale Plan gewaltet, dem sich die Absicht ungewollt in eine Zierform ansetzte, sondern hier war das erste die willkürlich schweifende Künstlerphantasie, der es nur um restlosen Ausdruck ihrer Gesichte zu thun war. Darum konnte sie sich nicht mit spielender Andeutung des Gedankenmotivs begnügen, die sich der praktischen Aufgabe dienstbar gemacht hätte.

258

Weniger auffällig für den ersten Blick, aber auf die Dauer noch empfindlicher, macht sich das Vorwiegen phantasievoll-gedankenreicher Einflüsse bei einem deutschen Werk bemerkbar, das im übrigen besonders durch seine vornehm zurückhaltende Farbenwirkung, wie durch die weise Diskretion der Materialverwertung höchst angenehm auffiel. Ich spreche von JOSEF ENGELHART's Wandschirm von der Ausstellung im Glaspalast. Die durchbrochenen dunkeln Bronzereliefs auf dem bräunlichen Leder waren sehr wirkungsvoll nur als oberer Abschluss

Bemaltes Uhrgehäuse

der vier rechteckigen Flächen angebracht. Die Inschriften waren sehr geschmackvoll ornamental verwertet und brachten durch die Goldbronze eine reizvolle Abwechslung in den Farbenzusammenklang. Aber man konnte nicht umhin, diese Inschriften zu lesen, und noch weniger entzog sich die symbolische Bedeutung der Relieffiguren der Beobachtung.

Da waren die tiefsten, bedeutungsvollsten Töne des Menschenlebens angeschlagen. »Erwachen, Verlangen, Entsagen, Entschlafen.« Eine ganze Philosophie in ihren Grundzügen! Und man soll das täglich im Zimmer um sich haben? Es treibt einen zum Verzweifeln, oder es wird trivial. Ornament soll eben Ornament bleiben, und wo die menschliche Figur zur Dekoration verwendet wird, da füge auch sie sich den Gesetzen des Stils.

Hier lag gar kein innerer Grund für die Wahl eines solchen Gegenstandes vor. Keine Beziehung, die Material oder Zweck an die Hand gegeben hätte. Der Künstler hat einfach einen ihm teuren Empfindungsaccord rein ästhetisch ausklingen lassen, und er hat sein Werk dann als einen fremden Bestandteil dem Nutzgerät aufgeheftet. Wie heimatlos diese Kompositionen ihrem inneren Wesen nach sind, spricht sich auch darin aus, dass wir einer von ihnen ein anderes Mal als Zierstück auf einem Blatte des »Pan« begegnen, wofür sie übrigens bei weitem geeigneter erscheinen wollte.

Im übrigen muss im Gegensatz zu dem erstangeführten Beispiel noch darauf hingewiesen werden, dass die Einwendungen gegen ENGELHART's Arbeit nur nach der ästhetischen Seite hin liegen, während sich ihr nach der praktischen Richtung gewiss alle Vorzüge nachrühmen lassen.

Die Neigung, die menschliche Gestalt in der angewandten Kunst nicht nur rein ornamental, sondern auch als Ausdruck einer bestimmten Empfindung zu verwenden, ist bei den Kleinkünstlern übrigens sehr verbreitet. Man braucht nur Namen wie CHARPENTIER, VALLGREN, DUBOIS zu 'nennen. Was aber bei diesen meistens die Vermittlerrolle spielt, ist die impressionistische Behandlungsweise, welche den Gefühlsinhalt nur schwach, gedämpft, wie eine leise musikalische Begleitung neben der Hauptabsicht als Werte der Dekoration zur Geltung kommen lässt. ALP

KORRESPONDENZEN

MÜNCHEN — Aus der Kunstgewerblichen Vereinigung, deren Gründung und Ziele unter dem Namen »Kunst im Handwerk« wir im vorigen Hefte bereits anzeigten, wird binnen kurzem unter der Firma »Vereinigte Werkstätten« eine Gesellschaft mit beschränkter Haftung erstehn, die zunächst mit einem Kapitale von 100000 M. (das zum grössten Teile schon gezeichnet ist)

Ruđer

1

Schreibpult

272

Beschlag

sich die praktische Verfolgung der Wege und Ziele zur Aufgabe setzt, welche unsere Zeitschrift durch Wort und Bild zu vertreten sucht: die Vermittlung zwischen den gewerblichen Bestrebungen tüchtiger, dekorativ veranlagter Künstler, geschickten Fabrikanten und einem kunstsinnigen Publikum. Indem die Gesellschaft geeignete Entwürfe von den Künstlern zur Ausführung käuflich erwirbt oder ihnen Aufträge zuweist, vertritt sie zunächst die Interessen der Künstler, welche bisher selten Lust und Geld hatten, solche Entwürfe für eigene Rechnung und eigenes Risiko ausführen zu lassen. Indem sie diese

Entwürfe (wobei alle Gebiete des Kunsthandwerkes gepflegt werden sollen) tüchtigen Werkstätten zur Anfertigung überweist, unterstützt sie das Handwerk und bietet namentlich dem kleineren Meister, dem es nicht an Geschick, wohl aber an der Möglichkeit fehlt, sich selbst andere Entwürfe zu verschaffen als seine Vorlagewerke enthalten, die Gelegenheit vorwärts zu kommen, indem er sich neuen, höheren Aufgaben zuwendet. Zugleich aber erhalten Künstler in diesen Werkstätten die notwendige Gelegenheit, die erforderliche Kenntnis der Technik zu erwerben. Indem die Gesellschaft endlich durch Veranstaltung von Ausstellungen in allen grösseren Städten die Resultate dieser neuen Bestrebungen vor Augen führt, wirkt sie bildend auf das grössere Publikum, das sich nicht durch Worte, sondern nur durch Werke belehren lässt, und fördert damit den Absatz ihrer Erzeugnisse. Nach allen diesen Richtungen hin sind vielversprechende Beziehungen angeknüpft, und es haben massgebende Persönlichkeiten aller Orten der Gesellschaft ihre Unterstützung, die meisten Künstler ihre Mitarbeiterschaft zugesichert. Die Gesellschaft wird aber auch eine Zentralstelle für Auskünfte und Vorschläge über moderne Ausstattungen jeder Art errichten, durch welche einem grösseren Kreise Gelegenheit geboten wird, gegen geringes Entgelt Entwürfe für Einrichtungen u. dgl. zu erhalten. Es ist kein Zweifel, dass bei so geschickten, künstlerischen Händen, wie sie in dem Ausschusse vertreten sind, diese Thätigkeit die segensreichste Wirkung üben kann. Wir möchten daher unsere Leser auffordern, direkt oder indirekt an den Bestrebungen dieser Gesellschaft teilzunehmen und sind gerne bereit, zu vermitteln. ●

Auch im Kunstverein hat die ›Angewandte Kunst‹ in diesen Tagen ihren Einzug gehalten. H. E. v. BERLEPSCH hatte eine Anzahl Entwürfe für Bucheinbände ausgestellt, die allgemein Beifall fanden, was um so mehr sagen will, da sie denselben auch vollauf verdienen, nicht immer deckt sich das in jenen schönen Hallen. Wir beschränken uns hier, auf diese Arbeiten hinzuweisen, da wir in kurzem an der Hand einer Anzahl Abbildungen diese in Bezug auf Flächenausnutzung, Formgebung und Farbwirkung höchst erfreulichen Entwürfe ausführlicher besprechen werden.   -ß-

Arbeitstischchen

Beschlag für Arbeitstischchen (S. 162)

BERLIN — *Welches sind die Aufgaben der modernen Baukunst? Die Antworten würden die allgemeine Unsicherheit des Urteils von Werken der Architektur, die ganze Verworrenheit der empirisch gewonnenen Stilbegriffe offenbaren. Es fehlen ausserdem der Baukunst alle Vergleichsmöglichkeiten mit Naturformen, wie bei den andern bildenden Künsten, womit Forderungen präcisiert werden könnten. Die Architektur rechnet allein mit Kräften, mit Massen und mit dem in Zahlengrössen sich krystallisierenden Geheimnis der »Verhältnisse«. Man verlangt von modernen Häusern eine gewisse Sichtbarkeit des kausalen Kräfteausgleiches, ohne sich doch zu der herben Ästhetik dieses Programms entschliessen zu können. Eine Eisenbahnbrücke oder eine Dynamomaschine schön zu finden, sträubt sich das an ausgebildete, reichgeschmückte Baustile gewöhnte Auge. Die historischen Stile, meist nur als ornamentale Umkleidungen der antiken Konstruktionsgedanken begriffen, sind dem modernen Architekten überall im Wege. Und doch liegt beispielsweise in dem eisernen Gebälke einer Bogenbrücke dieselbe logische Stilkraft, wie in den antiken Urformen, aus denen sich die Säulenordnungen entwickelten. Diese Stilkraft kann nur dann in Schönheit umgesetzt werden, wenn ein reines Material überall erkennbar und seinen Funktionen gemäss sichtbar getrennt ist. Wenn ein persönlich empfindender Architekt die alte Erfahrung, dass der Keim der architektonischen* Schönheit in der Statik liegt, auf Bedürfnisse unserer Zeit anwendet und ruhig wartet, bis der dieser Kunst eigentümliche Schmuck sich organisch heranbildet, so ist er auf dem Wege zu einem Baustil der Zukunft. Man hat die Pflicht, lebhaft auf solche Versuche hinzuweisen und das ihnen noch anhaftende konventionelle Schmucktum abzubahnen. - - Ein Werk so gemischt aus Neuem und Altem, mit grossem Zuge eine sicher empfundene Zweckschönheit zum Ausdruck bringend, ist das von Professor MESSEL, auf der Leipziger Strasse erbaute Warenhaus von WERTHEIM. Ich habe hier neulich über das Äussere dieses Hauses einige Worte gesagt; jetzt ist auch das Innere vollendet und man hat einen Gesamtblick über das Gewollte und Erreichte. Ebenso klar wie der Gedanke der Fassade, ist der Plan des Inneren. Im Zentrum befindet sich ein sehr grosser recht-

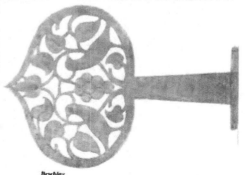

Beschlag

Holzeinlage für eine Papierkassette

eckiger Licht-
hof, um den
sich, wie of-
fene, mit Mes-
singgeländern
nach der Tiefe
abgeschlossene
Galerien, die
drei sichtba-
ren Stockwer-
ke ringsherum-
ziehen. Oben ist
der Raum ge-
deckt mit einer
Glaswölbung,
anderen Eisen-
gurten drei
Doppelreihen]
von Glühlam-
pen, die Haupt-
lichtquelle für
die Abendbe-
leuchtung, angebracht sind. Die Stockwerke
haben in den grossen Pfeilern des Lichthofes einerseits, in den Umfassungsmauern
anderseits ihre Stützpunkte; untereinander
werden sie gehalten von freistehenden Säulen.
Durch diese Anordnung ist es möglich geworden,
auf jede Mauer im Innern des Hauses zu verzichten und dadurch eine Freiheit des Über-
blickes zu gewinnen, die es erlaubt, von jedem
Punkte aus das bunte Bild der leicht und entsprechend verteilten Verkaufsstände zu übersehen. Es giebt in dem weiten Raume keine
dunkle Stelle, weil eine Fülle von Licht un-
gehindert von aussen und innen zugleich eindringt. Die sofort offenbare einfache Kühnheit
der Anlage giebt dem Ganzen, trotz der mächtigen Dimensionen, einen eleganten Schwung,
eine sichere Leichtigkeit und eine klare Grösse,
die von den tausend Einzelheiten der ausgelegten Waren nicht beeinträchtigt wird. Es
geht sich angenehm auf diesen hängenden
Etagenböden, unmerklich fast steigt man über
die wohlgeratenen Treppen zu den Höhen
hinauf. Vom äussersten Punkte sieht man,
quer durch den Raum, draussen das Toben
der Strasse vorbeiziehen, während unten die
Maschinen, die »Lungen des Hauses«, wie der
Erbauer sagt, sichtbar arbeiten. Das Gebäude
scheint die Strasse durch die seitlin gereihten
Verkaufsläden hindurchzulassen. — In dem
Grundrissgedanken und in seiner konsequenten
Durchführung liegt manches Neue und Vor-
bildliche. Viel Licht, Übersichtlichkeit, schneller
Verkehr (es sind ausser den Treppen noch
sechs sichtbare Fahrstühle vorhanden) sind
gewonnen. Dafür ist der Raum geopfert,

den der Lichthof den oberen Etagen nimmt.
Aber der Wert des vorhandenen Platzes ist
verdoppelt durch seine Nutzungsmöglichkeit.
Dieser konstruktiven Architektur sollte sich
nun die starke Prachtwirkung gesellen, die
in solchen Bazaren für unerlässlich gehalten
wird. Dadurch hat im einzelnen manche
traditionelle Schmuckform aushelfen müssen.
Aber selbst da, wo, wie im Vorraume, Barock-
und Renaissancemotive angewandt sind, ist
es mit vielem künstlerischen Takt geschehen.
Das Material ist sichtbar geschieden. Holz,
Metall und Stuck stossen überall ohne täuschende
Verkleidung aneinander. Im Lichthofe stört
der imitierte Marmor der grossen Pfeiler. Die
Stuckfüllungen wären einwandfrei, wenn sie
aus gleichem Material herausgearbeitet wären.
Aber Gips und falscher Marmor: das ist eine
böse Verbindung. Die Bekleidung der eisernen
Säulen mit Holz oder Putz ist nötig wegen
der Gefahren, die das leicht springende Eisen
bei ausbrechendem Feuer verursachen kann.
Auch dagegen, dass die Tragkraft des ver-
deckten Eisens durch Kapitäle und konsol-
artige Ornamente illustriert wird, ist nichts
einzuwenden; umsoweniger, als diese Aufgaben besonders feinsinnig gelöst sind. Wo
der Architekt für das Kunstgewerbe verantwortlich zeichnet, fügt es sich der Bauweise
gleichwertig ein. Die Messinggitter des Vesti-
bules und der Treppen sind kleine Wunder-
werke der Erfindung und Ausführung. Es
mag dem Erbauer, der sich tagelang in den
Ateliers und Werkstätten der Kunsthandwerker
gemüht hat, nicht leicht geworden sein, unseren
deutschen Handwerkern diese Leichtigkeit der

Holzeinlage für eine Papierkassette

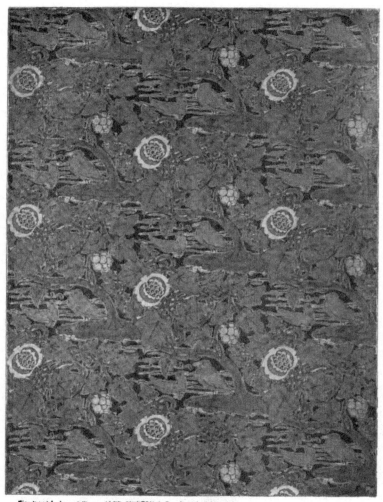

Wandteppich, hergestellt von ALEX. MORTON & Co., Darvel (Schottland)

Metallbehandlung beizubringen. Auch die Beleuchtungskörper zeigen eine vornehme Originalität, vor allem die des Teppichraumes. Hier sind mit Schnüren umwickelte Leitungsdrähte zu lampenartiger Wirkung sehr glücklich arrangiert. Die dekorative Decenz der weichen Holzschnitzbehandlung und der konturartig ciselierten Wandbekleidungen im Vorraume ist ebenfalls dem Architekten zu danken, der die Neigung jedes Kunsthandwerkers, gerade seine Thätigkeit auffallend zur Geltung zu bringen, für höhere Zwecke discipliniert hat. Wo die Kunsthandwerker freieren Spielraum hatten, spürt man den charakteristischen Mangel an architektonischem Empfinden; vor allem bei der Malerei. Die Glasmalereien von LECHTER bringen in den Raum, dem sie Licht geben, ein ganz neues Dekorationsmotiv; das ist nicht die Aufgabe der Glas-

Gewebe aus Seide u Wolle v. ALEX. MORTON & CO., Darvel (Schottland)

malerei. Die Treppenhausfenster von TIPPEL, gut durch die Zusammenstellung von durchsichtigem und undurchsichtigem, farblosem Glase, mit schwarzer Zeichnung, denke ich mir für eine Badestube passend, aber nicht für einen Durchgangsraum. Von TIPPEL rühren auch die Skizzen für die Reliefdarstellungen auf den grossen Pfeilern des Lichthofes her. Ausgeführt sind die pflanzlich umrahmten Märchengeschichten von den Bildhauern VOGEL, MANZEL und GEIGER. Wenn man sich mit ein ruhiges Plätzchen erobern kann zur Betrachtung, so entdeckt man viele reizvolle Dinge; aber nur mühsam. Die einzigsten Dekorationsmalereien sind zwei Wandbilder von M. KOCH und FR. GEHRKE, ein »alter Hafen« und ein »neuer Hafen«. Das Motiv des modernen Lebens gab bessere Gelegenheit für malerische Wirkungen. Dann sind noch zwei Beleuchtungsfiguren von KLIMSCH und eine Kolossalstatue von MANZEL da. Diese den Lichthof beherrschende Figur stellt, glaube ich, die Arbeit dar; die Königin Mode, die LECHTER auf seine Glasfenster gemalt hat, wäre hier besser am Platze gewesen. Die Mode kann sich hier mit gutem Rechte Bildsäulen errichten lassen in diesem »Paradies der Damen«. Aber die Arbeit? Es ist ein witziger Zufall, dass in dem Hause, wo ein Kunst und Handwerk zerstörendes wirtschaftliches Prinzip seinen höchsten Ausdruck findet, zum erstenmale von Architekten die brachliegenden Kräfte des Kunsthandwerkes zu gründlicherer Thätigkeit gesammelt sind. Oder ist es mehr als ein Zufall, ist es eine Art Selbstentzündung? ● Die von dem Architekten ASHBEE geleitete »Guild and School of Handicraft« hat bei KELLER & REINER Möbel und Metallarbeiten ausgestellt. Es ist anzunehmen, dass die Leistungen nicht ein ideales Bild von der Thätigkeit der Handwerkerschule geben, sondern dass sie den Ruf, der ihnen vorausgeht, geschäftlich ausnutzen sollen. Denn eine hohe Meinung von praktischer Kunstanwendung im englischen Handwerke können diese zierlichen Schularbeiten nicht geben. Handliche Gebrauchsgegenstände, wie jeder Hausstand sie nötig hat, fehlen ganz; kein Stück erregt den Wunsch,

266

Holzeinlage für eine Papierkassette

es zu besitzen. Die geschmiedeten, gehämmerten, getriebenen und ciselierten Teller, Schalen, Becher, Leuchter u. s. w. sind mehr künstlich als künstlerisch geformt und sehr reichlich geschmückt. Schularbeiten haben ja stets durch das Bestreben, alle Mannigfaltigkeiten der Technik in wenigen Objekten zu erstreben, eine unpraktische Schmuckfülle. In dieser Schule soll doch aber, wenn ich recht weiss, ein praktisches Prinzip allein herrschen. Es ist mir sehr zweifelhaft, ob die Verfertiger dieser Metallgegenstände gute, einfache Hausgeräte herstellen können. Für die Schmucksachen, meist in Silber geschmiedet mit Verwendung einfacher Steine, sind Pflanzendetails und wohl übersetzte Renaissanceformen glücklich verwandt. Es fehlt ihnen jedoch das Wichtigste: der reiche Kleinodienschimmer, ohne den selbst ein billiger Schmuck (die Preise bewegen sich zwischen 50 und 150 Mark) seinen Hauptreiz verliert. Die wenigen Möbelstücke sind solider als englische Fabrikate zu sein pflegen, dafür aber sehr teuer. Modelleigenschaften sucht man in allen diesen Gegenständen vergebens; es ist eine Ausstellung von Geburtstagsgeschenken. ●

Von CHÉRET, VERNIER und CHARPENTIER sind geprägte goldene Schmuckmedaillen zu sehen; von CHARPENTIER ausserdem sehr zart gepresstes Leder und Papier und eine Anzahl seiner schönen Plaquetten. Die Sachen machen lebhafte Freude, haben aber mit dem Kunstgewerbe nichts besonderes zu thun. Auch GALLÉ ist ein feiner Künstler; ob aber die Technik seiner geschnittenen Gläser praktischen Kern genug hat, um anregend auf weitere Gebiete der Glasindustrie zu wirken, ist sehr zweifelhaft. Die Tischchen mit Blumendekorationen von eingelegten Naturhölzern desselben Künstlers sind das zierlichste, was man sehen kann. Schade, dass so viel Können und Arbeit an künstlerische Spielereien verschwendet wird. Die Franzosen, scheint es, suchen im modernen Kunstgewerbe nur einen Tummelplatz für die Sportübungen ihrer raffinierten Technik. K. SCH.

KREFELD — Die erste Ausstellung des Kaiser Wilhelm-Museums, die neben Gemälden und plastischen Werken auch die neuzeitige Keramik umfasste, hat ein recht günstiges Endergebnis gehabt. Es wurden Kunstwerke verkauft zum Gesamt-

Holzeinlage für eine Papierkassette

4*

Entwurf für Tapete oder Stoff

werte von 54500 M., wovon 24500 M. auf
die Erwerbungen des Museums entfielen. Aus
der keramischen Abteilung kaufte das Museum
Kopenhagener und Berliner Porzellane, ferner
Fayencen und glasierte Steinzeugarbeiten von
J. F. WILLUMSEN, DE MORGAN, BIGOT,
DALPAYRAT, DAMMOUSE und SCHMUZ-
BAUDISS. Dazu kamen Gläser von EMILE
GALLÉ und Mosaikverglasungen von KARL
ENGELBRECHT. ● Die bisher erzielten Erfolge
der Teppichknüpferei »J. KNEUSELS & CO.«,
hier, haben die Inhaber der Firma und die
Freunde der Sache ermutigt, den Betrieb auf
breitere Basis zu stellen. Das Unter-
nehmen ist umgewandelt in eine
Aktiengesellschaft mit namhaftem
Kapital unter der Firma »Krefelder
Teppich- und Möbelstoff-Fabrik
A.-G.« Auch in Zukunft soll das
Hauptziel der Fabrik sein, Teppiche
in Knüpftechnik herzustellen, deren
Muster von berufenen Künstlern entworfen sind. Bekanntlich verdankt
die Fabrik ihr Gedeihen wesentlich
den ausgezeichneten Arbeiten, die sie
nach Entwürfen OTTO ECKMANN's
ausgeführt hat.

P ARIS   In der Galerie des
          Artistes Modernes« der rue
          Caumartin tagt gegenwärtig
die zweite Ausstellung der Künstler
FELIX AUBERT, A. CHARPENTIER,
JEAN DAMPT, E. MOREAU-NÉLATON,

CH. PLUMET und TONY SELMERSHEIM. Es ist
die Elite der gewerblich thätigen Künstlerschaft von Paris. In der Vorrede des hübschen
von AUBERT gezeichneten Kataloges erläutern
sie ihren Standpunkt: »ils nient toute distinc-
tion entre ce que ceux-ci appellent l'art et ce
que ceux-là appellent la décoration. Ils ne
sont pas des artistes décorateurs; ils restent
des artistes plastiques«. Dieser Standpunkt
scheint uns mehr als zweifelhaft; glücklicherweise ist ihre Praxis präciser. Man kann
bei allen einen Fortschritt gegen die Ausstellung
im letzten Jahre am selben Platz nicht verkennen. In allen Arbeiten bemerkt man eine
sehr glückliche Verschärfung des Gebrauchswertes, ein intimeres Eingehen auf die konstruktive Seite und die Materialfrage. PLUMET
hat die Bizarrerien, die ihm teils aus belgischen Einflüssen, teils aus Erinnerungen
an Louis XV. angeflogen waren, immer mehr
abgestreift. Die Ausstellung enthielt neben
seinen neuesten Möbeln auch seine früheren
Modelle; der Unterschied springt in die Augen;
wo früher sich z. B. an seinem Bett eine
umständliche und prätentiöse Schnitzerei breit
machte, da findet man jetzt einfache Linien,
Formen, deren Schönheit nur in der Eleganz
des Natürlichen und Zweckentsprechenden bestehen. Er hat das Mobiliar eines Arbeits-
zimmers ausgestellt in glattem Eschenholz,
einen Herrenschreibtisch, eine Bibliothek und
ein ganz hervorragendes Stuhlmodell, das
beste Stück der ganzen Ausstellung. Ausserdem eine hübsche Etagere und verschiedene
andere kleine Sachen. — CHARPENTIER hat
mit AUBERT zusammen die Wanddekoration
eines Bades ausgestellt, in Fayence mit einem

Entwurf für Tapete oder Stoff

268

Bedruckter Sammet, hergestellt von G. P. & J. BAKER, London

Relieffries reizender kleiner nackter Figuren, die er modelliert hat; AUBERT hat den unteren rein malerischen Teil — Wasser mit stilisierten Blumen — dazu gemacht. Von CHARPENTIER ausserdem reizende Ledersachen, Portefeuilles, Zigarettentaschen etc. und verschiedene kostbare Silbergriffe, von AUBERT eine Anzahl Stoffe, Tapeten und Teppiche, unter denen manches zum mindesten interessante Stück ist. Auch TONY SELMERSHEIM ist viel, viel

besser geworden; er hat sich auf Metallsachen geworfen und namentlich an verschiedene Lichtträger gemacht, die sich durch elegante Linienführung auszeichnen. JEAN DAMPT hat ein paar Silber- und Goldsachen ausgestellt. ● Der bekannte Mäcen Baron VITTA hat sich in seiner Villa in Evian am Genfersee einen Billardsaal von drei berühmten Pariser Künstlern bauen lassen; CHÉRET, der bekannte Plakatkünstler, hat die Wand-

malereien gemacht, A. CHARPENTIER die
Hauptsache, das Billard und das übrige Mobiliar, der alte BRAQUEMOND, der eigentlich
nur als Radierer bekannt und im Verborgenen
vielleicht der Künstler ist, der zuerst in Frankreich sich wieder gewerblichen Aufgaben wid-
mete, hat die Täfelung und die elektrischen
Beleuchtungskörper gefertigt. Wir werden auf
dies Werk, an dem mehrere Jahre gearbeitet
worden ist und das in der französischen
Nutzkunst bisher allein steht, eingehend mit
Illustrationen zurückkommen. ● »L'Image«,
die von der Corporation française des Gra-
veurs sur bois herausgegebene, bei FLOURY
in Paris erscheinende Zeitschrift hat nunmehr
ihren ersten und letzten Jahrgang hinter sich,
und das interessante Experiment, eine illustrierte Zeitschrift nur mit Holzschnitten auszustatten, lässt sich an den vorliegenden Heften
beurteilen. Die Idee war an sich ausgezeichnet,
dem heruntergekommenen Geschmack einmal
zu zeigen, worin eine des vornehmen Buches
würdige Reproduktion besteht, den Unterschied
ins Gedächtnis zurückzurufen, der zwischen
mechanischen und künstlerischen Verfahren
bleibt. Aber wie gewöhnlich schoss man über
das Ziel. Man hat in »L'Image« einen ähnlichen Eindruck wie in den grossen Ausstellungen mancher Fabriken, die bei dieser
Gelegenheit zeigen wollen, was man alles aus
Schokolade oder Seife oder aus Eisen machen
kann. Jene machen alles mit dem Holzschnitt,
auch Dinge, die sich der Technik direkt
widersetzen. Es ist verkehrt, eine Lithographie
durch den Holzschnitt wiederzugeben oder das

Tapete, hergestellt von ESSEX & CO., London

gleiche mit Radierungen zu versuchen. Schon
bei der Wiedergabe von Zeichnungen oder Gemälden ist die Sache zweifelhaft; wir haben
heute kostbare mechanische Verfahren, die von
Tusch-, Kreide-, Strichzeichnungen absolut
Facsimile geben. Das kann der Holzschnitt
nie, er bringt ein neues Element in die Sache,
das an sich künstlerisch ist, aber sich deshalb
durchaus nicht dem Charakter des Originals
förderlich zu erweisen braucht. Das drängt
sich bei den Arbeiten nach den Vorbildern
von GUYS, CHÉRET, CARRIÈRE u. a. auf, die
durchaus nicht durch die Umformung
gewinnen, FANTIN LATOUR wäre
besser durch Lithographie, RIBOT
besser durch Radierung. PUVIS DE
CHAVANNES besser durch — Photo-
graphie wiederzugeben u. s. w. Freilich, die Leute wollen zeigen, was
der Holzschnitt kann, und das haben
sie in geradezu einziger Art erreicht; für die Geschichte des Holzschnittes sind diese zwölf Hefte ein
kostbares unentbehrliches Material.
Zu bedauern ist nur, dass das wahre
Feld des Holzschnittes, wie es etwa
durch VALLOTTON, durch LUCIEN
PISSARRO repräsentiert wird, der
Strich, unter der Masse der repro-
duktiven Künsteleien zu sehr zurücktritt. Und noch mehr, dass die
Stelle, die MORRIS dem Holzschnitt
wieder zuerteilte, als rein ornamentales Element zu dienen, fast ganz
ausgeblieben ist. Die massenhaften

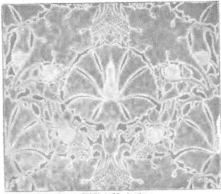

Tapete, hergestellt von ESSEX & CO., London

270

Cretonne, bergest. von NEWMAN SMITH & NEWMAN, London

Cretonne, bergest. von STEAD McALPIN & Co., Carlisle

Créitoanr. hergestellt von G. P. & J. BAKER, London

»Illustrationen« des Textes stehen wenig über dem Genre unserer älteren Familienjournale, von denen sich noch heute manche den Holzschnitt leisten. Man findet in dem ganzen ersten Jahrgang keine einzige, rein ornamentale Leiste, für die der Holzschnitt geboren ist, dafür eine Unmenge geschmackloser, halb realistischer, halb stilisierter Interpretationen, deren Wert nicht durch die künstlerische Ausführung erhöht wird. — Trotzdem kann man den Herausgebern dankbar sein, denn unter den Reproduktionen findet man manches ausgezeichnete Blatt, unter den Aufsätzen manche vollkommene Belehrung. Die Wiedergabe der DEGAS'schen Bilder des Luxembourg, die das letzte Heft gebracht hat, ist schon des Gegenstandes wegen eine dankenswerte That. Dasselbe gilt von den RODIN'schen Skizzen und vielem anderen. Und eins kann man dem Unternehmen, das man mit grösstem Bedauern scheiden sieht, nicht nehmen, die künstlerische Aufrichtigkeit, der zu Liebe man auch die Fehler verzeiht. ● Bei BOUSSOD, VALADON & CIE., oder vielmehr, wie jetzt die Firma lautet. BOUSSOD, VALADON, MANZI, JOYANT & CIE. (nachdem der durch seine Japanschätze

und Gemäldesammlungen bekannte MANZI und sein als Kenner geschätzter Kollege JOYANT das Haus gekauft haben), ist vor kurzem eine Mappe mit einer grossen Anzahl von Reproduktionen nach Zeichnungen und Skizzen des Bildhauers RODIN erschienen, die den Kenner des vornehmen Künstlers interessieren wird, freilich nur für zugleich wohlhabende Leute zugänglich ist (Preis 500 Frs.). Noch kostspieliger, aber auch unvergleichlich kostbarer und interessanter ist eine soeben in demselben Verlag erschienene Mappe mit 20 unvergleichlichen Reproduktionen der interessantesten Studien von DEGAS. Das Werk, das der Personalveränderung in der Leitung der Firma, den beiden Herren MANZI und JOYANT, die die Reproduktionen persönlich überwacht haben, sein Dasein verdankt, dürfte der glänzendste Triumph sein, den bisher die Reproduktionstechnik davongetragen hat. Die Platten sind von den Originalen buchstäblich nicht zu unterscheiden. Dazu sind diese so geschmackvoll gewählt — man hat sich nur an Studien gehalten und aus allen Perioden des Künstlers das Beste genommen — dass das Werk auch künstlerisch einen seltenen Höhepunkt darstellt. Freilich kostet es 1000 Frs. –γ–

NANCY — Die Ausstellung der »Amis des Arts« hat, wie alljährlich, vor einigen Wochen eine Anzahl Gemälde und Werke der dekorativen Kunst vereint, die Interesse verdienen. Nancy ist eine der sehr wenigen Städte Frankreichs, die sich rühmen dürfen, eine von dem grossen Paris unabhängige Künstlerschaft zu besitzen. Wenn man in die Geschichte zurückgeht, findet man leicht den Ursprung dieser lothringischen Originalität. Seit 1448 und schon früher gab es in Nancy berühmte Glasfabriken, die sich in der Folge immer kräftiger entwickelten und so berühmt wurden, dass im Jahre 1560 PHILIPP II. von Spanien aus Nancy Gläser kommen liess und dass im Jahre 1568 Nancyer Glaskünstler nach England berufen wurden. Bekannt ist die glänzende Entwickelung Nancys im 18. Jahrhundert unter der Regierung des kunstsinnigen Dilettanten STANISLAUS LECZINSKI. Kurz, die neue Be-

272

Tapete, hergestellt von ESSEX & CO., London

Tapete, hergestellt von ESSEX & CO., London

wegung, die uns heute in Nancy fesselt, entspringt einem an Traditionen reichen, künstlerischen Boden. Bevor wir die Werke der Exposition der Amis des Arts näher betrachten, müssen wir einer Lücke unter den Ausstellern gedenken. Es fehlt EMILE GALLÉ, der Meister der neuen Schule, der Ausgangspunkt aller neuen Bestrebungen Nancys. Die meisten Künstler der lothringischen Stadt, die sich auf unserem Gebiete auszeichnen, sind durch ihn mehr oder weniger beeinflusst; die einen wie PROUVÉ, MARTIN, HESTAUX, GRUBER haben persönlich GALLÉ's Belehrung empfangen, andere wie MAJORELLE oder DAUM sind auf seine Ideen und die Art seines Schaffens direkt eingegangen, immer mit dem Bestreben, dabei ihre persönliche Art zu bewahren. Was an Nancy besonders interessant und es von anderen Kunstzentren unterscheidet, ist, dass seine Künstler sich in allen Gebieten bethätigen. Während in Limoges z. B. nur die Keramik im Schwunge und in Ehren ist, erscheint Nancy wie ein kleines Athen mit seinen Malern, Bildhauern, Glaskünstlern, seiner Keramik und Lederarbeit, seinem Mobiliar u. s. w. Man darf dieser Mannigfaltigkeit gegenüber nicht

Tapete, hergestellt von ESSEX & CO., London

mit einer Beschränkung zurückhalten. So erfreulich diese bestgewollten Bestrebungen sind, es fehlt ihnen noch viel, um ihnen den gewerblichen Wert zu geben, nach dem sie streben. Der künstlerischen Tradition Nancys fehlt als notwendiger Regulator noch die stramme gewerbliche Disziplin, wie man sie etwa in Brüssel findet. Die Werke, die man macht, sind zum grössten Teil noch — nicht immer einwandfreier — Luxus. Es steht zu hoffen, dass Nancy sich dieses wichtigsten Faktors bewusst wird und lernt, seine Kunst dem Leben unterzuordnen. — Der Bedeutendste in der Ausstellung des Saals Poirel, der lebendigste und kräftigste ist VICTOR PROUVÉ, bekannt aus seinen Ausstellungen im Champs de Mars, aus seinen Fresken, die öffentliche Bauten in Paris schmücken, der sich aber stets zur lothringischen Fahne bekennt. PROUVÉ hat in seiner Thätigkeit etwas von der Art der mittelalterlichen Künstler und der Florentiner. Wie sie, äussert er sich in allen Zweigen der Kunst. Mit bewunderungswerter Energie ist er gleichzeitig Maler, Bildhauer,

Entwurf für eine Tapete

274

Lederarbeiter und Ciseleur. Werke, wie sein Denkmal für Carnot in Nancy oder seiner dekorativen Panneaux im Nancyer Rathaus sind Zeugnisse dieser verschiedenartigen Begabung. Dieses Jahr hat er ausser Porträts namentlich Bucheinbände und Schmucksachen ausgestellt. Seinen früheren Einbänden konnte man vielleicht ein Übermass von Kraft vorwerfen. Die vorliegenden sind ruhiger, man möchte sagen klassischer geworden. Kein technisch gesprochen ist das Relief geringer als in den früheren, was auf eine sichere Hand und auf ein nuancenreicheres Empfinden schliessen lassen dürfte. Die Einbände dienen Albums und hier wäre in der That die leidenschaftliche Linie, die den Einbänden von SALAMBÔ, von den CORBEAUX und den AVEUGLES eigen ist, nicht am Platz. PROUVÉ hat mit Recht hier einen sanfteren, mehr idyllischen Vorwurf gewählt, der an Frauengestalten WALTER CRANE's erinnert. Wie viele unserer jüngeren Künstler befleissigt sich auch PROUVÉ der Goldschmiedekunst; er hat diesmal ein Diadem und mehrere Broschen

Tapete, hergestellt von JEFFREY & CO., London

Tapete, hergestellt von ESSEX & CO., London

und Gürtelschlösser ausgestellt. Das Diadem, Le Jour betitelt, ist trotz der angewandten Kunst verfehlt: es ist viel zu schwer und mächtig, um getragen zu werden; dagegen sind die Broschen »Crépuscule« und »Aurore« brauchbar und in ihrer Art gelungene Stücke, obwohl auch sie deutlich die skulpturale Abstammung verraten. ● Neben PROUVÉ tritt ANTONIN DAUM höchst vorteilhaft hervor. DAUM scheint jedes Jahr neue Fortschritte zu machen, sowohl in der Farbengebung seiner Vasen wie in ihren Formen. Das zeigt sich besonders in dem Stück »Algues et Poissons«, in dem man ihn übrigens noch stark unter dem Einfluss Japans findet, dem überhaupt viele Nancyer Künstler, MAJORELLE z. B., der diesmal fehlt, unterliegen. ● CAMILLE MARTIN, der sich bisher durch ausgezeichnete Lederarbeiten hervorgethan hat, findet man diesmal mit Erstaunen als Keramiker, und zwar mit einigen höchst einfach geformten und dekorierten aber darum nicht weniger interessanten Vasen. ● L. HESTAUX, der Lieblingsschüler GALLÉ's, hat einen breit behandelten Spiegel ausgestellt, dessen Motiv durch zwei Bäume in einfachen Linien dargestellt ist. Derselbe Naturalismus *entscheidet auch gegen JACQUES GRUBER, der das Motiv seines Spiegels der Form einer Orchidee entlehnt hat. Wie man an diesen Werken sieht, haben die Nancyer Künstler »Ideen«, die ihnen Ehre machen, nur gilt es, diese Ideen ein wenig zu disziplinieren. Kein Zweifel, dass viele der Nancyer Künstler uns noch Werke geben werden, die nach unserem Standpunkt wertvoller, interessanter, dauernder sind.* H. F.

ROTTERDAM — *JAN TOOROP veranstaltete hier im Januar eine interessante und reichhaltige Ausstellung seiner Gemälde und Zeichnungen.*

Tapete, hergestellt von ESSEX & CO., London

KOPENHAGEN — *Der durch seine dekorativen Holzschnittgemälde und seine keramischen Versuche bekannte, sehr begabte Maler WILLUMSEN hat die künstlerische Leitung der Porzellanfabrik BING & GROENDAHL hier übernommen. Die Fabrik, die sich bisher in ihren Erzeugnissen im wesentlichen an die Porzellanmanufaktur anlehnte, dürfte dadurch einer interessanten Entwicklung entgegengehen.* ● *Der Maler O. MATTHIESEN scheint eine unverwüstliche Freskentechnik gefunden zu haben. Der Ätzkalk oder das Kalkhydrat wird durch Zufuhr von Kohlensäure neutralisiert und in kohlensauren Kalk umgestaltet. Der kohlensaure Kalk hat keine ätzenden Eigenschaften. Der gewöhnliche Kalkmörtel härtet sich ausserordentlich langsam an der Luft ab, weil diese nur $0.04^{0}/_{0}$ Kohlensäure enthält. Selbst wenn der Mörtel trocken und anscheinend hart ist, kommt doch das Kalkhydrat in demselben als nicht an die Sandkörner gebunden vor, weil das Kalkhydrat in Wasser auflöslich ist, es kann also von der Feuchtigkeit oder von dem Regen ganz von den Sandkörnern gelöst werden. Ist jedoch das Kalkhydrat in kohlensauren Kalk umgewandelt, so wird das Verhältnis ein ganz anderes, denn der kohlensaure Kalk bindet die Sandkörner zusammen und ist nicht auflöslich in Wasser. Wir haben es also hier nicht nur mit einer Neutralisierung des Ätzkalkes zu thun, sondern auch zugleich mit einem äusserst bedeutungsvollen Bindeprozess. Das nämliche Mittel aber, welches die Sandkörner im Mörtel zusammenbindet, wird zugleich das Bindemittel in der Farbe. Die Farben, von denen man selbstverständlich nur die in Wasser nicht auflöslichen, also nicht aniline oder dergleichen, sondern Erd- und andere Mineralfarben anwendet, werden in Kalkwasser geschlemmt, welches ja auch ein Kalkhydrat ist und auf den nassen Putz gemalt. Wenn das Bild fertig ist, wird ein Strom von Kohlensäure über dasselbe hingeleitet und die Verwandlung des Kalkhydrates in kohlensauren Kalk beginnt unverzüglich. Jedes einzelne kleine Farbenpigment, jedes Farbenkörnchen wird dann mit allen seinen Nachbarn nach allen Seiten hin mit dem kohlensauren Kalk verbunden, nun könnte man sagen, in ein kleines kohlensaures Kalkkrystall eingekapselt. Dieser Binde- und Neutralisierungs-Prozess setzt sich durch die ganze Masse hinein fort; wenn diese erst durchgehärtet ist, sind alle ihre Teile gleichartig mit einander verbunden und es findet sich dann in dem Mörtel nichts das geringste, das die Farben zerstören kann oder sich in Wasser auflösen lässt.*

276

NEUE BÜCHER — Bei AR-
MAND COLIN & CIE. ist vor
kurzem das Werk L'EVAN-
GILE DE L'ENFANCE DE N. S. J. C.
erschienen, dessen Text CATULLE
MENDÈS im Dominikanerkloster
zu St. Wolfgang im Salzkammer-
gut entdeckt und mit ausgezeich-
netem Geschmack ins moderne
Französisch übertragen hat. Uns
interessiert hier die Ausstattung des
Buches. CARLOZ SCHWABE hat
jede Seite des Buches mit Tusch-
zeichnungen geschmückt, die auf
mechanischem Wege farbig wiedergegeben sind. Der Schmuck besteht
teils in Rahmen um den ganzen
Schriftspiegel herum, teils — soll
er in Vollbildern bestehen, die die
einzelnen Kapitel »illustrieren«. Es
ist nicht leicht, den Ton der köstlichen Einfall zu treffen, die den
Reiz des Textes macht, schwerer
noch aber ist, es schlechter als

Tapete, hergestellt von ESSEX & CO., London

Schwabe zu machen, der den Text nur dazu
benutzt hat, um wieder einmal seinen seichten
Symbolismus unterzubringen, und dadurch
den Sinn des Werkes direkt entstellt. Naturalistisch gemachte Puppen, die sich in patho-
logischen Verzückungen die Glieder verrenken,

Tapete, hergestellt von ESSEX & CO. London

sind nicht religiös, und sentimentale Albern-
heiten geben nicht die Einfalt, sondern sind
einfältig. Vom »Buchmässigen« aber ist auch
nicht eine Idee vorhanden. Man hätte nicht
nur den Text nehmen, sondern sich auch ansehen sollen, wie er im Original geschrieben
und verziert ist. Man hat etwas
»Modernes« geben wollen und darunter versteht man noch immer
in Paris im Buchgewerbe das
Gegenteil von dem, was die Alten
für gut befunden haben. Sehr mit
Unrecht. Die gewerblichen Gesetze lassen sich nicht umstossen,
sondern nur modifizieren und der
gewerbliche Fortschritt kann sich
nicht aus einem unbedingten Bruch
mit der Vergangenheit ergeben, die
im Buchgewerbe uns glänzende
Muster hinterlassen hat, sondern
besteht in den neuen, mit unserer
Zeit übereinstimmenden Formen,
die das, was an den Alten alt ist,
durch neue Elemente ersetzt, aber
nicht das einfach umstösst, was
wir nicht besser machen können.
C. Schwabe verfährt so, als ob
die Alten überhaupt nicht gelebt
hätten; das macht ihn im vorliegenden Fall nicht nur geschmacklos, sondern, man möchte fast
sagen, pietätlos; pietätlos in dem
religiösen Sinne, dem das Buch
eigentlich dienen wollte oder sollte.

277

288

verfolgt; vom altgriechischen Tanz an, wie man ihn auf antiken Vasen findet, bis zum modernen Kotillon, wie ihn unsere eleganten heutigen Gesellschaftszeichner schildern. Kaum einer der französischen Maler des vorigen und unsers Jahrhunderts, die sich mit dem Thema beschäftigt haben, ist weggelassen; nur der grösste fehlt, der eine neue künstlerische Welt mit seinen Balletiscenen geschaffen hat, Degas. Aus dem übrigens musterhaft und durchaus im Charakter der Sache ausgestatteten Text und den vielen guten Reproduktionen lässt sich mancherlei lernen. Es ist ein zeitgemässer Gedanke, der dies Werk geschaffen hat; es trägt der Tendenz Rechnung, die dem Tanz in unserer Zeit seine Stelle in der Reihe der dekorativen Künste zurückzugeben sucht und Leute wie die Loie Fuller, die gegenwärtig in den Folies Bergères Paris entzückt, nicht zu den ›Artisten‹, sondern zu den Künstlern rechnet.

Von Nutzbüchern sei ›LA PEINTURE FRAN-ÇAISE DU IX. SIÈCLE À LA FIN DU XVI.‹ von PAUL MANTZ erwähnt, bei der SOCIÉTÉ FRAN-ÇAISE D'ÉDITIONS D'ART, Paris. Die Geschichte beginnt bei Karl dem Grossen und endigt bei Fréminet. Eine ausführliche Einleitung, die Olivier Merson dazu geschrieben hat, sucht den Anfang noch weiter zurückzuschieben bis in die vorchristliche Zeit. Der Wert des Buches, das im gewöhnlichen Romanformat erschienen ist, liegt in der leichtfasslichen Art, mit der namentlich die, bei uns wenig bekannten, fran-zösischen, dekora-tiven Kirchenmale-reien des 9. bis 12. Jahrhunderts besprochen und mit zahlreichen Abbil-dungen erläutert werden, wie auch in dem billigen Preis des Buches, der auch dem min-der Begüterten ge-stattet, die Schätze zu geniessen, die bisher nur in kost-baren Fachwerken enthalten waren. Da Kenner nur wenig Neues in dem Buche finden — na-mentlich bei Fouc-quet, dem französi-schen Malgenie des 15. Jahrhunderts,

Stilisierte Meerespflanze
(Meerstrands-Mannstreu)

Tapete, hergestellt von KNOWLES & CO., London

In demselben Verlag erschien SCÈNES ET ÉPI-SODES DE L'HISTOIRE D'ALLEMAGNE‹. Die Illustrationen von Rochegrosse und A. Mucha, der höchst belanglose Text von C. Seignobos. Wir erwähnen das Werk, das nichts als eine jener vielen spekulativen Weihnachtsunter-nehmungen ist, nur Muchas wegen — Roche-grosse ist längst gerichtet. Mucha hat sich binnen kurzem in Paris mit seinen Affichen Boden erobert, und die Reklame wagt, seine faden, farblosen und jeder zeichnerischen Quali-tät baren Kompositionen im ›Stile Sarah Bern-hardt‹ gegen Künstler von Rang wie Chéret, Lautrec u. s. w. auszuspielen. Man sollte sich dieses Buch ansehen, wo man die Art Muchas genauer verfolgen kann. Er passt zu Roche-grosse's pathetischer Anekdotenmalerei wie ein Zwilling zum andern. Die Kunst fängt auf einem höheren Niveau an, und was für Buchillustrationen man aus unseren alten deutschen Geschichten ziehen kann, sollten diese Leute von unserem Sattler lernen, der neben diesen Banalitäten wie ein Genie er-scheint. — Zu demselben Genre gehört ›MA PETITE VILLE‹ von JEAN LORRAIN, bei HENRY MAY, Paris, nur dass es sich hier um eine Luxusausgabe in 300 Exemplaren auf Bütten-papier handelt, dass der Illustrator Orazi heisst und die Bilder statt auf mechanischem Wege durch farbige Radierung wiedergegeben sind. · Ein sehr interessantes Werk hat HACHETTE herausgebracht: ›LA DANSE‹ von G. VUILLIER. An der Hand der Kunstwerke, die den Tanz darstellen, wird ›la danse à travers les arts‹ und ›à travers les siècles‹

vermisst man intimere Behandlung umso besser, wenn solche Gebiete populär werden. — Von deutschen Büchern liegen uns zwei Lieferungswerke über Architektur vor: »ARCHITEKTONISCHE ENTWÜRFE UND AUFNAHMEN« von A. L. C. ANGER, bei A. KÖHLER, Dresden. Aus der ersten Lieferung lassen sich nur aufrichtiger Fleiss und massvolle Beherrschung der überlieferten Formen erkennen. — In der ersten Lieferung der »SKIZZEN ÜBER HOLZARCHITEKTUR« von H. OTTO im selben Verlag steckt manches Originelle, und es ist an sich schon ein moderner Gedanke, der architektonischen Verwendung des Holzes ein Werk zu widmen. Namentlich unserer Villen- und Ausstellungsarchitektur dürfte es zugute kommen.

Die dritte Auflage der »KUNST-STIL-UNTERSCHEIDUNG« von SCHMID, bei H. LUKASCHIK in München, beweist, dass sich dieser Stilführer in der Westentasche einzubürgern beginnt. Wunderlich und amüsant ist die Tafel mit den Abbildungen des »neuen englischen Stils« und die der »neuesten deutschen Stilrichtung«. Da müssen wir denn doch protestieren. — Bei W. HEINEMANN, London, ist ein prachtvolles Bilderbuch »AN ALPHABET« von W. NICHOLSON erschienen, dem jungen Holzschneider, der eigentlich erst durch das famose Porträt der Königin, das während den Krönungsfeierlichkeiten in verschiedenen Londoner Läden zu sehen war, bekannt geworden ist. Jeder Buchstabe des Alphabets ist durch eine lustige Mannes- oder Frauenfigur dargestellt in den kräftigen schwarzbraunen Tönen, die Nicholson liebt und einer lediglich auf malerische Wirkung berechneten Zeichnung, die zuweilen an alte Spanier erinnert. Übrigens ist Nicholson einer der beiden Künstler, die unter dem Pseudonym Beggarstaff (angeblich als Brüder) eine Anzahl der besten englischen Plakate gemacht haben. Der andere Beggarstaff ist der Maler J. Pryde. -γ-

In dem interessanten Hefte, das der »ARCHITEKT« (Wien, A. SCHROLL & CO.) Arbeiten der Wiener »WAGNERSCHULE« widmet, treten uns eine ganze Reihe phantasievoller und eigenartiger junger Künstler entgegen; trotzdem tragen die Arbeiten einen starken gemeinsamen Zug; wenn aber unter zweifellos individuellen Schöpfungen solch eine Gemeinsamkeit hervortritt, kann man billig von einem »Stil« reden,

der ihnen innewohnt. — OTTO WAGNER weiss seiner Behandlung antiker Formenelemente ein so freies, neuartiges Gepräge zu geben, dass man in der That in seinen Werken und in seiner Schule einer fest ausgeprägten Kunstsprache gegenübersteht; sie hat nicht das gepriesene Heil in einem gewaltthätigen Bruch mit historischen Überlieferungen gesehen, das künstlerische Empfinden und die dekorative Ausdrucksweise des Empiregeschmackes schaut, ins Monumentale übersetzt, überall aus diesen Schöpfungen heraus, aber diese Ausdrucksweise ist weitergebildet, ist mit modernen Forderungen in modernem Geiste in Einklang gebracht, hat aus dem Nährboden einer reichen Künstlerphantasie neue Kombinationen und originelle Formen entwickelt.

Federzeichnung einer Meerespflanze (Meeresunda-Mannesbrou)

Charakteristisch ist das fast völlige Fehlen des Kreisbogens in dieser Architektur, er begegnet uns höchstens als Segment, sonst durchweg gerade Linien; charakteristisch ist das Dominieren des linearen Charakters im Ornament gegenüber dem Pflanzlichen, das mit einer gewissen Absichtlichkeit konventionell behandelt bleibt; charakteristisch ist ein zum Teil gerade durch diese Züge erzielter Anklang an Eisencharakter, der sich darin beweist, dass in vielen dieser Entwürfe Stein und Eisen in unauffälliger, wenigstens in der Zeichnung organisch wirkender Verbindung auftreten. Alles das giebt diesen Arbeiten für die Lösung moderner architektonischer Forderungen einen hohen Wert, und doch wäre es uns lieber gewesen, wenn wir in der Einleitung, die dem Hefte von einem der be-

279

Einband einer Preisliste für BLANK & CO. Barmen

teiligten Künstler mitgegeben ist, nicht hätten lesen müssen, dass »der Wagnerschule das Verdienst gebührt, im Anschlusse an die analogen modernen Kunstströmungen .... aber auf selbständiger individueller Basis weiterbildend, eine neue Epoche der Architektur ins Leben gerufen zu haben.«

Dies eilige Vorwegnehmen des Urteilsrechtes kommender Geschlechter, das neuerdings bei jeder frischen Arbeit im unentbehrlichen Gefolge zu sein scheint, wirkt doch neben so reifen Leistungen doppelt kindlich.

Eine gewisse Verwandtschaft lässt sich heute überall da erkennen, wo in der Architektur frei nach den Anforderungen moderner Aufgaben mit den Schätzen ihrer Kunstsprache geschaltet wird. Sie beruht ästhetisch vielleicht vor allem in der Bevorzugung gerader oder diskret geschwungener Linien, und in einem Streben nach Fläche gegenüber zusammengefasstem, meist flachem Ornament; im Vergleich zu den Leistungen dieser Art, wie sie in Deutschland etwa so verschiedene Naturen wie SCHMITZ und RIETH repräsentieren, muss man der Wagnerschule einen Zug ins Frostige nachsagen: viel Phantasie, viel Geschmack, sehr viel Können, aber wenig Gemüt. Es liegt ein unausrottbarer repräsen-

tativer Zug in all diesen Arbeiten, der allerdings bis zu einer bewundernswerten Höhe künstlerisch ausgebildet ist. — Dieser Zug äussert sich auch in der raffinierten Darstellung der Entwürfe, die an Eleganz, Technik und dekorativem Geschmack wohl kaum zu übertreffen ist, — manche Grundrisse selbst wirken wie ein schwungvolles Ornament; kurz viele lebendige Reize wird man in diesen Blättern finden, aber das, was man »intim« nennt, darf man nicht in ihnen suchen. Da ist die Grenze.   F. S.

MODELLI D'ARTE DECORATIVA ITALIANA, ausgewählt von ALFRED MELANI aus den Zeichnungen der kgl. Uffizien in Florenz, Verlag von U. HOEPLI, Milano, Preis M. 20.

Auf 50 Lichtdrucktafeln werden uns Wiedergaben von dekorativen und ornamentalen Entwürfen aus der Hochrenaissance und dem Barock geboten. Es sind darunter Putten, Karyatiden, Masken, Vasen, Wappen, Zeichnungen für dekorative Malerei, Fontänen und dergleichen. Wenn diese auch für unsere angewandte Kunst keinen Gebrauchswert haben, so sind sie doch gerade jetzt von grossem historischen Interesse, denn sie zeigen, wie allgemein sich damals alle Künstler, namentlich jene Toscanas, die hier hauptsächlich vertreten sind, mit dekorativen Arbeiten und Entwürfen beschäftigten. Möge auch uns eine solche Zeit wiederkehren. Die in diesem Werke vereinigte Auswahl ist gut, die Reproduktion originalgetreu.   -p-

✺

GEDANKEN

FORMKUNST: Es giebt eine Kunst, von der noch niemand zu wissen scheint: Formkunst, die der Menschen Seelen aufwühlt allein durch Formen, die nichts Bekannten gleichen, die nichts darstellen und nichts symbolisieren, die durch frei gefundene Formen wirkt, wie die Musik durch freie Töne. Aber die Menschen wollen noch nichts davon wissen, sie können nicht geniessen, was ihr Verstand nicht begreift, und so erfanden sie Programmusik, die etwas bedeutet, und Programmdekoration, die an etwas erinnert, um ihre Existenzberechtigung zu erweisen. Und doch kommt die Zeit, da in Parken und auf öffentlichen Plätzen sich Denkmale erheben werden, die weder Menschen noch Tiere darstellen, Phantasieformen, die der Menschen Herz zu rauschender Begeisterung und ungeahntem Entzücken fortreissen werden.   A. E.

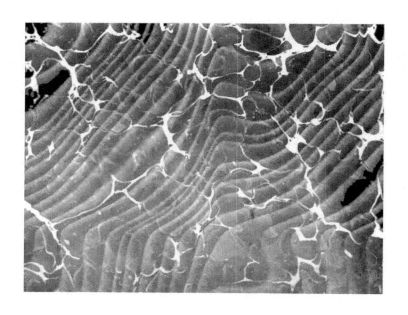